LE NOUVEAU SANS FRONTIÈRES 3

MÉTHODE DE FRANÇAIS

JACKY GIRARDET

JEAN-MARIE CRIDLIG · PHILIPPE DOMINIQUE

Conception graphique : Claudine Combalier

Illustrations : Xavier de Sierra C.A.

27, rue de la Glacière 75013 Paris

ISBN 2.19.033471.3

LE NOUVEAU SANS FRONTIÈRES est une méthode complète de français pour adolescents et adultes.

Elle assure l'apprentissage de la langue, avec ses nombreux exercices écrits, oraux, d'écoute et de systématisation; l'apprentissage de la communication, avec ses nombreuses activités de prise de parole; l'apprentissage de la civilisation, avec ses nombreux documents, illustrations et photos.

Ce troisième niveau est utilisable à partir de 250 heures d'enseignement. Il est conçu et organisé selon les mêmes principes que LE NOUVEAU SANS FRONTIÈRES 1 et 2.

Tout en poursuivant les acquisitions lexicales, grammaticales et communicatives, il comporte une révision systématique des connaissances et des savoir-faire de base.

Nous avons pris un soin particulier à rendre le matériel attrayant et motivant, l'apprentissage d'une langue et la découverte d'une autre culture ne pouvant se faire que dans le plaisir. L'équipe qui a créé et mis en forme ce matériel a travaillé dans cet espoir.

Description du matériel

1 livre de l'élève (240 pages)
1 cahier d'exercices (176 pages)
1 livre du professeur (160 pages)
4 cassettes (4 heures d'enregistrement)

LE LIVRE DE L'ÉLÈVE

Il comprend 4 unités (correspondant à 16 dossiers thématiques).
Dans chaque unité : 4 leçons – 1 bilan de l'unité.

A la fin de l'ouvrage :
Précis grammatical
Tableaux de conjugaisons
Index de vocabulaire
Tableau des contenus

Les Bilans. *Tests, documents et exercices de révision sur les acquisitions des 4 leçons de chaque unité.*

Le Précis grammatical. *Récapitulatif des acquisitions grammaticales des niveaux 1, 2 et 3. Il pourra être consulté pour toute vérification ou révision.*

Tableaux de conjugaison. *Toutes les conjugaisons modèles, à tous les temps appris, et les principaux verbes irréguliers.*

Index de vocabulaire. *Tous les mots nouveaux contenus dans le livre, avec renvoi à l'unité, la leçon et la rubrique.*

Structure d'une leçon

Regardez! Écoutez!

Dialogue et documents

Apprenez!

Grammaire et vocabulaire

Activités

Répétez! Répondez!

Phonétique, mécanismes

Écrivez!

Exercices écrits

Parlez!

Exercices oraux

Écoutez!

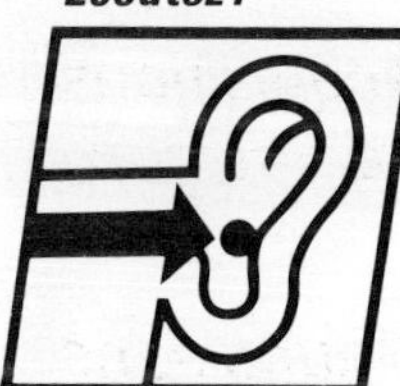

Exercices d'écoute

Observez!

Exercices sur documents

Lisez!

Textes littéraires

Découvrez!

Civilisation

RÉCITS

LEÇON 1 - BALADE DANS LA VILLE -

LEÇON 2 - UN ENFANT DANS LA FORÊT -

LEÇON 3 - L'AIR DU LARGE -

LEÇON 4 - RÉTROSPECTIVE -

GRAMMAIRE

Les temps de l'indicatif – L'expression de la durée et des rapports temporels – Le subjonctif.

COMMUNICATION

Dire sa sympathie ou son antipathie – Exprimer l'obligation et l'interdiction – Formuler des demandes – Exprimer la certitude et le doute.

VOCABULAIRE

La ville et les professions – L'enfant – La mer – La politique, l'administration – Les problèmes sociaux et l'émigration – L'histoire – La peinture.

CIVILISATION

Villes de province et monde rural – L'éducation – La Corse – Histoire de la France depuis 1945 – Les Français et la politique – Survol de la peinture française.

BALADE DANS LA VILLE

Festival d'Avignon : animation de rues.

Ils se sentent bien chez nous

Lui est hollandais. Elle est italienne. Ils sont arrivés à Avignon au début des années 70 quand, à l'approche du festival de juillet, de drôles d'oiseaux barbus et chevelus s'abattaient sur la place de l'Horloge sous les regards inquiets de la bourgeoisie locale. Ils étaient de cette faune qui faisait la route, portait des vêtements indiens et chantait du Bob Dylan à la terrasse des cafés pour se faire de l'argent de poche. Les créations théâtrales de Vitez ou de Planchon dans la cour du Palais des Papes les laissaient indifférents. Ils venaient pour se retrouver et pour se raconter le petit hôtel sympa au Pérou ou le resto pas cher de Grenoble.

Flaminia et Hans ne sont pas repartis avec les grandes migrations de la fin de l'été. Avignon les a séduits. Ils ont décidé de s'y installer. « *Nous n'avons pas eu de problèmes pour nous intégrer. Il y a bien eu quelques personnes qui sont restées réservées et distantes mais d'une manière générale les gens se sont montrés accueillants et aimables.* » Mais il fallait vivre. Flaminia et Hans arrivaient du Brésil, riches d'un modèle de sandales de cuir à lanières réglables. Flaminia en fabrique des centaines pendant l'hiver. Hans fait de petits boulots : manœuvre, maçon, vitrier, peintre et même carrossier. Il sait tout faire, cet homme! Le printemps arrive. Succès foudroyant des sandales. Toute la région en porte pendant l'été. Désormais, ils peuvent s'acheter à crédit un local dans le centre-ville et y ouvrir un magasin d'artisanat.

Intérieur d'un café à Marseille.

Dans un bar d'Avignon

Gérard : Bon. Dites donc les gars, c'est pas le tout, mais je dois y aller !

Louis : Doucement, Gérard ! Il y a pas le feu ! Reste encore une minute avec nous. C'est ma tournée... Bébert ! Tu nous remets ça, s'il te plaît ! ... Et puis, hein, pour rentrer chez toi, tu as peut-être besoin d'un petit remontant, non ? Parce que, hier, il y a encore eu une agression dans ton quartier. Ça n'arrête pas. C'est Chicago là-bas.

Gérard : Il y a pas que chez moi. Tu sais pas ce qui est arrivé à ma sœur, l'autre jour ? Elle était en plein centre-ville et il y avait beaucoup de monde, je t'assure. Un type s'est approché d'elle à un feu rouge et l'a braquée avec un revolver. Elle a été obligée de lui laisser son sac et sa voiture !

François : Normal ! Avec tous ces étrangers qu'on laisse entrer sans papiers et sans permis de travail !

Louis : Eh François ! Tu as pas de leçon à donner, toi. Parce que ton beau-père, avec qui il fait tourner sa propriété agricole ? Il a pas un seul Français parmi ses ouvriers.

François : Si, il y en a qui sont naturalisés...

Gérard : Moi, je vais vous dire. Ce qu'il faut, c'est mettre les chômeurs au travail. Il n'y a qu'à les obliger à faire les vendanges et à tailler les vignes.

Louis : C'est pas aussi simple, mon petit bonhomme. Tiens, l'autre jour, je discutais de ça avec Martin, le conseiller général...

Histoire de la ville

Dès la préhistoire, le rocher des Doms (aujourd'hui, le plus beau jardin d'Avignon) servit de refuge aux hommes. Ils y construisirent un village qui peu à peu s'agrandit.

Les Romains occupèrent le Sud-Est de la Gaule à partir du 2e siècle avant J.-C. Cette occupation donna naissance à une riche civilisation et Avignon devint une cité prospère qui pouvait rivaliser avec ses puissantes voisines (Arles, Nîmes, Orange). Si, de nos jours, il ne reste rien de cette grandeur passée, c'est parce que toutes les pierres des bâtiments de l'époque furent réemployées au cours des siècles pour construire des remparts, des châteaux et des palais.

Au 3e siècle, des peuples venus du Nord envahirent la Gaule. Avignon déclina et jusqu'au Moyen Age, elle dut se contenter d'un destin médiocre.

En 1309, se produisit un événement qui allait faire sortir la ville de l'oubli. Le pape Clément V quitta Rome et vint s'établir à Avignon. Ses successeurs l'imitèrent et pendant un siècle, Avignon fut la résidence des papes... et des antipapes. Jusqu'à la Révolution elle restera un territoire de la papauté.

Aux 18e et 19e siècles, Avignon, malgré l'introduction des industries de la soie et de l'imprimerie, ne parvint pas à se donner une dimension industrielle. Elle dut sa prospérité à la riche région agricole qui l'entoure.

Aujourd'hui, tout en développant sa banlieue industrielle, elle s'est tournée résolument vers le tourisme et la culture.

Avignon : Le palais des Papes

Festival d'Avignon : représentation théâtrale.

GRAMMAIRE ET VOCABULAIRE

■ L'EXPRESSION DU PASSÉ

1. L'emploi des temps.

TEMPS	EXEMPLE	EMPLOI
Passé récent	Mireille **vient** de me **téléphoner.**	Action passée proche du moment présent.
Passé composé	J'ai bien **mangé.** Il **est arrivé** le 24 décembre.	Résultat présent d'une action passée. Événement passé (même sens que le passé simple).
Imparfait	Il **faisait** beau quand je suis sorti. Je me **levais** tous les jours à 6 h. Ah! si j'**avais** 20 ans. Il m'a dit qu'il **habitait** Avignon.	Circonstances ou commentaire d'une action principale. Action passée habituelle ou répétitive. Expression de l'hypothèse (voir p. 98). Dans le discours rapporté.
Passé simple	La marquise **sortit** à 5 heures.	Événement passé (peut presque toujours être remplacé par le passé composé). *N.B. : le passé simple a pratiquement disparu de la langue orale. Il subsiste dans les textes littéraires et dans les récits de presse (à la troisième personne).*

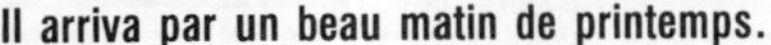

Il arriva par un beau matin de printemps.

Un jour qu'il dormait profondément, nous lui avons fait une farce.

2. Formes du passé simple.

• verbes du 1er groupe → terminaison en « é » :
je parl**ai**, tu parl**as**, il (elle) parl**a**, nous parl**âmes**, vous parl**âtes**, ils (elles) parl**èrent.**

• verbes du 2e groupe (type finir) → terminaison en « i » :
je fin**is**, il (elle) fin**it**, nous fin**îmes**, vous fin**îtes**, ils (elles) fin**irent.**

• verbes du 3e groupe → terminaisons en « i » ou en « u » :
je pr**is**, tu pr**is**, il (elle) pr**it**, nous pr**îmes**, vous pr**îtes**, ils (elles) pr**irent.**
je l**us**, tu l**us**, il (elle) l**ut**, nous l**ûmes**, vous l**ûtes**, ils (elles) l**urent.**

■ SITUER DANS LE TEMPS

Ça s'est passé
- le 3 mars, à 10 heures
- en mars, au mois de mars,
- en automne, en été, en hiver
- au printemps
- en 1975
- au 20ᵉ siècle.

• **Situation imprécise**
au cours de... dans le courant de...
dans les premiers jours de...
vers... aux environs de... autour de...
dans les années 80... un jeudi...

• **Point de départ de l'action**
à partir de...
dès... dès que... dès le moment (l'instant) où...,
dorénavant... désormais.

• **Point d'arrivée**
de... à...
jusqu'à...

■ LA SYMPATHIE – L'ANTIPATHIE

• être sympathique – aimable – amical – cordial – bienveillant – accueillant – sociable.
→ **L'acceptation**
accepter – admettre – tolérer quelqu'un – s'intégrer dans un milieu.
- s'entendre avec quelqu'un
- s'accorder
- avoir des affinités avec quelqu'un.

• être antipathique – froid – réservé – distant – peu engageant – déplaisant – désagréable – odieux.
→ **Le rejet**
rejeter – écarter – mettre à l'écart – bouder quelqu'un – repousser – reléguer.
- se heurter – se disputer
- se détester – se haïr.

■ LES MÉTIERS

• **Les commerçants**
un boulanger – un pâtissier – un confiseur – un boucher – un charcutier – un épicier – un traiteur – un poissonnier – un fruitier – un quincaillier – un mercier – un bijoutier.
• **Les artisans**
un maçon – un menuisier – un plombier – un serrurier – un ferronnier – un vitrier – un électricien – un tailleur – une couturière – un blanchisseur – un teinturier.
• **L'artisanat d'art**
la poterie – la céramique – l'émail (émailler) – un moulage (mouler) – le tissage (tisser) – un métier à tisser – filer la laine – la sculpture – sculpter la pierre, le marbre, le bois – ciseler, travailler les métaux – forger – souder – la peinture sur soie, sur porcelaine – la gravure (graver).

• **Les outils**
une scie – un marteau (un clou) – des pinces – des tenailles – un rabot – un tournevis (une vis) – une perceuse.

• **formation à partir d'un verbe**
eur/euse : vendre → vendeur/vendeuse
teur/trice : décorer → décorateur/décoratrice.
• **formation à partir d'un nom**
ien/ienne : pharmacie → pharmacien/pharmacienne
(i)er/(i)ère : boucherie → boucher/bouchère
épicerie → épicier/épicière.
aire : disque → disquaire
iste : piano → pianiste.

■ L'ÉMIGRATION

• **Un immigré** – un immigrant – immigrer – les migrants – un émigré – émigrer – fuir – s'échapper – un clandestin – la clandestinité – passer la frontière – un passeur – se réfugier – un réfugié politique – demander l'asile politique.
• **Les lois sur l'immigration** – un taux – un quota – un contingent – le laxisme/le rigorisme.
• **L'adaptation** (s'adapter) – l'insertion sociale, professionnelle, etc. – la formation – l'alphabétisation – une société pluriculturelle, multiraciale.
• **Les papiers d'identité** – une carte de séjour – un permis de travail – un contrat de travail.
• **Les conditions de vie** – décentes/déplorables – insupportables – la pauvreté – la misère – un indigent – un mendiant (mendier – demander l'aumône).

ACTIVITÉS

Découverte de l'article de presse : « Ils se sentent bien chez nous »

- **Recherchez les étapes de l'itinéraire de Flaminia et de Hans. Imaginez leur enfance, leur adolescence et leur rencontre.**
- **Relevez les verbes conjugués dans le premier paragraphe. Analysez l'emploi des temps.**
- **Recherchez des noms de métiers et de professions. Classez-les selon leur suffixe.**
- **Faites une liste des difficultés que les deux jeunes gens ont dû rencontrer en s'installant dans une ville de province.**

Mécanismes A

- **Est-ce que vous appelez Hans aujourd'hui?**
– Non, je l'ai appelé hier.
- **Est-ce que Michel rapporte les livres à la bibliothèque aujourd'hui?**
– Non, il les a rapportés hier.
- **Est-ce que vous avez vu Flaminia aujourd'hui?**
– Non, je ne l'ai pas vue.
- **Est-ce que Florence a déjà vu la boutique d'artisanat de Hans et de Flaminia?**
– Non, elle ne l'a jamais vue.

1. Passé composé ou imparfait. Mettez les verbes entre parenthèses à la forme qui convient.

Dans la pièce de Jean-Paul Sartre, *Huis clos*, trois personnages se retrouvent en enfer et se demandent pourquoi. L'un de ces personnages, Estelle, raconte sa vie.

« J'**(être)** orpheline et pauvre, j'**(élever)** mon frère cadet. Un vieil ami de mon père m'**(demander)** ma main. Il **(être)** riche et j'**(accepter)**. Qu'auriez-vous fait à ma place? Mon frère **(être)** malade et sa santé **(réclamer)** les plus grands soins. J'**(vivre)** six ans avec mon mari sans un nuage. Il y a deux ans j'**(rencontrer)** celui que je devais aimer. Nous **(se reconnaître)** tout de suite. Il **(vouloir)** que je parte avec lui et j'**(refuser)**. Après cela, j'**(avoir)** ma pneumonie. C'est tout. Peut-être qu'on pourrait, au nom de certains grands principes, me reprocher d'avoir sacrifié ma jeunesse à un vieillard. Croyez-vous que ce soit une faute? »

2. Les métiers. Formez les noms de métiers à partir des mots soulignés.

- Il vend des <u>antiquités</u>
- Elle joue du <u>violon</u>
- Elle tient une <u>charcuterie</u>
- Il fait des installations <u>électriques</u>
- Elle soigne les <u>dents</u>
- Il <u>anime</u> des émissions de télévision
- Il <u>lave</u> les vitres
- Elle <u>maquille</u> les artistes de cinéma
- Elle <u>vérifie</u> les nouveaux produits
- Il <u>fabrique</u> des meubles

→ **Jouez à deviner des noms de métiers en donnant progressivement des indices.**
Exemple : uniforme... clé... cellule (gardien de prison).

3. Sympathie ou antipathie.

a. Que pensez-vous? Comment réagissez-vous? Que dites-vous?

- Dans un compartiment de train, vous êtes seul avec un(e) inconnu(e) qui ne semble s'intéresser qu'au paysage. Trois heures à attendre avant le prochain arrêt! Vous essayez d'engager la conversation... Mais l'inconnu(e) vous répond d'un mot, sans détourner les yeux.
- Vous êtes invité(e) à une soirée. En dehors de la maîtresse de maison qui vous a invité(e), personne ne semble s'intéresser à vous...
- Vous êtes invité(e) seul(e) chez un couple d'amis. Au cours du repas, une violente dispute éclate entre les deux époux...

b. Dites la vérité! Ne vous est-il pas arrivé d'être froid, déplaisant ou même franchement odieux avec un(e) inconnu(e)? Racontez.

4. *L'évocation des souvenirs. Ils se rappellent... Faites-les parler.*

• Elle parle de sa jeunesse dans la ferme de ses parents.

• Il raconte son enfance dans les grands ensembles de Sarcelles (cité-dortoir de la banlieue parisienne où se concentre une population de gens souvent démunis).

• Il évoque ses années de captivité

Edmond Dantès (personnage du roman d'Alexandre Dumas *Le Comte de Monte-Cristo*) est resté quatorze ans dans la prison de l'île du château d'If, au large de Marseille, avant de pouvoir s'évader. Dans son cachot, il pouvait communiquer avec l'occupant de la cellule voisine, l'abbé Faria, qui lui a révélé la cachette d'un trésor. Edmond Dantès retrouvera ce trésor dans l'île de Monte-Cristo.

5. *Exercice d'écoute.*

Dans les années 70, certains jeunes ont abandonné leurs études et ont quitté leur ville pour aller vivre en communauté dans des fermes abandonnées ou dans des villages dépeuplés. Beaucoup sont revenus au bout de quelques semaines. Certains sont restés, comme Véronique et Michel.

a. Écoutez-les et complétez le tableau.

Raisons et circonstances de leur installation dans les Cévennes	Difficultés rencontrées	Évolution de leur mode de vie et de leur mentalité
....	....	....
....	....	....

b. Comprenez-vous, approuvez-vous le choix et la façon de vivre de ce couple ?

Écoute et découverte de la conversation
- Imaginez la profession et le statut social de chacun des personnages.
- Quels problèmes de société sont évoqués dans cette conversation ?
- Relevez les tournures et les expressions familières.

Mécanismes B
- Est-ce que Gérard a parlé à François ?
– Oui, il lui a parlé.
- Est-ce que vous avez écrit au directeur ?
– Oui, nous lui avons écrit.
- Est-ce que vous avez écrit à M. Martin ?
– Non, je ne lui ai pas encore écrit.
- Est-ce qu'il vous a téléphoné ?
– Non, il ne m'a pas encore téléphoné.

6. L'immigration en France. Lisez ces extraits d'un article de Jean-François Revel (journaliste et philosophe).

Immigrés à Marseille.

IMMIGRATION : LE PARLER VRAI

Vociférations, ignorance, irresponsabilité... la question immigrée est un abcès dans la France d'aujourd'hui.

Comme presque toutes nos grandes querelles nationales, celle de l'immigration possède une caractéristique : on parle beaucoup et on sait peu. Connaissons-nous exactement le nombre des étrangers résidant en France ? Faut-il arrêter l'immigration ? Les départs, forcés ou volontaires, sont-ils plus nombreux aujourd'hui qu'hier ? La France a-t-elle trahi sa mission de « terre d'asile » ? Combien d'étrangers accèdent chaque année à la nationalité française ? Y a-t-il une délinquance étrangère supérieure à la moyenne nationale ? Pourquoi les enfants d'immigrés, même nés français, souffrent-ils d'un échec scolaire particulièrement grave ?

Autant de questions à propos desquelles la véhémence des échanges le dispute ordinairement à l'ignorance des données. On a pu entendre récemment un éminent homme d'État, tout à fait libéral, déclarer : « Il faut arrêter l'immigration. » Or, l'immigration est arrêtée depuis 1974, date à laquelle le gouvernement a décidé d'interdire l'entrée en France de nouveaux travailleurs étrangers permanents. Les seules entrées nouvelles autorisées, depuis lors, sont dues au regroupement familial, ou aux demandeurs d'asile politique. Le pourcentage global d'augmentation de la population étrangère, qui était de 4,5 % par an de 1968 à 1974, est tombé à 1 % par an de 1975 à 1982 et à 0,7 % de 1982 à 1985.

On répondra que l'immigration clandestine échappe à ces statistiques. Mais point besoin de la clandestinité pour que les statistiques nagent dans le chaos. En 1982, l'Institut national de la statistique et des études économiques – l'INSEE – dénombre 3 680 000 étrangers, et le ministère de l'Intérieur, 4 239 238. C'est que l'INSEE se fonde sur les résultats du recensement de 1982, comme si les formulaires étaient tous remplis et retournés avec le même zèle et la même exactitude en milieu immigré que dans les autres! Quant aux bénéficiaires de l'asile politique, il y en a eu 1 600 en 1974 et 30 000 en 1986. Comment, à la lecture de ces chiffres, ne pas rire aux anathèmes stupides sur la France devenue « terre de l'exclusion »!

Avec 7 % d'étrangers dans la population, nous sommes dans la moyenne européenne. Mais plusieurs facteurs additifs aggravent les tensions : la surconcentration dans certains départements et, avant tout, dans les zones urbaines. Songeons que 70 % des étrangers vivent dans des villes de plus de 100 000 habitants, et 40 % seulement des Français. D'où quatre conséquences : logements surpeuplés, chômage aggravé, enseignement insuffisant débouchant sur l'échec, forte délinquance. D'où cette idée clé que le problème immigré en France n'est d'abord que l'amplification des handicaps de la France pauvre en général, auxquels s'ajoutent des handicaps spécifiques, différents selon les pays d'origine. Aussi la véritable ligne de partage ne passe-t-elle pas avant tout entre les résidents qui ont la nationalité française et ceux qui ne l'ont pas. Entre les naturalisations (60 000) et les naissances (40 000), il y a 100 000 nouveaux Français par an. Mais cela ne veut pas dire qu'ils ne continueront pas à vivre pour autant dans le contexte immigré, avec ses désavantages économiques, socioculturels et psychologiques. L'immigré « existentiel » peut fort bien ne pas être étranger, et de nombreux étrangers, résidents permanents ou de longue durée, ne partagent pas du tout le mode de vie immigré.

Il faut donc « déracialiser » la question immigrée et la « socialiser », retirer le dossier aux vociférateurs de tous bords, pour le situer enfin sur son terrain propre, celui des réalités humaines, économiques et culturelles.

Extraits d'un article de Jean-François Revel, *Le Point* n° 823, 27 juin 1988.

• Dans le premier paragraphe, J.-F. Revel pose un certain nombre de questions. Essayez d'y répondre en lisant la suite de l'article.
• Quels sont les problèmes associés au problème de l'immigration?
• Quelle est la position de Revel sur le problème de l'immigration? Que veut-il dire par « Il faut donc ''déracialiser'' la question immigrée et la ''socialiser'' »?

Découverte de l'extrait du guide touristique

• Relevez les verbes et donnez leur infinitif. Justifiez l'emploi des différents temps.
• Quelles ont été, pour Avignon, les périodes d'expansion et les périodes de déclin?
• Rédigez, pour un guide touristique français, un résumé de l'histoire de votre ville.

7. Le passé simple. Retrouvez l'infinitif des verbes au passé simple et classez-les dans le tableau.

• Quand il vit le portefeuille sur la route, l'automobiliste freina, arrêta son véhicule, ouvrit la porte, sortit, fit quelques pas et ramassa l'objet.
• Toute la soirée, Alphonse mangea comme quatre, but comme un trou, rit bruyamment et dansa maladroitement. A minuit, il eut sommeil et dormit comme une souche.
• Quand j'aperçus le facteur déposant une lettre dans la boîte, je descendis l'escalier quatre à quatre, pris la lettre, déchirai l'enveloppe et lus avidement.
• Cette année-là, Jean invita Isabelle. Elle tint sa promesse et vint passer quelques jours dans sa maison de campagne.

terminaisons -ai, -as, -a...	terminaisons -is, -is, -it...	terminaisons -us, -us, -ut...	autres cas
....	voir	....	....

8. Imaginez le récit du héros de cette histoire. Utilisez le passé composé et l'imparfait.

Au 18e siècle, un animal mystérieux terrorisa les habitants du sud du Massif central et fit de nombreuses victimes. On l'appelait « la bête du Gévaudan ». Il s'agissait probablement d'un loup de taille gigantesque. Voici une autre étrange histoire de loups vécue par un voyageur dans la région des Cévennes.

« Un paysan fut appelé pour ses affaires à Montpellier. Il s'y rendit à pied. Il était encore à plusieurs kilomètres du village de Saint-Martin-de-Londres où il devait faire étape, quand la nuit tomba. Pour arriver plus vite, il décida de couper à travers un bois de chênes, mais il s'égara. Soudain, il aperçut la lueur d'un grand feu. Il se dirigea vers la lumière et un spectacle hallucinant le cloua sur place. Dans une clairière, des loups étaient rassemblés, assis en rond autour d'un feu. A l'approche du paysan, les bêtes se dressèrent et commencèrent à gronder. Mais soudain, un sifflement retentit et les loups reprirent leur place, calmés. Le voyageur tourna les yeux vers le lieu d'où était venu le sifflement et découvrit un homme qui lui dit : ''N'aie pas peur. Ils ne te toucheront pas. Repose-toi, puis je te prêterai deux d'entre eux pour te protéger dans la traversée de la forêt.'' Un peu plus tard, le paysan repartit vers Saint-Martin-de-Londres encadré par deux loups superbes. A la sortie du bois, il aperçut un mas[1]. Là, on donna à manger aux loups qui retournèrent ensuite dans la forêt.

En bavardant avec les gens du mas, le voyageur apprit qui était l'homme mystérieux qui faisait obéir les bêtes. C'était Jean, le meneur de loups. Dans la région, on l'accusait d'avoir fait un pacte avec le diable. »

Cité par C. Seignolle dans *Le Folklore du Languedoc*, © Maisonneuve et Larose, Paris, 1977.

(1) ferme en Languedoc et en Provence.

La civilisation de la vigne et du vin

Les origines

Les Gaulois mangeaient des raisins mais ils ignoraient l'art de faire du vin. Cette boisson très appréciée était donc un luxe et les marchands italiens qui ravitaillaient la Gaule échangeaient quelquefois une amphore de vin contre un esclave. C'est avec la conquête romaine que la culture de la vigne et la fabrication du vin se développèrent en Gaule. Dès lors, le tonneau gaulois remplaça l'amphore romaine et la Gaule devint même exportatrice.

Les grandes régions viticoles

On produit du vin un peu partout en France. Même sur la butte Montmartre à Paris où l'on vendange encore traditionnellement quelques pieds de vigne ! Les régions qui produisent les crus les plus connus sont :

• ***la région de Bordeaux*** qui produit des vins rouges (Médoc – Graves – Saint-Émilion – Pomerol) et des vins blancs (Sauternes – Graves blancs). Ces vins sont plus précisément désignés par le nom de la propriété où ils sont produits (château d'Yquem – château Margaux) ;

Le classement des vins

(des plus subtils aux plus courants)

A.O.C. : vins d'appellation d'origine contrôlée.
V.D.Q.S. : vins délimités de qualité supérieure.
Vin de pays : vin avec indication de provenance.
Vin de table : sans indication de provenance.

Mais attention ! Certaines années (millésimes) sont meilleures que d'autres. 1984 a été une meilleure année pour les bordeaux que pour les bourgognes.

Déboucher une bouteille réserve quelquefois des surprises heureuses ou malheureuses.

Savoir parler d'un vin

On peut décrire :
sa couleur : rouge vif, cerise, rubis, grenat...
son bouquet (son odeur) : on l'associe en général à un végétal (framboise, rose, pêche, etc.).
son goût : fort (alcoolisé), léger (peu alcoolisé), jeune, vert, doux, âpre, etc.
son corps : corsé, généreux, velouté, équilibré.

Les spécialistes (goûteurs professionnels ou membres de la Confrérie des Chevaliers du Tastevin) possèdent dans ce domaine un vocabulaire d'une étonnante richesse.

Les Chevaliers du Tastevin savent apprécier les vins, les vignes et les bouteilles.

• ***la région de Bourgogne*** donne également des vins prestigieux (Nuits-Saint-Georges – Gevrey-Chambertin) ;
• ***au nord de Lyon*** se trouvent les vignobles du Beaujolais ;
• ***la vallée du Rhône*** produit d'excellents vins rouges (Côte-du-Rhône) ou rosés ;
• ***la région de la Loire,*** vins d'Anjou, de Touraine, muscadet, Sancerre ;
• ***le Languedoc, le Roussillon et la Provence,*** gros producteurs de vins de consommation courante jusqu'à une époque récente, tentent de se reconvertir vers la production de vins de qualité ;
• ***la Champagne, l'Alsace et la Corse.***

Harmoniser les vins et les plats

Avec les poissons, les huîtres, les coquillages : vins blancs secs, champagne brut.
Avec les entrées et les hors-d'œuvre : vins blancs secs ou demi-secs, vins rosés.
Avec les gibiers : vins rouges corsés.
Avec les fromages : grands vins pour les fromages fermentés, blancs secs ou rosés pour les autres.
Desserts sucrés : vins mousseux, champagne, vins doux.

Mais ces propositions ne sont qu'indicatives. L'essentiel est de se laisser guider par son goût.

Vrai ou faux ?

1. Les Français boivent de moins en moins de vin.
2. Les Français sont les plus gros exportateurs de vin dans le monde.
3. Les Français sont les plus gros consommateurs de vin du monde.
4. Les Français sont les plus gros consommateurs d'eau minérale du monde.
5. Plus de 60 % des Français ne boivent pas de vin quotidiennement.
6. 40 % des buveurs de vin le coupent avec de l'eau.

Seule, la deuxième phrase est fausse. L'Italie exporte plus que la France.

Alors, avec Antoine, on s'est fait une bouffe... un véritable gueuleton ! Et bien arrosé ! Il avait sorti une ou deux bouteilles de derrière les fagots. Qu'est-ce qu'on a pu picoler ! C'est qu'il boit sec Antoine ! Et il tient le coup. C'est pas comme moi. Après trois ou quatre verres, j'étais déjà un peu rond. J'ai fini complètement bourré. Et le lendemain, j'avais une de ces gueules de bois !

• Découvrez dans ces propos les mots et les expressions qui évoquent : le manger, la boisson, l'ivresse.

9. *Exercice d'écoute. Le guide retrace l'histoire du château d'Amboise. Notez et datez :*

- **les différentes fonctions qu'a eues le château au cours des siècles;**
- **les transformations qu'il a subies;**
- **les grands événements historiques qui s'y sont déroulés.**

10. *Le récit au passé simple. En vous aidant de la chronologie suivante, rédigez une courte biographie de Molière (utilisez le passé simple et l'imparfait).*

1622 (15 janvier) – Naissance de Jean-Baptiste Poquelin (nom réel de Molière), fils d'un tapissier du roi et de Marie Cressé.
1632 – Mort de Marie Cressé.
1634-1642 – Études secondaires au collège de Clermont (actuel lycée Louis-le-Grand). Études de droit à Orléans.
1643 – Liaison avec la comédienne Madeleine Béjart avec qui il crée la troupe de « l'Illustre-Théâtre ».
1644 – J.-B. Poquelin, directeur de « l'Illustre-Théâtre » sous le surnom de Molière.
Échec de la troupe à Paris.
1645-1658 – Tournées en Province, notamment dans les villes du Sud. Succès de la troupe. Représentation des pièces de Corneille, de farces à l'italienne mais aussi de pièces écrites par Molière.
1658 – Retour à Paris. Molière, protégé par le frère du roi, s'installe au Palais-Royal. Plusieurs succès *(Sganarelle, L'École des femmes).*
1662 – Mariage avec Armande Béjart, sœur (ou fille?) de Madeleine.
1664-1668 – Époque des grandes comédies *(Tartuffe, Dom Juan, Le Misanthrope, Le Médecin malgré lui, L'Avare).* Intrigues et complots des courtisans et du clergé contre Molière qui critique trop, selon eux, certains défauts de ses contemporains. Interdiction de *Tartuffe* après la première. Retrait de *Dom Juan* après 15 représentations.
1669-1671 – Années de gloire. Molière, fournisseur des divertissements royaux. Production de comédies-ballets *(Le Bourgeois gentilhomme, Les Fourberies de Scapin).*
1673 – Mort de Molière, quelques heures après la quatrième représentation du *Malade imaginaire* dont il était l'interprète principal.

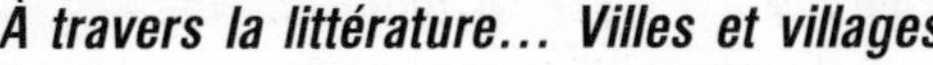

À travers la littérature... Villes et villages

Paris

Ville très grande et très petite
très innocente et très rusée
qui se rêve et qui se calcule
qui se médite et se délie
Ville étourdie ville fidèle
qui tient dans le creux de la main
Ville ambiguë ville facile
aussi compliquée que le ciel
aussi réfléchie que la mer
aussi captive que l'étoile
aussi libre qu'un grain de ciel

Ville ouverte et si refermée
ville têtue et ville vaine
où la laideur sait être belle
et la beauté sourire en coin
ville consciente et frivole
du petit jour au petit jour
ville toujours réinventée
ville animale et ville humaine
belle horloge de liberté
et beau jardin de plantes folles
ville insouciante et calculée

Intelligence de la pierre
du ciel des hommes du travail
ville modeste et ville fière
foyer de braise et feu de paille

Camarade Paris.

Claude Roy, *L'Âme en peine, Un seul poème,* © Éd. Gallimard 1954.

- **Expliquez et commentez chacune des caractérisations de Paris.**
- **Montrez que ces caractérisations s'opposent sans être contradictoires.**

Un village de Provence dans les années 30

Le village des Bastides se trouvait à 20 km de Marseille et comptait alors 150 habitants. Il était voisin de deux autres villages : Les Ombrées et Ruissatel.

Enfin, une particularité des Bastides, c'était qu'on n'y trouvait que cinq ou six noms : Anglade, Chabert, Olivier, Cascavel, Soubeyran ; pour éviter des confusions possibles, on ajoutait souvent aux prénoms, non pas le nom de famille, mais le prénom de la mère : Pamphile de Fortunette, Louis d'Étiennette, Clarius de Reine. [...]

Parce que la route qui menait chez eux s'arrêtait sur le Boulevard(1), on n'y voyait qu'assez rarement des « étrangers », et parce qu'ils étaient satisfaits de leur sort, ils ne descendaient à Aubagne que pour porter leurs légumes au marché. Avant la guerre de 1914, on trouvait encore dans les fermes des vieux et des vieilles qui ne parlaient que le provençal des collines ; ils se faisaient « raconter Marseille » par les jeunes qui revenaient des casernes, et s'étonnaient que l'on pût vivre dans tout ce bruit, frôler dans la rue des gens dont on ne savait pas les noms, et rencontrer partout des hommes de la police !

Pourtant, ils bavardaient volontiers, et ne détestaient pas la « galéjade »(2)... Mais tout en parlant de tout et de rien, ils respectaient rigoureusement la première règle de la morale bastidienne : « On ne s'occupe pas des affaires des autres. »

La seconde règle, c'était qu'il fallait considérer les Bastides comme le plus beau village de Provence, infiniment plus important que le bourg des Ombrées, ou celui de Ruissatel, qui comptaient plus de cinq cents habitants.

Comme dans tous les villages, il y avait des jalousies, des rivalités, et même des haines tenaces, fondées sur des histoires de testaments brûlés ou de terres mal partagées ; mais devant une attaque venue du dehors, comme l'intrusion d'un braconnier des Ombrées, ou d'un ramasseur de champignons de Crespin, tous les Bastidiens ne formaient qu'un bloc, prêts à la bagarre générale ou au faux témoignage collectif ; et cette solidarité était si forte que les Médéric, fâchés depuis deux générations avec la famille du boulanger, achetaient toujours leur pain chez lui, mais par signes et sans lui adresser la parole. Ils habitaient pourtant dans la colline, et le boulanger des Ombrées était plus près de leur ferme : mais pour rien au monde ils n'eussent mangé le pain « étranger » sur la terre de la commune.

Marcel Pagnol, *Jean de Florette* © Pagnol 1964, Éd. Pastorelly.

(1) Le village est perché sur une montagne. Ce que les habitants appellent le Boulevard est une longue esplanade qui domine la vallée. (2) Plaisanterie (terme régional).

- **Qu'apprend-on sur les habitudes et les mentalités des habitants de ce village ?**
- **Pouvez-vous établir des comparaisons entre les les Bastides et certains villages de votre pays il y a 20, 40 ou 60 ans ?**
- **Le monde rural a-t-il totalement changé ?**

UN ENFANT DANS LA FORÊT

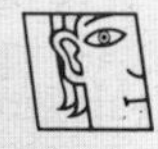

L'Oiseau bleu, conte de Madame d'Aulnoy.

Il était cinq heures du soir dans une petite ville de Sologne. Alice Cendrillon posa son lourd cartable, prit la clé suspendue à son cou et ouvrit la porte de sa maison. Une rude journée venait de s'écouler. Une autre commençait.

Tous les matins, au collège Jules Vallès, elle devait se plier à la discipline diabolique du professeur de mathématiques, se soumettre aux règles embrouillées des exercices de grammaire, obéir aux directives militaires du professeur de gymnastique. Même la bibliothèque, où elle aimait se réfugier pendant les heures de permanence, lui semblait un maquis d'ordres et d'interdictions : « *Prière de reposer les livres sur les rayons – Défense de parler – Table réservée aux professeurs...* ». Le seul moment où elle se sentait heureuse, c'était pendant les cours de dessin. Là, en coloriant sa grande feuille blanche, elle s'imaginait des mondes merveilleux où elle pourrait vivre à sa guise.

Le retour à la maison ne lui laissait aucun répit. Monsieur et Madame Cendrillon travaillaient tard le soir. Alice avait la charge de s'occuper de son frère cadet. Il fallait qu'elle aille le chercher à la crèche, qu'elle lui prépare son chocolat et qu'elle le fasse jouer. Dans le même temps, elle devait vider le lave-vaisselle mis en route le matin, mettre le couvert pour le repas du soir, arroser les plantes du salon et effectuer cent autres tâches fort ennuyeuses.

Quand tout cela était fini, elle avait encore à faire ses devoirs.

...

« Alice, je voudrais que tu apportes cette potion aux algues à ta grand-mère.

– Qu'est-ce qu'elle a ? Elle est encore malade ?

– Elle vient de téléphoner. Elle ne se sent pas bien.

– Grand-mère est toujours malade quand elle fait la fête avec son club du troisième âge.

– Alice, j'exige que tu sois polie quand tu parles de ta grand-mère

– Écoute maman, j'ai pas envie d'y aller. Cet après-midi, j'ai décidé de regarder ''Barbe Bleue'' à la télé.

– Alice, ne fais pas l'effrontée ! Je tiens à ce que Grand-mère prenne ce médicament. Allez, pas de discussion ! Et mets ton anorak. Il ne fait pas chaud. »

Madame Cendrillon avait de l'autorité. Alice dut s'exécuter. Elle mit l'horrible anorak rouge qu'elle détestait depuis que ses camarades de classe l'avaient appelée le « petit chaperon rouge », monta sur sa bicyclette et, pour ne pas risquer d'être vue avec l'odieux vêtement, décida de couper à travers la forêt.

...

Tout à coup, le vélo zigzagua sur le chemin et Alice s'aperçut qu'un des pneus était crevé. Quelle galère ! Et rien pour réparer ! Mais la fillette ne se troubla pas. Trois jours auparavant, elle avait pu observer sa tante Lisette victime d'une panne sur la route nationale. Dès que Lisette avait soulevé le capot fumant, trois automobilistes s'étaient immédiatement arrêtés, au péril de leur carrosserie, dans un unique crissement de pneus. Il suffisait donc d'attendre. Alice s'assit sur le bord du fossé et se mit à contempler l'activité fébrile des insectes dans l'herbe en levant les yeux de temps en temps pour scruter le bout du chemin d'où son sauveur n'allait pas manquer d'apparaître dans un poudroiement de poussière.

...

Alice ouvrit les yeux. La nuit était tombée. On distinguait confusément le ruban blanc du chemin. La forêt était pleine de bruits étranges... Soudain, la fillette aperçut une lumière à travers les pins et les bouleaux. Elle saisit sa bicyclette et se dirigea vers la lumière en trébuchant sur les touffes d'herbes.

...

Cendrillon.

Le petit Chaperon rouge.

Il y avait trois jours qu'Alice vivait dans la ferme d'Olga et de Paul Belogre. Depuis trois jours, elle était heureuse.

Quand elle avait frappé à la porte de la ferme, la nuit de son arrivée, Paul Belogre l'avait un peu effrayée. C'était un géant barbu à la voix forte et profonde. Mais sa femme Olga avait vite rassuré la petite fille. Elle l'avait prise par la main et l'avait entraînée dans une grande salle où une multitude d'enfants jouaient à toutes sortes de jeux. Olga confia Alice à une fillette de son âge qui lui raconta durant des heures comment elle-même était arrivée là et pourquoi elle avait l'intention d'y rester toujours.

La vie à la ferme Belogre était bien étrange et bien agréable.

Tous les matins, à 9 heures, les enfants se rassemblaient dans un grand atelier de peinture et se mettaient au travail. Les plus jeunes s'initiaient aux harmonies de couleurs ou travaillaient les techniques de perspective. Les plus grands s'essayaient à copier les œuvres des peintres célèbres. Les après-midi étaient libres. On pouvait retourner à l'atelier pour y faire de la gravure ou de l'aquarelle mais on pouvait aussi jouer, lire, dormir, paresser. Tout était permis.

Alice s'adapta à cette nouvelle vie en l'espace de quelques heures. Paul Belogre s'aperçut vite qu'elle était douée pour le dessin et lui confia la reproduction d'une miniature du 18e siècle.

Cela faisait deux jours qu'elle y travaillait quand soudain...

GRAMMAIRE ET VOCABULAIRE

■ LE SUBJONCTIF

1. La forme.
• **Présent** : terminaisons **-e -es -e -ions -iez -ent** pour presque tous les verbes.
→ Il faut que je finisse ce travail demain.
• **Passé** : auxiliaire **avoir** ou **être** au **subjonctif présent + participe passé**
→ Il faut que tu **aies** fini ce soir.

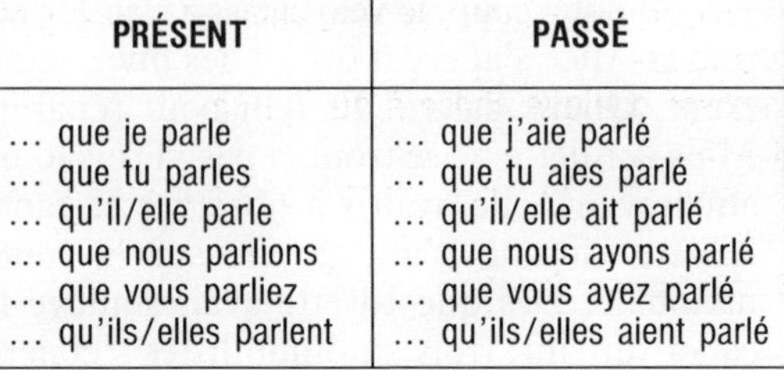

PRÉSENT	PASSÉ
... que je parle	... que j'aie parlé
... que tu parles	... que tu aies parlé
... qu'il/elle parle	... qu'il/elle ait parlé
... que nous parlions	... que nous ayons parlé
... que vous parliez	... que vous ayez parlé
... qu'ils/elles parlent	... qu'ils/elles aient parlé

2. Emploi.
Le subjonctif s'emploie dans de nombreux cas qui seront examinés successivement.
• **Expression de** :
la volonté – l'obligation (p. 23)
les goûts – les préférences (p. 114)
le souhait – le regret (p. 62)
le doute – l'incertitude (p. 34)
la crainte (p. 75)
l'antériorité (p. 76)
le but (p. 114)
la conséquence (p. 150)
l'opposition (p. 126)
l'hypothèse (p. 98).

• **Après** : un verbe d'opinion (p. 137)
une idée de possibilité/d'impossibilité (p. 190)
une idée d'improbabilité (p. 166).
• **Dans** : les propositions relatives (p. 86).

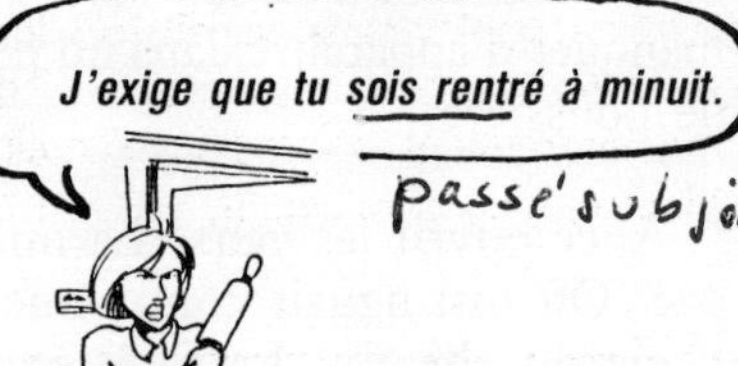

■ L'EXPRESSION DE LA DURÉE

1. Sans point de repère.
Il m'a parlé **pendant** deux heures.
Il a débarrassé la table **en** deux minutes.
Elle partira **pour** huit jours.
Durant trois jours, il a neigé.
En l'espace de quelques secondes, j'ai été trempé par la pluie.

2. Par rapport au moment où l'on parle.
• **vers le passé**

Il y a / **Cela fait** / **Voilà** } deux jours qu'il est parti.

Il est parti { **il y a** deux jours / **depuis** deux jours / **depuis** avant-hier.

• **vers le futur**

Il partira { **dans** une heure / **d'ici** une heure.

3. Par rapport à un moment passé.
Il y avait / **Cela faisait** } deux heures que j'attendais quand Patrick est arrivé.

J'attendais { **depuis** deux heures / **depuis** midi } quand...

Le spectacle l'ennuyait. Elle est partie **au bout d'**une heure.

OBLIGATION ET INTERDICTION

• La règle

une règle – un règlement
un article de règlement
donner un ordre, une instruction, une consigne
une prescription – prescrire – la discipline – faire régner la discipline.

obéir (à) – se soumettre (à)
se plier (à) – se conformer (à)
observer le règlement
être obéissant, soumis, discipliné, docile, malléable, souple.

désobéir (à) – s'opposer (à)
passer outre le règlement
enfreindre la loi
contrevenir – transgresser
être désobéissant, insoumis, indiscipliné, indocile, rebelle, difficile.

• L'obligation

→ obliger, contraindre, forcer quelqu'un à faire quelque chose
imposer quelque chose à quelqu'un
astreindre
→ s'obliger, se forcer, s'astreindre à faire quelque chose
s'imposer un travail.

• L'interdiction

→ interdire, défendre quelque chose à quelqu'un, prohiber – proscrire
→ s'interdire quelque chose, se défendre, s'empêcher de faire quelque chose.

• La volonté

un caractère volontaire, ferme, opiniâtre, tenace, déterminé/faible, mou, velléitaire, indécis,
faire quelque chose volontairement, délibérément, intentionnellement, exprès/involontairement, sans le vouloir, inconsciemment, sans le faire exprès.

• Exprimer l'obligation ou la nécessité

Il faut... il me faut... il faut que je (+ subjonctif)
je dois... je me dois de faire...
je suis tenu de... chargé de...
je suis censé faire...
j'ai à faire...
il est nécessaire, obligatoire, impératif, indispensable que je + subjonctif
prière de...

• Exprimer l'interdiction

→ il est interdit, défendu, prohibé, illégal de...
→ il ne faut pas...
je ne dois pas... je n'ai pas le droit de...
défense de... prière de ne pas...

• Exprimer la volonté

→ je veux (que)... j'exige (que)...
je tiens à ce que
je voudrais que
je désire que
j'ai envie que
} + subjonctif
→ j'ai l'intention de...
j'ai décidé de... + infinitif, que... + indicatif.

L'ENFANCE

• La naissance : attendre un bébé – une femme enceinte – mettre au monde – accoucher (un accouchement) – naître
un nourrisson – allaiter – téter – un biberon – un berceau – un landau – une poussette – avoir un enfant – des jumeaux – l'aîné – le cadet – être fils/fille unique – adopter un enfant – un orphelin.

• Le développement : grandir – se développer
le développement mental, intellectuel, affectif, physique
les étapes du développement – le quotient intellectuel (le QI) – un enfant précoce – surdoué/retardé – handicapé – arriéré
le premier cri – un vagissement – gazouiller – balbutier – bégayer
le jeu – un jouet – un hochet – une peluche.

• L'enfant : un petit garçon (un garçonnet) – une petite fille (une fillette) – un marmot – un(e) gosse – un(e) gamin(e) – un(e) môme *(argot)*

Un enfant :

terrible – insupportable	sage
agité – turbulent	calme
espiègle – effronté	pondéré
coquin – polisson	réfléchi
	gentil

C'est enfantin – puéril
un enfantillage – des gamineries.

ACTIVITÉS

Découverte de la première partie du conte

• Écoute de la cassette. Repérez les lieux de l'histoire, les personnages et les situations.
• Lecture du texte. Relevez :
– les verbes au passé simple. Donnez leur infinitif;
– dans le deuxième paragraphe (Tous les matins ...), les mots qui signifient *obéir* et *interdire;*
– dans le troisième paragraphe (Le retour ...), les mots qui signifient *devoir;*
– dans le dialogue (Alice, je voudrais ...), les mots qui signifient *vouloir.*
• Imaginez :
– le dialogue entre Alice et sa mère avant que la fillette ne parte à l'école le matin;
– les pensées d'Alice sur le chemin de la forêt.

Mécanismes A

• Tu dois te préparer. Il le faut.
– Il faut que tu te prépares.
• Nous devons partir. Il le faut.
– Il faut que nous partions.

• Marie doit me téléphoner. J'y tiens.
– Je tiens à ce que Marie me téléphone.
• Nous devons aller voir ce film. J'y tiens.
– Je tiens à ce que nous allions voir ce film.

1. Le subjonctif présent. Mettez les verbes entre parenthèses à la forme qui convient.

Deux secrétaires se plaignent de leurs patrons respectifs :

– Tu te rends compte! Maintenant, il voudrait que je **(venir)** au bureau une heure plus tôt. Il faudrait que j'y **(être)** à 8 h. Je lui ai dit : « Pas question! » Il faut qu'il **(comprendre)** qu'une mère de famille n'est pas disponible à n'importe quel moment. Moi, le matin, j'ai à **(s'occuper)** des enfants. Il faut que je les **(conduire)** à l'école...

– Tu sais, le nôtre, c'est pas un cadeau non plus. Il veut que nous **(se mettre)** à l'informatique. Dans 15 jours, il faut que nous **(savoir)** utiliser un logiciel de traitement de texte. Et puis, il est pénible... il exige qu'on **(faire)** des sourires aux clients, qu'on **(avoir)** toujours l'air de bonne humeur.

– Bof! C'est un peu normal. Mais il ne tient pas à ce que tu **(apprendre)** une autre langue étrangère?

– Non.

– Eh bien, le nôtre si! A partir de la semaine prochaine, il faut que nous **(suivre)** des cours de russe.

2. Le subjonctif passé. Ils manifestent leur volonté et donnent des ordres. Faites-les parler.

Pour ce soir, je veux que tu aies tondu la pelouse, que tu aies arrosé les fleurs, que tu aies taillé les rosiers et que tu sois allé chercher des graines.

Le jardinier et son apprenti.

A 22 ans, je tiens à ce qu'il ...
(passer une licence – entrer dans une grande école – faire un stage dans une entreprise – passer un an aux États-Unis).

Les parents ambitieux parlant de leur fils.

Dans cinq minutes, j'exige que ...
(tous les curieux doivent partir – quelqu'un doit aller me chercher de l'aspirine – le projecteur doit être déplacé).

La star capricieuse à son metteur en scène.

Demain, il faut que vos soldats ...
(nettoyer la caserne – partir faire une marche de 30 km – revenir avant 3 h – s'entraîner au tir).

Le commandant à l'adjudant.

3. Les stades du développement de l'enfant. D'après vous, à quel âge le jeune enfant ...

- fait-il ses premiers pas tout seul ?
- referme-t-il sa main sur un objet ?
- peut-il rester debout sans soutien ?
- se reconnaît-il dans un miroir ?
- peut-il construire une tour avec quatre cubes ?
- peut-il visser et dévisser un couvercle ?
- a-t-il sa première réaction de timidité face à un étranger ?
- peut-il saisir un objet entre le pouce et l'index ?

3 mois – 7/8 mois – 8 mois – 12 mois – 12/15 mois – 18 mois – 2 ans – 3 ans.

4. Exercice d'écoute. La mère d'un enfant à problèmes va trouver un psychologue.
Complétez le tableau.

Problèmes de l'enfant	Réactions et attitudes des parents et des éducateurs	Conseils du psychologue
....	....	....

5. Rédigez des règlements, jouez des scènes où l'on donne des ordres en vous inspirant des lieux suivants :

Cuisine d'un grand restaurant.

Lorient : prise de commandement.

Une prison.

6. *Les enfants difficiles.*

a. Analysez le comportement de ces quatre enfants. Quelles peuvent être les causes de leurs problèmes ? Quelle attitude adopteriez-vous si vous deviez vous en occuper ? Connaissez-vous des enfants à problèmes ? Faites part de vos expériences.

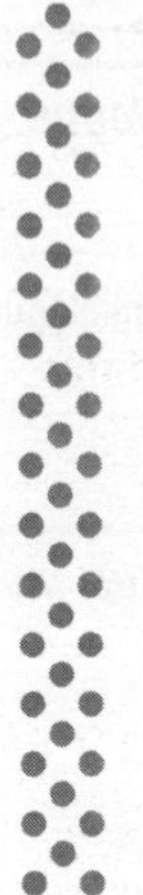

« Il ne s'arrête jamais. Il me tue. Depuis qu'il est tout petit, je suis sur le qui-vive. » La mère d'Adrien est épuisée. Sa maîtresse, guère plus brillante : « J'en ai eu deux pareils dans ma classe, cette année. A trois, je m'effondre. » Adrien ne sait pas rester tranquille. Il manipule tout sans arriver à s'organiser, est incapable de fixer son attention plus de quelques minutes ni d'établir de véritables liens avec ses petits camarades. Il s'irrite facilement, supporte très mal la moindre frustration, explose. Hyperactif, Adrien appartient au bataillon des gosses à problèmes, dont le comportement perturbe parfois gravement l'ambiance d'une famille... et celle d'une classe.

Marine, 7 ans. De l'habillage, le matin, au coucher, elle monopolise l'attention de ses parents. Pas nerveuse ni excitée, Marine, mais en opposition permanente. Elle refuse les vêtements proposés par sa mère, se tient à table comme un petit animal, sélectionne les aliments, qu'elle mâchonne pendant des heures, salit exprès les toilettes, bref, tient ses parents en échec. Ceux-ci protestent, soupirent, finissent par taper, mais les provocations ne cessent pas pour autant. Elle préfère la sanction à l'indifférence. D'ailleurs, elle a toujours gain de cause, et elle le sait.

Xavier, 5 ans, autre bambin à problèmes, dont le père ne supporte pas « l'air apathique, mou, toujours dans la lune. Il faut sans arrêt le mobiliser, le pousser, le tirer »... Quant à Émilie, timide, maladroite, renfermée, elle inquiète ses parents par ses bouderies, « qui peuvent durer des heures », et sa tendance « petit chat solitaire ». Étrangère, indifférente.

b. Les solutions proposées par le système scolaire face au problème des enfants difficiles :
- **Relevez tous les mots qui caractérisent les enfants en difficulté.**
- **Faites la liste des différentes solutions (attitudes des éducateurs – création d'organismes).**
- **Les solutions actuelles sont-elles satisfaisantes ?**

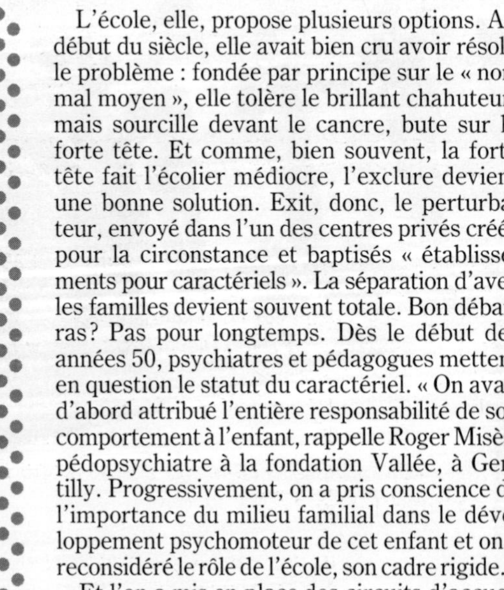

L'école, elle, propose plusieurs options. Au début du siècle, elle avait bien cru avoir résolu le problème : fondée par principe sur le « normal moyen », elle tolère le brillant chahuteur, mais sourcille devant le cancre, bute sur la forte tête. Et comme, bien souvent, la forte tête fait l'écolier médiocre, l'exclure devient une bonne solution. Exit, donc, le perturbateur, envoyé dans l'un des centres privés créés pour la circonstance et baptisés « établissements pour caractériels ». La séparation d'avec les familles devient souvent totale. Bon débarras ? Pas pour longtemps. Dès le début des années 50, psychiatres et pédagogues mettent en question le statut du caractériel. « On avait d'abord attribué l'entière responsabilité de son comportement à l'enfant, rappelle Roger Misès, pédopsychiatre à la fondation Vallée, à Gentilly. Progressivement, on a pris conscience de l'importance du milieu familial dans le développement psychomoteur de cet enfant et on a reconsidéré le rôle de l'école, son cadre rigide. »

Et l'on a mis en place des circuits d'accueil et de réadaptation. Au sein de l'école, d'abord, où s'ouvrent des classes de perfectionnement et des groupes d'aide psychopédagogique (Gapp) pour les bambins qui présentent surtout des difficultés d'apprentissage ; et hors de ses murs, où les centres médico-psychopédagogiques (CMPP) et les secteurs de psychiatrie infantilo-juvénile accueillent les enfants souffrant de troubles du caractère. La société ne condamne plus, elle se mobilise pour aider le petit dissident, devenu non plus caractériel, mais difficile. Du « coup de main » assuré par des enseignants spécialisés au soutien de toute une équipe de rééducateurs, lorsque l'enfant se montre psychologiquement fragile, la gamme des possibilités s'étend progressivement.

Or, la diversité même de ces structures laisse aujourd'hui plus d'un parent perplexe... Lorsque la maîtresse parle de « montrer le petit au psychologue scolaire », un père s'affole : « Je n'ai rien compris à ce qu'on m'a dit. Mon fils va être étiqueté. Ce sera inscrit sur son carnet scolaire », dit-il au médecin.

Parents et médecins s'insurgent contre ce qu'ils appellent la « mainmise de l'école sur la vie privée des gens » et évoquent la « confusion des rôles ». « En principe, c'est aux parents d'éduquer, à l'école d'enseigner, au médecin de soigner », proteste un père.

Gosses à problèmes, L'Express, 2 septembre 1988.

7. Rédigez. Votre enfant de 13 ans (votre jeune frère, ou votre jeune sœur) doit passer un mois en France dans une famille pour y perfectionner son français. Mais cet enfant a quelquefois un comportement qui peut surprendre ceux qui ne le connaissent pas.

• Écrivez à la famille pour la mettre en garde :
– décrivez les aspects négatifs et positifs du comportement de l'enfant;
– donnez des conseils sur l'attitude à adopter.

Découverte de la deuxième partie du conte

• Écoute de la cassette : pour chacun des deux moments de l'histoire, indiquez le lieu, les personnages, les situations vécues par Alice.
• Lecture du texte :
– dans la première partie, relevez tous les mots qui signifient *voir;*
– dans la deuxième partie, relevez les adverbes et les expressions qui indiquent la durée;
– rédigez l'emploi du temps des enfants à la ferme Belogre;
– imaginez la fin de l'histoire.

Mécanismes B

• Tu dois être parti(e) à 8 h.	**• Mireille doit avoir fini ce travail ce soir.**
– Il faut que tu sois parti(e) à 8 h.	**– Il faut qu'elle ait fini ce soir.**
• Nous devons être rentré(e)s avant la nuit.	**• Je dois lui avoir téléphoné avant 5 h.**
– Il faut que nous soyons rentré(e)s avant la nuit.	**– Il faut que je lui aie téléphoné avant 5 h.**

8. Le regard. Complétez avec les verbes de la liste.

• Découverte d'un faux Léonard de Vinci.

L'expert ... le tableau avec attention. Il ... vite que la matière n'était pas d'époque. Lorsqu'il ... sur les mains et les visages des personnages, il ... que l'exécution ne correspondait pas à la manière du Maître. Pendant des heures, au musée du Louvre, il avait ... les mains et le sourire de la Joconde. La différence était frappante. La *Naissance de la Joconde,* ce tableau de Léonard de Vinci découvert dans les caves d'un musée, était donc un faux.

L'expert ... déjà le scandale que cette révélation allait faire. Il ... dans les yeux le directeur du musée. Celui-ci était visiblement tendu. Il ... les réactions de l'expert. Il savait que dans la foule des invités au vernissage, des journalistes en quête de sensationnel les ... .

admirer
poser les yeux (sur)
(s')apercevoir
considérer
épier
entrevoir
fixer
guetter
contempler
observer
remarquer
distinguer

9. L'expression de la durée. Voici les réponses à des questions posées sur l'histoire d'Alice. Retrouvez ces questions.

Au moment où se termine l'histoire d'Alice...
.... ? – Elle a quitté la maison familiale depuis mercredi à 4 h de l'après-midi.
.... ? – Elle vit à la ferme Belogre depuis 3 jours.
.... ? – Elle s'est adaptée à sa nouvelle vie en quelques heures.
.... ? – Elle a commencé la reproduction de la miniature il y a deux jours.
.... ? – Elle l'aura terminée dans 2 jours.
.... ? – Elle restera encore une semaine à la ferme Belogre.

10. Exercice d'écoute. Une maman raconte à ses enfants le conte de Barbe-Bleue dans une version très proche de celle de Charles Perrault (1628-1708).

• Relevez dans ce conte :

a. une caractéristique physique étrange;
b. un mariage;
c. une chose interdite;
d. une preuve que l'interdiction n'a pas été observée;
e. une découverte macabre;
f. une menace de punition;
g. un espoir d'être sauvé;
h. un dénouement heureux.

• Pensez-vous que ce conte soit fait pour les enfants?

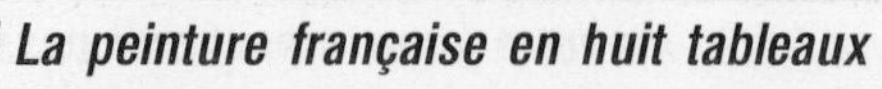

La peinture française en huit tableaux

Ambroise Dubois : *Rencontre de Théagène et Chariclée.*

Georges de La Tour : *Saint Joseph charpentier.*

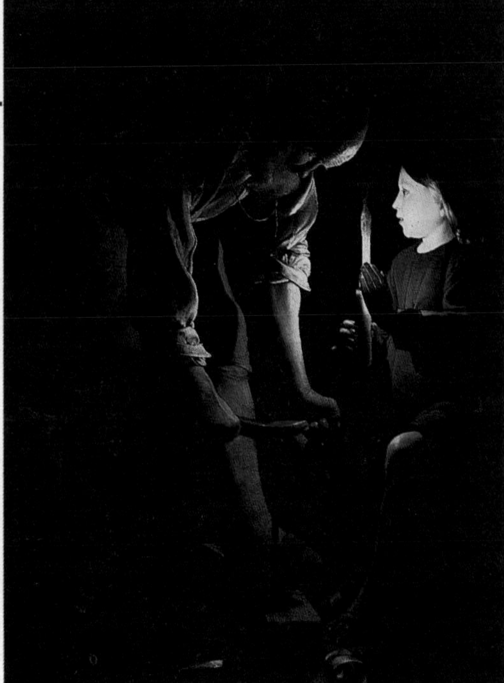

XVIe – L'école de Fontainebleau
La recherche des formes idéales.
Le raffinement et le maniérisme.
Le goût de la mythologie et des corps.
(Clouet – Cousin)

XVIIe (début) – L'influence baroque
Les jeux d'ombres et de lumières.
Le mouvement et la métamorphose.
(George de La Tour – Le Nain – Philippe de Champaigne)

• Comparez et commentez : le choix de la scène – la forme et les attitudes des personnages – les couleurs – l'éclairage de la scène.

XVIIe (fin) – Le classicisme
L'ordre et l'équilibre.
Le goût de l'Antiquité et de l'Histoire.
(Poussin – Lebrun – Rigaud – Mignard)

XVIIIe – La peinture du bonheur
La sensualité et la grâce. Les scènes galantes.
La densité secrète des choses. *(Watteau – Boucher – Fragonard – Quentin de la Tour)*

Nicolas Poussin : *Les Bergers d'Arcadie.*

Antoine Watteau : *L'Amour paisible.*

• Laquelle des deux scènes préféreriez-vous vivre ?
• Imaginez ce que disent les personnages dans chacune de ces scènes.

XIXe – Le néo-classicisme
Grandes scènes historiques ou mythologiques. Importance de la composition et de l'équilibre.
(David – Ingres)
Le romantisme
L'exaltation des sentiments. Le goût du pathétique et du magique. *(Géricault – Delacroix)*
Le réalisme
La réalité quotidienne dans sa banalité et sa cruauté. *(Courbet – Daumier)*

Alfred Sisley : *Village de voisins.*

André Derain : *Trois personnages assis sur l'herbe..*

XIXe (fin) – L'impressionnisme
L'exploration de la lumière.
(Renoir – Manet – Monet – Degas – Sisley – Cézanne – Toulouse-Lautrec)

XXe (1905-1907) – Le fauvisme
Le rejet de la perspective et de l'académisme.
L'exaltation de la couleur.
(Derain – Marquet – Van Dongen – Matisse)

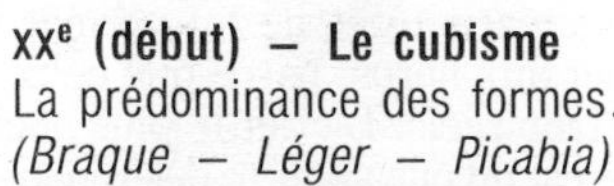

XXe (début) – Le cubisme
La prédominance des formes.
(Braque – Léger – Picabia)

Georges Braque : *Paysage de l'Estaque.*

L'art abstrait
Le rejet du réel.
Le jeu unique des formes et des couleurs.
(Vasarely – Hartung – Soulages – Mathieu)

Sonia Delauney : *La Danseuse.*

- **Notez pour chacun de ces tableaux les impressions et les sentiments qui vous viennent à l'esprit** (exemple : calme – angoisse – chaleur, etc.).
- **Comparez le paysage de Sisley et celui de Braque.**

11. Jouez les scènes ou rédigez les dialogues.

Deux anciens copains de classe se retrouvent par hasard.

La responsable du personnel fait passer un entretien à la candidate à un poste.

12. Lisez et commentez l'opinion du psychologue américain Bettelheim sur l'utilité des contes enfantins.

Bettelheim attache beaucoup d'importance aux contes de fées, aux rites et aux fêtes. C'est grâce à eux que l'enfant pouvait progressivement trouver sa place dans le chaos du monde. Avec *Le Petit Chaperon rouge,* l'enfant découvrait que le Bien et le Mal coexistent dans notre univers : la bonne grand-mère pouvait se transformer en méchant loup, ce qui, selon Bettelheim, permettait aux enfants de comprendre comment une même personne peut successivement être bonne et mauvaise. Avec *Les Trois Petits Cochons,* l'enfant découvrait que l'effort coûte, mais qu'il est finalement récompensé. Grâce à l'attente de Noël, il était rassuré sur sa propre place dans sa famille : lui aussi, à l'image du Père Noël, avait été attendu comme un joyeux événement, et non pas rejeté. Et si le Père Fouettard accompagnait le Père Noël, cela signifiait qu'au fond d'eux-mêmes, les parents acceptaient que leur enfant puisse être à la fois bon comme le Père Noël et méchant comme le Père Fouettard.

Aujourd'hui, le Père Noël s'est envolé, le Petit Chaperon rouge est en plastique, et les petits cochons sont télévisés. La télévision, me dit Bettelheim, a déplacé mais n'a pas remplacé l'imaginaire; elle prive l'enfant de tout effort de créativité et ne lui permet pas de s'identifier aux héros, parce que ceux-ci sont devenus trop réels. L'effet le plus nocif de la télévision est qu'elle apporte des réponses trop simples à des questions complexes. Or, dans la vraie vie, les solutions simples n'existent pas. Par conséquent, les parents – mais aussi les enfants – se découragent et démissionnent devant le premier obstacle.

Guy Sorman, *Les Vrais Penseurs de notre temps,* © Éd. Fayard, 1989.

13. Imaginez un mode de vie idéal.

La ferme Belogre est apparemment un lieu idéal pour les enfants.

Dans *Gargantua,* Rabelais (1494-1553), après avoir critiqué l'éducation et la société de son époque, imagine un couvent idéal : l'abbaye de Thélème. Il n'y aurait qu'une seule règle : « Fais ce que voudras. »

• **Rédigez une présentation de votre abbaye de Thélème :**
- **décrivez les lieux** (région – paysages – bâtiments) ;
- **quelles personnes accepteriez-vous dans cette école idéale ? Lesquelles excluriez-vous ?**
- **présentez le mode de vie et les activités.**

L'abbaye de Thélème, (illustration de Gustave Doré).

À travers la littérature... Le Petit Prince

Le Petit Prince est un récit d'Antoine de Saint-Exupéry (1900-1944) qui s'adresse non seulement aux enfants mais aussi aux adultes qui sont restés vulnérables, attentifs et un peu solitaires.

Le Petit Prince vient d'une planète minuscule dont il ramone chaque jour les trois volcans. Il y possède une rose qui est l'objet de tout son amour et de tous ses tourments, car c'est une rose fière et qui se croit unique au monde. Le Petit Prince décide alors de parcourir le monde, visite six planètes, plus étranges les unes que les autres et arrive finalement sur la Terre. Là, il découvre un jardin de cinq mille roses... Cette découverte l'attriste : d'autres possèdent donc ce qu'il croyait être seul à posséder.

Un renard apparaît. Il souhaite se laisser apprivoiser par le Petit Prince.

Le Petit Prince apprivoise le renard mais bientôt il doit partir. Le renard lui demande alors d'aller voir les cinq mille roses du jardin et promet de lui révéler ensuite un secret.

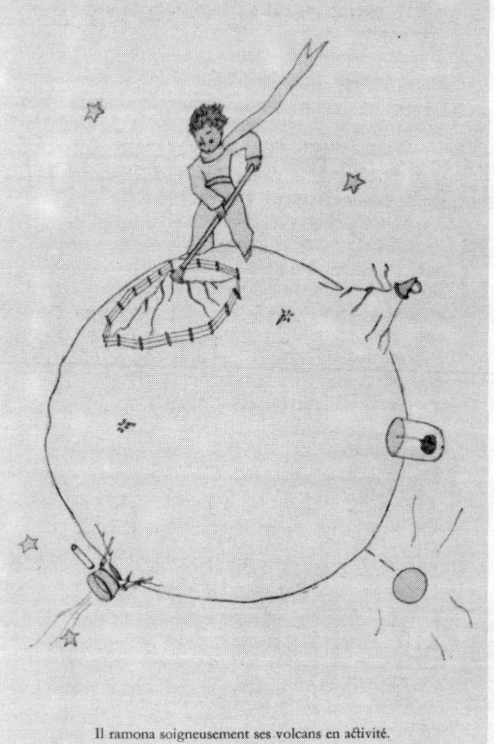
Il ramona soigneusement ses volcans en activité.

– Va revoir les roses. Tu comprendras que la tienne est unique au monde. Tu reviendras me dire adieu et je te ferai cadeau d'un secret.

Le Petit Prince s'en fut revoir les roses.

« Vous n'êtes pas du tout semblables à ma rose, vous n'êtes rien encore, leur dit-il. Personne ne vous a apprivoisées et vous n'avez apprivoisé personne. Vous êtes comme était mon renard... Mais j'en ai fait mon ami et il est maintenant unique au monde. »

Et les roses étaient bien gênées.

« Vous êtes belles, mais vous êtes vides, leur fit-il encore. On ne peut pas mourir pour vous. Bien sûr, ma rose à moi, un passant ordinaire croirait qu'elle vous ressemble. Mais à elle seule elle est plus importante que vous toutes puisque c'est elle que j'ai arrosée... Puisque c'est elle que j'ai écoutée se plaindre, ou se vanter, ou même quelquefois se taire. Puisque c'est ma rose. »

Et il revint vers le renard.

– Adieu, dit-il.

– Adieu, dit le renard. Voici mon secret. Il est très simple : on ne voit bien qu'avec le cœur. L'essentiel est invisible pour les yeux.

– L'essentiel est invisible pour les yeux, répéta le Petit Prince afin de se souvenir.

– C'est le temps que tu as perdu pour ta rose qui fait ta rose importante.

– C'est le temps que j'ai perdu pour ma rose... fit le Petit Prince afin de se souvenir.

– Les hommes ont oublié cette vérité, dit le renard. Mais tu ne dois pas l'oublier. Tu deviens responsable pour toujours de ce que tu as apprivoisé. Tu es responsable de ta rose...

– Je suis responsable de ma rose... répéta le Petit Prince afin de se souvenir.

Le Petit Prince, © Gallimard 1943.

- **Quels sont les sens du mot apprivoiser?**
- **Que représente la rose du Petit Prince?**
- **Expliquez :**

« On ne voit bien qu'avec le cœur. »
« L'essentiel est invisible pour les yeux. »
« Tu es responsable de ta rose. »

- **Le secret du renard est une chose toute simple. Connaissez-vous d'autres vérités simples que l'on devrait redécouvrir ?**

L'AIR DU LARGE

Loïc Le Dantec
Juge d'instruction
84, rue Dugay-Trouin
42000 Saint-Malo

à Monsieur le ministre de la Justice, Garde des sceaux

Saint-Malo, le 2 mai 1989

Monsieur le ministre,

J'ai l'honneur de solliciter de votre bienveillance l'autorisation de me mettre en disponibilité pour convenances personnelles pendant une durée d'un an. Je souhaiterais que ce congé soit effectif à compter du 1er octobre.

Je tiens à préciser que j'effectue cette demande avec l'intention de me lancer dans un projet qui me tient à cœur depuis longtemps et que je n'ai pu réaliser jusqu'à présent faute de financement suffisant. J'envisage en effet de faire le tour du monde en solitaire sur un voilier.

Je vous serais très reconnaissant de prendre en compte le fait que j'ai obtenu cette année le parrainage d'une importante société et que c'est là une chance que je souhaiterais pouvoir saisir.

Enfin, qu'il me soit permis de vous rappeler qu'en quinze ans de carrière professionnelle, je n'ai demandé aucun congé exceptionnel.

En vous remerciant par avance de votre compréhension, je vous prie d'agréer, Monsieur le ministre, l'expression de mes sentiments respectueux et dévoués.

2 juillet. Loïc Le Dantec reçoit la visite d'un ami.

Marc : Salut Loïc ! Tu en fais une tête !

Loïc : Ne m'en parle pas ! Hier, j'étais sur le point de tout laisser tomber.

Marc : Tu as un ennui avec le bateau ?

Loïc : Non, le bateau ça va. J'ai passé quinze jours à le remettre en état. Ça m'étonnerait que j'aie des problèmes... C'est la BCP ! Hier ils m'ont appelé. Ils ne sont pas sûrs de pouvoir me financer. J'ai passé une heure au téléphone pour essayer de les convaincre.

Marc : Ne t'en fais pas ! Je suis persuadé que tu y seras parvenu.

Loïc : On va le savoir bientôt. Ils m'ont dit qu'ils rappelleraient cet après-midi. Le téléphone devrait sonner d'une minute à l'autre.

Marc : Au fait, tu pars seul ou avec Florence ?

Loïc : Florence a toujours le mal de mer. Elle n'aime ni les poissons ni les coquillages. Je pars en solitaire.

Marc : Tu sais que c'est pas évident que tu la retrouves en revenant.

Loïc : C'est pas évident non plus que je revienne... (Sonnerie) Ah, le téléphone...

8 NOVEMBRE *Deux jours et deux nuits de tempête. Lutte incessante et manœuvres exténuantes pour éviter les récifs et les écueils. Je suis épuisé, à bout de force...*
C'était affreux. L'océan déferlait en lames immenses qui recouvraient le bateau. J'entendais des craquements inquiétants. J'avais à chaque instant l'impression que j'allais être englouti. Je m'accrochais à la barre. Il fallait vaincre ou périr. Des images de confort, de fauteuils profonds devant un feu de bois passaient dans ma tête...
J'ai repensé à cette phrase : « Le sage se contente de ce qu'il a. »

20 NOVEMBRE *Quatre jours passés sur une île inhabitée avec pour compagnons des centaines d'oiseaux magnifiques, des milliers d'insectes, des rats plutôt sympathiques et des dauphins qui venaient me saluer. Impression d'avoir découvert le paradis. La vraie vie est peut-être ici. Tentation de jouer à Robinson, de rester sur cette île pour y mener une existence authentique, loin des illusions et des artifices du monde... Mais peut-être suis-je naïf ?*

Ile de Moorea.

15 DÉCEMBRE

La mer est calme. Une douce brise me pousse vers l'île de Moorea. J'aperçois ses sommets volcaniques, la tache bleue du lagon et la bande de sable blanc de la plage...

GRAMMAIRE ET VOCABULAIRE

■ L'EXPRESSION DU FUTUR

• **Action future → futur simple** (voir conjugaisons en fin d'ouvrage)
Loïc partira dans huit jours.

• **Action imminente → futur proche** (verbe *aller* + infinitif – *être sur le point de* + infinitif)
Expressions adverbiales : **(tout de suite, tout à l'heure, bientôt, dans un instant, d'un moment à l'autre, incessamment, prochainement, rapidement, promptement).**
Loïc est sur le point de recevoir un coup de fil.

• **Action passée dans le futur → futur antérieur** (verbe *avoir* ou *être* au futur + participe passé)
Quand Loïc reviendra de voyage, sa mère se sera remariée.

• **Action future dans le passé → conditionnel** (voir conjugaisons)
Hier, Loïc a dit qu'il partirait mardi prochain.

■ DEMANDER

• **Demander...**
une faveur : solliciter – prier – supplier – implorer
l'aumône : mendier – quémander
avec insistance : réclamer – revendiquer – harceler – importuner – adresser, présenter, formuler une demande – exiger

une demande
une sollicitation
une réclamation
une revendication
des doléances
une requête
une exigence.

• **À l'oral**
Je voudrais bien, s'il vous plaît...
Vous serait-il possible de...
J'aimerais bien que...
Pourrais-je vous demander de...
Pourriez-vous...

• **À l'écrit (lettres à caractère administratif)**
Je sollicite... J'ai l'honneur de solliciter...
Je vous prie de...
Je souhaiterais que...
Je vous serais reconnaissant(e) de bien vouloir...
Pourriez-vous me faire la faveur de...

• **Quelques formules de politesse à la fin des lettres**
→ Amitiés – Amicalement (à un ami) – Cordialement (à un collègue)
→ Je vous prie d'agréer, Monsieur..., l'expression de mes sentiments les meilleurs (neutre) – distingués (neutre) – respectueux (personne importante) – dévoués (supérieur hiérarchique)
→ Veuillez recevoir l'assurance de ma considération distinguée – de mon sincère dévouement
→ Recevez, cher M..., mes salutations distinguées (à une personne neutre qu'on connaît un peu)
mes meilleurs vœux de bonheur (mariage, naissance), de réussite
mes sincères condoléances (deuil).

■ LA CERTITUDE ET LE DOUTE

• C'est sûr – certain – clair – évident – incontestable
→ Ce n'est pas sûr, ...
• Il est sûr (certain, ...) que nous aurons du beau temps
→ Il n'est pas sûr (certain, ...) que nous ayons du beau temps. (expression du doute → subjonctif.)
• Je suis sûr – certain – persuadé – convaincu que... (+ indicatif)
→ Je ne suis pas sûr que... (+ subjonctif)
• Il va de soi que... Il va sans dire que...
Il faut reconnaître que...
Il faut se rendre à l'évidence (que...)

Je doute que... (+ subjonctif)
Ça m'étonnerait beaucoup que... (+ subjonctif)
Je ne pense pas que... (+ subjonctif).

• Bien entendu – certes – sans doute – évidemment – de toute évidence.

■ LE PROJET

• un projet (projeter)
un dessein
un plan (planifier)
un programme (programmer)

• envisager – prévoir
(une prévision)
avoir l'intention de...
songer à...

• un plan
un croquis
une maquette
} de bâtiment
un canevas (de discours)
une ébauche – une esquisse.

• la conception (concevoir) – l'exécution (exécuter)
la réalisation (réaliser)
Mener à bien un projet – abandonner (laisser tomber) un projet – un projet avorté.

■ LA MER

• **La côte – le rivage**
une côte découpée – accidentée – sablonneuse – rocheuse (un rocher) – caillouteuse (un caillou – un galet) – une baie – un golfe – un cap – une falaise.

• **L'île**
une île – un îlot – un archipel – une presqu'île – une péninsule – un lagon – une barrière de corail – un atoll –
un insulaire
(relief de l'île : voir p. 115)

• **Les bateaux**
→ un bateau – un navire – un voilier – un cargo – un paquebot – un navire de guerre – un sous-marin – une barque – un canot (de sauvetage) – une pirogue – un radeau – un pédalo
→ larguer les amarres – quitter le port – manœuvrer (la manœuvre) – appareiller – prendre le large – être en (pleine) mer, au large – naviguer – filer – hisser les voiles – accoster.

• **La tempête**
→ la mer est calme – agitée – forte – grosse – démontée
→ une vague – une lame – s'enfler – écumer (l'écume) – déferler – se briser sur les écueils
→ la brise – une rafale de vent – un ouragan – un typhon
→ tanguer (le tangage) – rouler (le roulis) – s'échouer – couler – un naufrage.

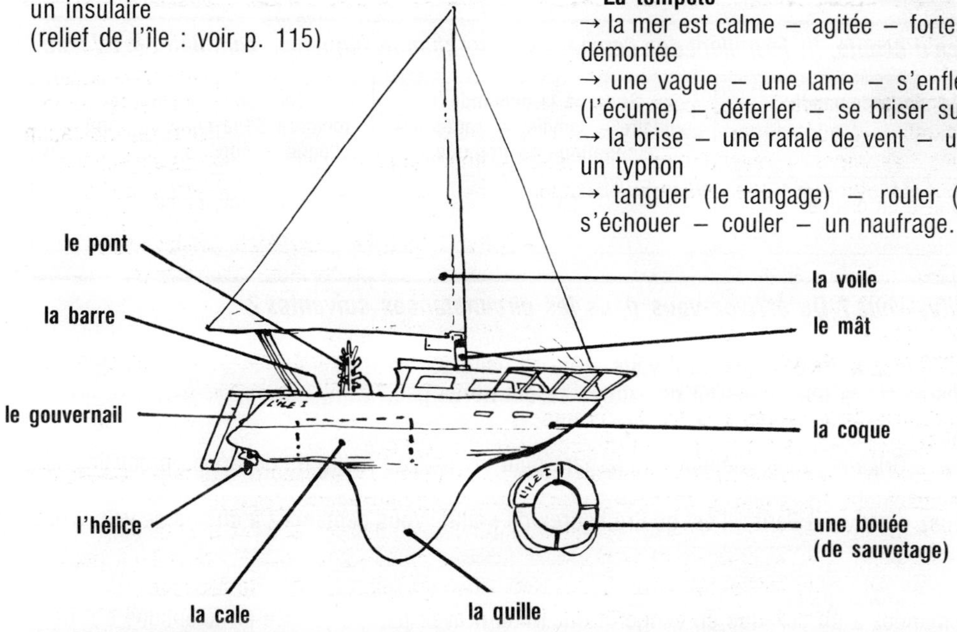

le pont
la barre
le gouvernail
l'hélice
la cale
la quille
la voile
le mât
la coque
une bouée (de sauvetage)

■ L'AUTHENTIQUE ET L'ARTIFICE

vrai	faux
véridique	artificiel
authentique	factice
naturel	

• l'illusion – illusionner – faire illusion – un mirage – s'illusionner – se faire des illusions – se leurrer – être aveuglé.
• tromper – duper – berner – faire croire – une dupe – un naïf – un pigeon (pop.).
• cacher (une cachette) – dissimuler (la dissimulation) – occulter – camoufler (fam.) – planquer (pop.).
• masquer (un masque) – déguiser (un déguisement) – truquer (truquage *ou* un trucage) – maquiller (un maquillage) – falsifier (une falsification).
• authentifier – certifier que c'est vrai, conforme.

ACTIVITÉS

Découverte de la lettre de Loïc

- **Recherchez les mots et les expressions qui permettent de _demander._**
- **Comment Loïc argumente-t-il sa demande?**
- **Imaginez d'autres raisons à son désir de partir.**
- **Si vous aviez la possibilité de prendre une année sabbatique, comment utiliseriez-vous votre temps libre?**

1. La demande. Classez les phrases suivantes de la plus familière à la plus soutenue.

Dans un cinéma...

a. Vous pourriez vous déplacer un peu? Je ne vois pas l'écran.
b. Tu te pousses un peu! J'y vois rien.
c. Vous serait-il possible de vous déplacer un peu, s'il vous plaît? Je ne parviens pas à voir l'écran.
d. Vous pouvez vous pousser un peu? Vous me cachez l'écran.
e. Pardon Monsieur, auriez-vous l'amabilité de vous déplacer d'un siège. Je suis désolé, mais vous me cachez l'écran.

2. Exercice d'écoute. Ils formulent des demandes. Pour chaque séquence, complétez le tableau.

Objet de la demande	**Style de la demande** populaire – familier – soutenu – emphatique ou ironique	**Interlocuteur supposé** membre de la famille – ami – collègue – supérieur hiérarchique
prêt d'un disque	familier	ami intime ....

3. Que dites-vous? Qu'écrivez-vous dans les circonstances suivantes?

De vive voix

- Vous demandez à un collègue qu'il vous prête sa voiture.
- Votre ami(e) fait la tête. Vous lui demandez ce qui ne va pas.

Par téléphone

- Vous êtes à Orléans. Vous téléphonez à la gare pour connaître l'heure de départ du prochain train pour Paris.
- Vous venez d'arriver à Paris. Il est quatre heures du matin. Vous demandez à un ami de venir vous chercher à la gare.

Par écrit

- Vous demandez à un collègue en congé et que vous n'avez pas pu joindre au téléphone s'il peut vous remplacer lundi prochain...
- Vous demandez une augmentation à votre patron (argumentez votre lettre et donnez au moins cinq raisons qui motivent votre demande).

4. La fonction publique. Les administrations. Les fonctionnaires.

Qu'apprenez-vous sur le rôle de l'administration en France? Ce rôle est-il différent dans votre pays?

- **Le secteur public**

Armée – police – gendarmerie – pompiers – justice – ministères – administrations communales (mairies), départementales (préfectures et conseils généraux), régionales (conseils régionaux).
Enseignement (85 % des écoles) – postes – téléphone – service des impôts – Sécurité sociale – SNCF (trains) – EDF (électricité) – GDF (gaz) – musées nationaux, etc.
L'État est par ailleurs principal actionnaire ou actionnaire important dans de nombreuses sociétés (banques – assurances – industries).

Distribution du courrier à la campagne.

Élèves de l'école Polytechnique.

• Le statut du fonctionnaire

Il est recruté par concours. L'État lui assure en principe une formation. L'État s'engage à le garder à son service jusqu'à sa retraite. Il peut monter en grade grâce à des concours internes. Son traitement augmente en fonction d'une « grille » précise et complexe.

A diplôme égal, le fonctionnaire est en général moins bien payé que s'il travaillait dans le privé.

IL Y A EN FRANCE 2 600 000 FONCTIONNAIRES, CONTRE 1 500 000 EN 1969.

• 6 millions d'actifs dépendent de l'État.

C'est Bonaparte qui, le 17 février 1800, inventa l'Administration, installant dans chaque région un préfet chargé de veiller à une meilleure égalité des citoyens devant l'État. Depuis, le secteur public a connu une croissance impressionnante : il représente aujourd'hui plus de 30 % de la population active (en incluant les collectivités territoriales), contre 12 % en 1970, 6 % en 1936, un peu plus de 5 % en 1870. Le coût des fonctionnaires pour la collectivité est de 520 milliards de francs, 40 % du budget de l'État.

Cette évolution s'explique de deux façons. D'abord, le progrès social et le développement économique ont accru le nombre des tâches non productives : qui d'autre que l'État pouvait prendre en charge des activités considérées a priori comme non rentables?

La seconde raison est plus triste, mais tout aussi importante : les guerres ont à plusieurs reprises détruit une partie du potentiel économique national, et l'État a dû, chaque fois, organiser sa reconstruction. Avec, il faut le reconnaître, un certain succès.

G. Mermet, *Francoscopie 1988*, © Éd. Larousse, 1989.

Que pensent les Français de l'État et des fonctionnaires?

« Moi, j'ai dit à mon fils de se trouver un boulot dans une administration. On arrive tranquille vers 9 h, on prend un café avec les collègues en discutant de la soirée télé de la veille, puis on va à une réunion. De retour de la réunion, on passe quelques coups de fils personnels en attendant l'heure d'aller à la cantine... »

« Il y a des jours où ceux qui arrivent en retard croisent dans l'escalier ceux qui partent en avance ! »

On critique les fonctionnaires.

« D'accord on a la sécurité de l'emploi, mais on est mal payé, mal considéré. On peut être muté n'importe où en France. On n'a pas de perspective de promotion. »

Les fonctionnaires sont mécontents.

• Mais la France a une grande tradition centralisatrice et les Français, grands demandeurs de sécurité, font toujours appel à l'État pour résoudre leurs problèmes

LA TRANSECO AU BORD DE LA FAILLITE
L'État accorde une subvention exceptionnelle.

PAS DE NEIGE DANS LES ALPES
Les stations de sports d'hiver réclament une aide à l'État.

Écoute du dialogue entre Loïc et Marc

- **Quel est le problème que rencontre Loïc dans la préparation de son voyage?**
- **Relevez et classez tous les verbes qui expriment le futur.**
- **À la fin de la séquence, Loïc va répondre au téléphone. Imaginez la conversation :**
  a. dans le cas où c'est la BCP qui appelle;
  b. dans le cas où c'est Florence.

Mécanismes

- **Elle se marierait bientôt? Je n'en suis pas sûr(e).**
  – Je ne suis pas sûr(e) qu'elle se marie bientôt.
- **Il partira bientôt. J'en suis convaincu(e).**
  – Je suis convaincu(e) qu'il partira bientôt.
- **Nous dînerons, puis nous irons chez Loïc.**
  – Nous irons chez Loïc quand nous aurons dîné.
- **Je finis ma lettre, puis je sortirai.**
  – Je sortirai quand j'aurai fini ma lettre.

5. Le futur antérieur. Imaginez ce qu'ils disent. Que se sera-t-il passé?

Dans 30 ans, je ... *(passer le concours de l'ENA, s'inscrire à un grand parti politique, devenir député, s'installer à Paris, poser ma candidature à la présidence de la République).*

a. La jeune ambitieuse.

Dans un milliard d'années... *(montagnes rabotées par l'érosion, vallées élargies, cours d'eau abondants, possibilité de nouvelles cultures).*

b. Le géologue.

Dans deux jours, nous *. . . (attaquer la banque, ramasser un million de francs, partager le butin, prendre un avion pour une destination lointaine. . .).*

c. Les cambrioleurs.

d. Le héros d'un film des années 70 disait en regardant une autoroute :

« Dans 100 ans, plus aucune voiture ne circulera ici. L'asphalte se sera craquelé. L'endroit sera désert et du bout de l'autoroute envahie par les herbes, on verra arriver un petit bonhomme avec un baluchon ressemblant à Charlot (Charlie Chaplin). »

- **a. « Dans 30 ans, j'aurai passé le concours de l'ENA...**
- **Quels changements aura subis notre planète dans 100 ans?**

6. Le futur dans le passé. Mettez les verbes entre parenthèses à la forme qui convient.

Nostradamus.

Les prédictions de Nostradamus (1503-1566). Médecin et astrologue célèbre pour ses prophéties, il fut consulté par tous les princes de son époque.

- On prétend que Nostradamus avait prévu que le roi de France Henri II **(mourir)** dans un tournoi.
- Il avait aussi annoncé que les Anglais **(exécuter)** Charles Ier d'Angleterre.
- Il avait prédit que la ville de Londres **(être détruite)** dans un gigantesque incendie.
- Il avait prédit qu'une révolution **(éclater)** en France à la fin du 18e siècle, qu'on **(persécuter)** les religieux et que le roi **(être exécuté).**
- Enfin, il avait prophétisé qu'au 20e siècle, nous **(connaître)** de terribles dictatures et que nous **(vivre)** des guerres dévastatrices.

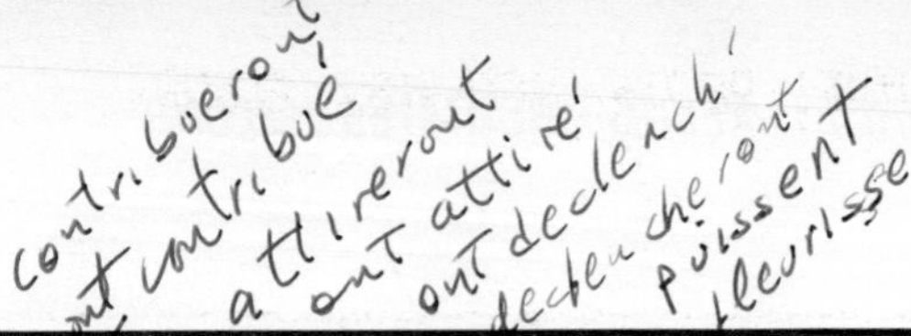

7. L'expression du doute et de la certitude. Mettez les verbes entre parenthèses à la forme qui convient.

Paris est redevenue une grande capitale internationale. En effet, il est sûr que les grandes réalisations architecturales de ces dix dernières années **(contribuer)** à son rayonnement dans le monde. Il est incontestable que ces nouveaux monuments **(attirer)** la foule des passionnés et des curieux. Il est même certain que les polémiques entretenues autour de ces réalisations **(déclencher)** une dynamique favorable à la création artistique elle-même. Je doute que d'autres villes de France **(pouvoir)** dans l'avenir rivaliser avec Paris. Mais comme les grands courants culturels et artistiques dépassent toujours le cadre étroit des frontières nationales, il serait étonnant que cette renaissance culturelle ne **(fleurit)** pas en d'autres lieux.

8. Exprimez vos certitudes ou vos doutes... Commentez les affirmations suivantes :
(Je suis sûr(e)... Il est évident que... Ça m'étonnerait que... Je doute que..., etc.)

- De grandes réalisations architecturales de prestige sont nécessaires dans une ville comme Paris. Seul l'État est capable de mener à bien ces grands projets.
- Le vin est la plus saine et la plus hygiénique des boissons (Pasteur).
- Les enfants sont tous des ingrats.
- Les amis de nos amis sont nos amis.
- Tout vient à point à qui sait attendre (proverbe).

9. Transformez ces phrases en remplaçant le mot souligné par un nom.

Commentaire sur la nomination d'un ministre :
Dubois est certain qu'il sera soutenu par la majorité du parti.
Il a été élu triomphalement.
Je suis convaincu qu'il est honnête et intelligent.
Mais je ne suis pas sûr qu'il soit capable de comprendre certains problèmes.
Je doute aussi qu'il soit compétent en matière de gestion.
Aussi, je ne suis pas certain qu'il soit maintenu à ce poste.
« Dubois est certain du soutien de la majorité du parti... »

Découverte du journal de bord de Loïc.

- **Relevez tous les termes qui évoquent la mer.**
- **Donnez un titre à chaque partie.**
- **Commentez : « Le sage se contente de ce qu'il a. »**
- **Le 25 novembre, en se promenant sur l'île qu'il croyait déserte, Loïc rencontre un habitant avec lequel il peut communiquer. Imaginez la conversation.**
- **Êtes-vous tenté(e) par la vie sur une île déserte ? Dans quelles conditions ? Pourquoi ?**

10. L'authentique et l'artifice. Complétez avec les mots de la liste.
aveugler – berner – camoufler – dissimuler – faire croire – tromper – un masque – un mirage – une illusion – artificiel – authentique – naïf.

- **Journal de Loïc**

« Ici, j'ai redécouvert la vie et ses racines . . . Avant, je menais une existence . . . Je croyais que le travail, l'amitié, l'amour pouvaient m'apporter le bonheur et la sérénité. Je me faisais des . . . Tous ces grands mots ne sont que des . . . »

- **Femme artificielle**

Elle a beaucoup de défauts mais elle sait les cacher. Elle . . . la dureté des traits de son visage par un habile maquillage. Quand on lui pose une question embarrassante, elle . . . son ignorance par un rire plein de sous-entendus. Au premier abord, on la trouve jolie et intelligente. Elle arrive à faire . . . Mais il suffit de passer deux heures avec elle pour que le . . . tombe.

- **Femme déçue**

« Il m'a promis que nous ferions de grands voyages, que nous aurions une grande maison où nous recevrions des amis. Il m'a . . . que la vie avec lui serait une suite de moments extraordinaires. Hélas ! Nous vivons dans un deux-pièces, et notre seul voyage a été un séjour d'une semaine dans un camping de Marseille. Je me suis laissée . . . J'ai été . . . par sa beauté et par sa gentillesse. Je suis vraiment trop . . .

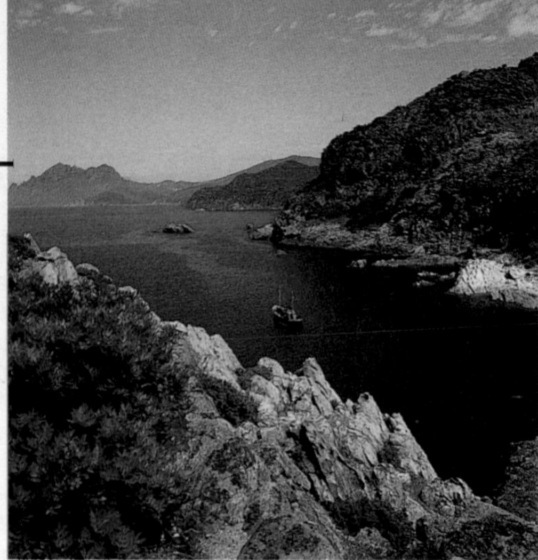
Parc naturel de la Corse.

LA CORSE

La Corse est une île de la Méditerranée, située à 170 km de Nice et formant deux départements français.
Habitée depuis la plus haute Antiquité, occupée successivement par tous les grands peuples qui dominèrent la Méditerranée au cours des siècles, la Corse fut longtemps convoitée par Gênes et par la France. Finalement Gênes la vendit à la France en 1768, un an avant la naissance sur l'île de Napoléon Bonaparte.
Depuis 1976, des mouvements de revendications autonomistes donnent parfois lieu à des actes de terrorisme.

Le peuple corse

Les Français « du continent » se font de la Corse une image où surgissent pêle-mêle un empereur, un chanteur de charme(1), des avocats, de brillants administrateurs, des artistes de cinéma, une longue liste de fonctionnaires, d'hommes politiques et de militaires et quelques bandits célèbres.
Ils admettent comme acquis que leurs compatriotes insulaires soient affligés de quelques travers comme la nonchalance, la susceptibilité, un esprit de clan, un chauvinisme de terroir, une certaine propension à la tricherie fiscale ou électorale.
Sur place, la vision est tout autre. Sous le couvert d'une austérité volontiers grave, de quelque manifestation d'exubérance latine, du sens de l'humour et de la repartie, apparaissent alors de rares qualités : sobriété, bravoure, culte de la famille, sens intransigeant de l'honneur, fidélité à l'amitié et à la parole donnée...
Les Corses ont été façonnés par une histoire mouvementée et une vie difficile. Le Corse est toujours un peu sur ses gardes en face de l'Italien, « Luchesu » (Lucquois), du Français du continent « pinzuttu » ou du « pied-noir ». [...] Foncièrement hospitalier, il a un rare sens de l'accueil et ignore les calculs. Fier de sa petite patrie il apprécie qu'on vienne en goûter les attraits et contribuer à son mieux-être; mais moins qu'on y réalise des profits. [...]
Les Corses peuvent être, chez eux, fatalistes et routiniers; catholiques pratiquants et cependant enclins à la superstition. Ils chérissent leur île par-dessus tout mais, loin d'elle, de ses usages et conventions, ils font preuve d'une étonnante faculté d'adaptation et d'un remarquable esprit d'entreprise servi par une vive curiosité intellectuelle. Nombreux sont les Corses qui ont joué un rôle éminent dans l'État ou incarné la présence française dans les terres lointaines. Mais chez eux ils cultivent leur particularisme. Ils manifestent leur culte des morts par de lointaines démarches pour accompagner un parent à sa dernière demeure et par l'édification d'imposantes chapelles dont l'entretien est bien souvent négligé.

(1) Tino Rossi (1907-1983).

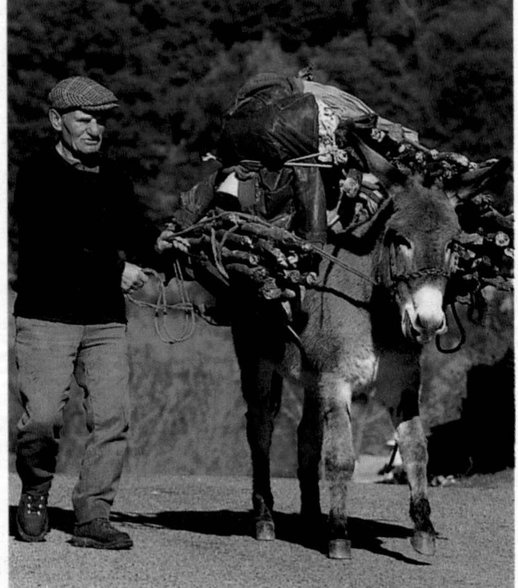
Âne et muletier.

- **Quelles idées caricaturales les Français se font-ils des Corses?**
- **Quelles sont leurs caractéristiques réelles?**
- **Cette vision caricaturale existe-t-elle pour certaines régions de votre pays? Rédigez une brève présentation :**

→ des idées reçues et des clichés relatifs à ces gens;
→ de leurs caractéristiques réelles.

Informations pratiques

LA CORSE C'EST :

1.000 km de sable, de criques, et de golfes. Aux longues bandes de sable de la Côte Orientale s'opposent les petites criques mi-rocheuses, mi-sableuses des golfes de la Côte Occidentale, les plages plus sauvages du Cap-Corse, ou les falaises calcaires de l'extrême Sud.

La nature partout reine est encore respectée, paysages magnifiques, fleurs étranges avec une exceptionnelle flore indigène, mais aussi des bêtes qui y vivent : mouflons, aigles, gypaètes, balbuzards, ou encore sitelles, truites, et sangliers.

Entre 500 et 800 m règne le maquis aux plantes aromatiques embaumant l'air. Au-dessus de 800 m, apparaissent les ruisseaux à truites, les forêts de hêtres et de châtaigniers, les futaies de pins "lariccio", les torrents, les lacs nichés parmi les rochers, les sommets enneigés de novembre à mai.

La Corse c'est aussi une vieille terre chargée d'histoire aux nombreux vestiges, depuis la Préhistoire (menhirs sculptés de Filitosa, Cauria), l'Antiquité Grecque et Romaine (site d'Aléria), en passant par les nombreux souvenirs de l'Empereur Napoléon 1er, né à Ajaccio.

Agence Régionale du Tourisme et des Loisirs, Ajaccio.

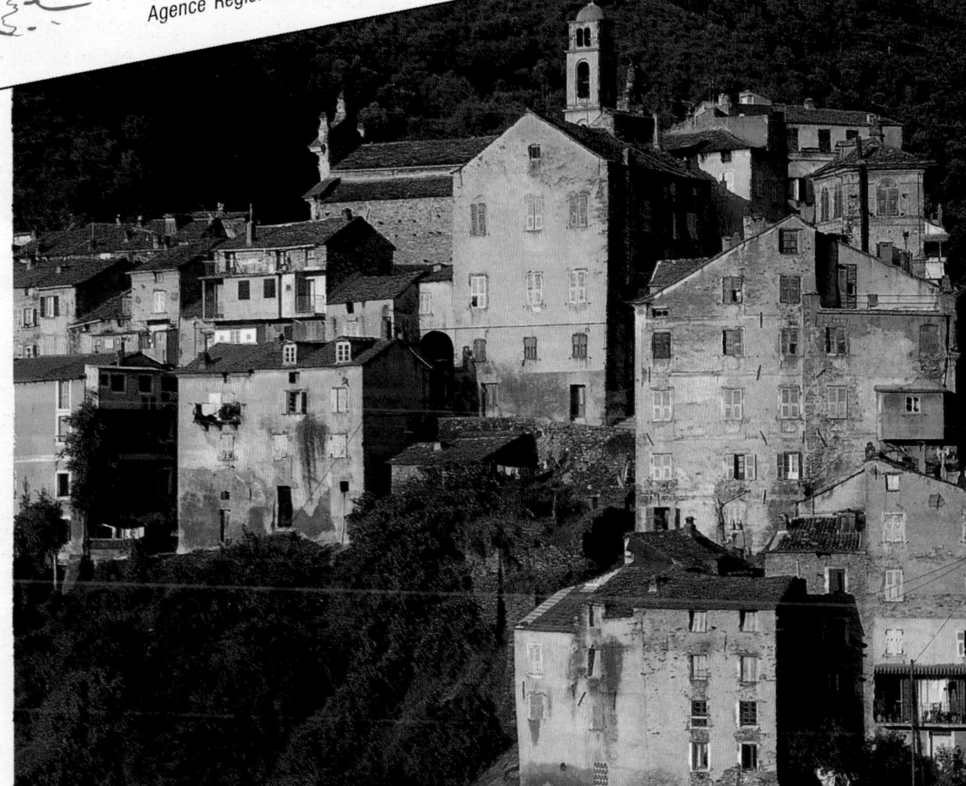

Village de Vescovato.

• **Vous êtes en Corse depuis deux jours.** Hier, vous avez fait une promenade en voiture. Vous êtes parti(e) du bord de la mer et vous êtes progressivement monté(e) jusqu'à 1 500 m.
Enthousiasmé(e), vous écrivez à un(e) ami(e) français(e) qui habite Paris pour le (la) convaincre de venir vous rejoindre.

11. Imaginez et rédigez une suite au journal de Loïc en vous inspirant des photos qu'il a prises au cours de son voyage.

Jeune fille de la tribu des Chimbu en Nouvelle-Guinée.

Aborigènes d'Australie : danse du javelot.

Ile de Pâques.

12. Vocabulaire de la mer et expressions imagées. Donnez le sens des expressions soulignées.

• Lors des fêtes du bicentenaire de la Révolution française une véritable marée humaine déferla vers les Champs-Élysées. Antoine alla se réfugier place Dauphine. C'était un îlot de tranquillité.

• J'ai rencontré Annie il y a deux mois. Nous avons passé de bons moments ensemble, puis elle m'a largué. Il vaut mieux. Avec elle, je me serais embarqué dans une aventure stupide.

• Le nouveau gouvernement rencontrera beaucoup d'écueils pour faire passer la réforme sociale. Il a augmenté le SMIC de 3 % mais c'est une goutte d'eau dans la mer.

• Tu l'a offensé. Maintenant, il faut lui demander pardon. Un peu de courage ! Ce n'est pas la mer à boire.

La devise de Paris : Fluctuat nec mergitur.
(Il est battu par les flots mais ne coule pas.)

13. Exercice d'écoute.

Marie-Laure est une passionnée de la mer. Elle essaie de convaincre son amie Jacqueline de partir un mois sur un voilier. Mais Jacqueline est réticente.

• Faites la liste des arguments de l'une et de l'autre.

14. Votre groupe-classe fait naufrage et se retrouve sur une île déserte.

a. chacun d'entre vous part explorer un coin de l'île et revient avec ses observations...
→ **rédigez une fiche descriptive de la zone explorée;**

b. le groupe se concerte pour trouver les moyens de survivre dans l'île sauvage. Répartissez-vous les tâches...
→ **organisez le débat; rédigez en commun une répartition des tâches;**
c. votre groupe devra rester 20 ans sur l'île avant qu'un bateau ne passe à proximité. Durant ces vingt années, il se passe beaucoup de choses...
→ **imaginez et rédigez une chronologie des principaux événements qui marqueront ce long séjour.**

À travers la littérature... LA MER

Dans *Vendredi ou les Limbes du Pacifique,* Michel Tournier remet au goût du jour l'histoire de Robinson. Comme dans le roman de Defoe, un navire fait naufrage au 18e siècle à proximité d'une île inhabitée du Pacifique. Le seul rescapé de la catastrophe, Robinson, doit réinventer la civilisation pour survivre sur l'île. Mais survivre ne signifie pas seulement pour lui se nourrir, se loger, se défendre. Il veut donner à sa vie une dimension spirituelle dans une communion avec les éléments et avec les grands mythes.
Robinson découvre son île du haut d'une montagne.

(Il) examinait la configuration de l'île. Toute sa partie occidentale paraissait couverte par l'épaisse toison de la forêt tropicale et se terminer par une falaise rocheuse abrupte sur la mer. Vers le levant, au contraire, on voyait ondoyer une prairie très irriguée qui dégénérait en marécages aux abords d'une côte basse et laguneuse. Seul le nord de l'îlot paraissait abordable. Il était formé d'une vaste baie sablonneuse, encadrée au nord-est par des dunes blondes, au nord-ouest par les récifs où l'on distinguait la coque de la *Virginie,* empalée sur son gros ventre.

Michel Tournier, *Vendredi ou les Limbes du Pacifique,* © Éd. Gallimard 1967.

• Faites la carte physique de l'île.

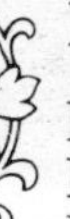

L'HOMME ET LA MER

Homme libre, toujours tu chériras(1) la mer!
La mer est ton miroir; tu contemples ton âme
Dans le déroulement infini de sa lame,
Et ton esprit n'est pas un souffle moins amer.

Tu te plais à plonger au sein(2) de ton image;
Tu l'embrasses des yeux et des bras, et ton cœur
Se distrait quelquefois de sa propre rumeur
Au bruit de cette plainte indomptable et sauvage.

Vous êtes tous les deux ténébreux et discrets :
Homme, nul n'a sondé(3) le fond de tes abîmes,
O mer, nul ne connaît tes richesses intimes
Tant vous êtes jaloux de garder vos secrets!

Et cependant voilà des siècles innombrables
Que vous vous combattez sans pitié ni remord,
Tellement vous aimez le carnage(4) et la mort,
Ô lutteurs éternels, ô frères implacables(5)

Charles Baudelaire, *Les Fleurs du mal* (1857).

(1) aimer tendrement. (2) dans les profondeurs.
(3) mesuré. (4) les massacres, les tueries. (5) impitoyables.

G.D. Friedrich : *Le promeneur.*

• Relevez les éléments de comparaison entre l'homme libre et la mer.
• Trouvez d'autres éléments de ressemblance.

LEÇON 4 RÉTROSPECTIVE

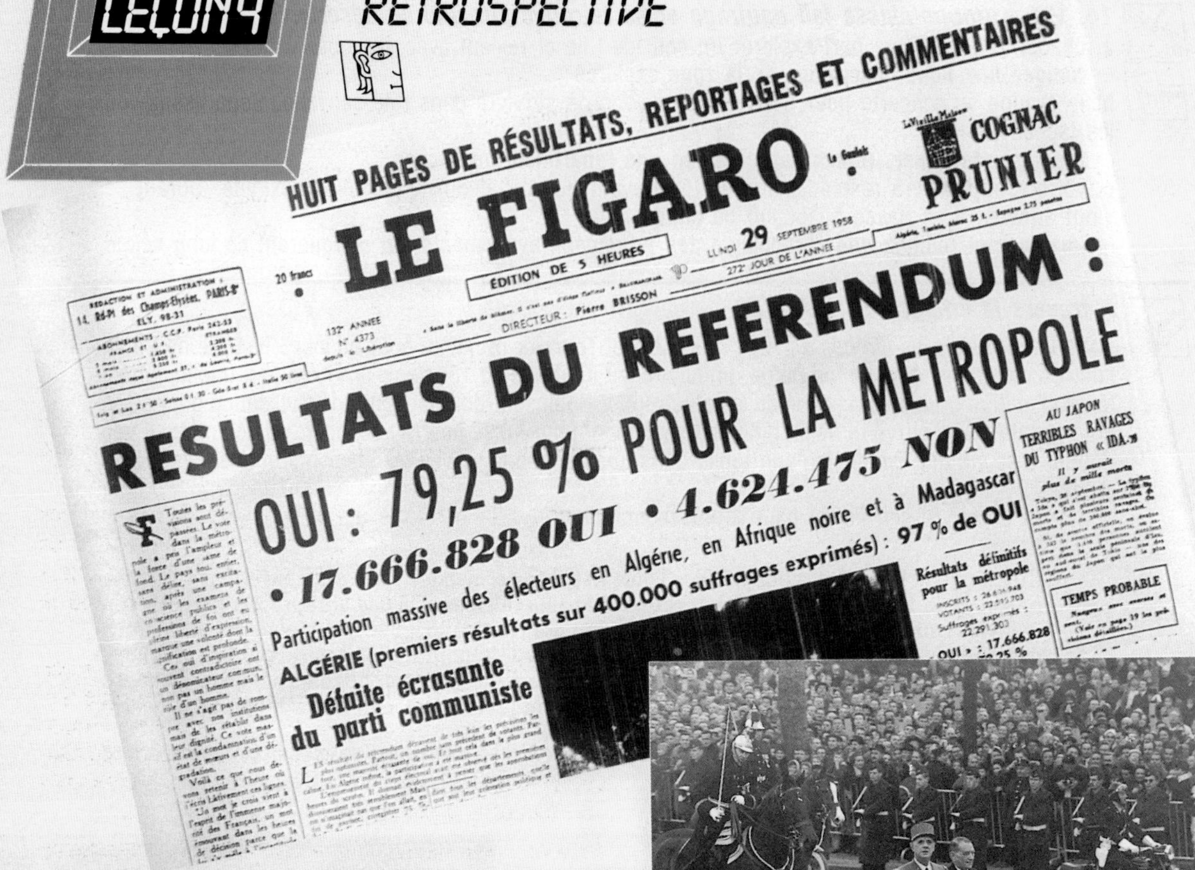
HUIT PAGES DE RÉSULTATS, REPORTAGES ET COMMENTAIRES

LE FIGARO

ÉDITION DE 5 HEURES

20 francs

LUNDI 29 SEPTEMBRE 1958

DIRECTEUR : Pierre BRISSON

COGNAC PRUNIER

RESULTATS DU REFERENDUM :

OUI : 79,25 % POUR LA METROPOLE

• 17.666.828 OUI • 4.624.475 NON

Participation massive des électeurs en Algérie, en Afrique noire et à Madagascar (premiers résultats sur 400.000 suffrages exprimés) : 97 % de OUI

ALGÉRIE (premiers résultats)

Défaite écrasante du parti communiste

AU JAPON TERRIBLES RAVAGES DU TYPHON « IDA »

Résultats définitifs pour la métropole

TEMPS PROBABLE

1958 – La France vient de subir plusieurs crises ministérielles. Le gouvernement fait appel au général de Gaulle, une grande figure de la Résistance. L'Assemblée nationale lui donne les pleins pouvoirs.

Depuis 1945, la France, épuisée par des années de guerre et d'occupation, avait entrepris un gros effort de reconstruction grâce à l'aide américaine et à une planification originale, mélange de dirigisme et de libéralisme. La production s'était accrue. L'agriculture et l'industrie s'étaient modernisées.

Cependant, les gouvernements successifs avaient dû faire face à une difficulté majeure : l'ambition légitime d'indépendance des peuples de l'empire colonial qui s'étendait en Afrique, en Asie du Sud-Est et dans l'océan Indien.

Malgré des épisodes douloureux comme la guerre d'Indochine (1946-1954), la plupart des pays de l'Empire accédèrent dans les années 60 à l'indépendance. Mais la France, paralysée par des querelles internes, s'avérait incapable de résoudre le problème algérien. Un million de Français vivaient en Algérie et contestaient le droit de ce pays à l'indépendance.

Quand il eut pris le pouvoir, Charles de Gaulle fit voter une nouvelle constitution qui renforçait le rôle du président de la République. En 1962, après des péripéties dramatiques, il parvint à signer les accords d'Évian. L'Algérie devenait indépendante. Près d'un million de Français d'Algérie (les « pieds noirs ») choisissaient alors de regagner la France.

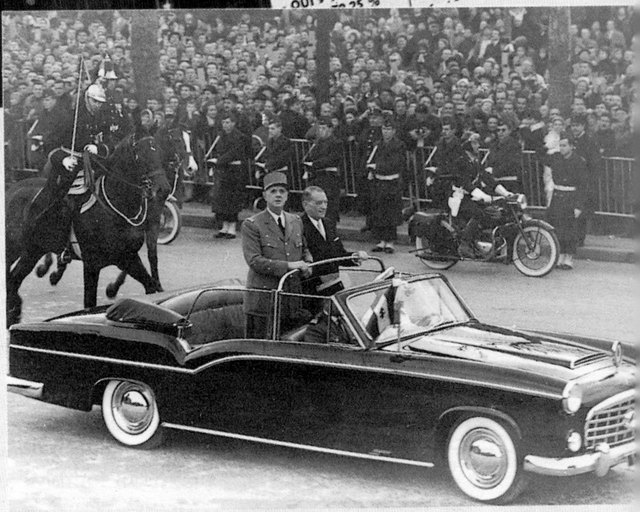

L'ancien et le nouveau président de la République. René Coty et Charles de Gaulle.

Rapatriés d'Algérie arrivant à Marseille.

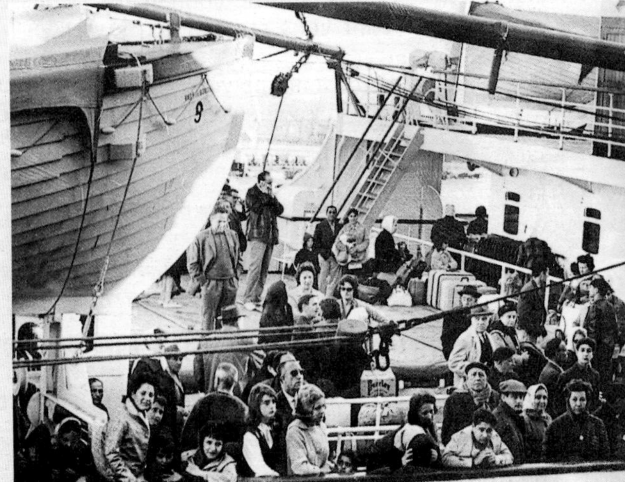

1966. Un journaliste interviewe M. Fernandez, rapatrié d'Algérie installé en Corse.

Le journaliste : Cela a été dur pour vous, je suppose?

M. Fernandez : Plutôt oui! Vous savez, quand le bateau a eu quitté le port d'Alger, je me suis senti complètement désorienté. J'avais tout laissé : mes biens, ma jeunesse, la tombe de mes parents. Toute ma vie était là-bas. La France, je ne l'avais jamais vue!

Le journaliste : Mais on vous a aidé à vous réinstaller?

M. Fernandez : Heureusement! Mais ça ne s'est pas fait tout de suite. C'est comme ça que je suis venu en Corse... parce que mon frère s'y était établi. Quand j'ai eu reçu les indemnités, j'ai pu acheter cette propriété. Mais ça n'a pas été facile. Il a fallu tout défricher. Enfin, maintenant, je vois le bout du tunnel. Si tout va bien, dans un an ou deux, j'aurai fait suffisamment d'économies et je me lancerai dans la production de clémentines.

Le journaliste : Donc, le moral est bon?

M. Fernandez : Pour ma part, je n'ai pas trop à me plaindre. Mais je vais vous dire : en ce qui me concerne, le plus dur a été les réactions de certains Français quand nous sommes arrivés. Pour eux, nous étions des étrangers, des exploiteurs de peuples, des colonisateurs. Alors que personnellement, je me suis toujours contenté de faire modestement mon travail.

Mai 1968. Après ceux de Tokyo, de Berkeley, de Rome, de Berlin, de Madrid, les étudiants français se révoltent. Ils contestent la société et le pouvoir. Ils veulent une révolution sociale et culturelle. Peu après, les ouvriers et les fonctionnaires se mettent en grève. La France est paralysée. A la fin du mois, le gouvernement accorde d'importants avantages aux travailleurs. Les grèves et les occupations d'usines cessent mais l'agitation étudiante est loin d'être terminée.

Dans une famille française, le 10 juin 1968

Le fils : Il faut que je vous raconte. J'ai failli être pris par les flics. En arrivant sur le boulevard Saint-Michel, j'ai vu qu'il y avait de la bagarre. Alors, j'ai pris la rue Racine, mais au bout de la rue, il y avait des voitures qui brûlaient. Je me suis dit : je vais prendre la rue Monsieur-le-Prince, comme ça, j'arriverai au Luxembourg. Comme je tournais dans la rue Monsieur-le-Prince, j'ai aperçu des CRS qui venaient en sens inverse. J'ai eu tout juste le temps d'entrer dans un couloir avant qu'ils ne me voient.

Le père : Tu peux me dire à quoi ça vous avance, ces barricades, ces batailles de rue, ces murs couverts de graffiti? Nous, on a fait la grève. Ils ont donné satisfaction à nos revendications. Maintenant, on reprend le boulot...

Le fils : Mais, papa, tu n'as rien compris. Nous, ce qu'on veut, c'est changer radicalement la société pour que rien ne soit comme avant. On veut une société sans patrons, sans police, une société où les gens soient libres, où chacun soit solidaire de l'autre. C'est tout le système qu'il faut mettre à la poubelle.

Le père : Mon pauvre ami, je ne vais pas discuter plus longtemps avec toi. On en reparlera dans dix ans. Tu verras. Tu les auras perdues, tes illusions! Et il faudra attendre longtemps avant que tu ne la voies, ta révolution!

Mai 68 : CRS devant Jussieu (Université de Paris VII).

GRAMMAIRE ET VOCABULAIRE

EXPRESSION DE L'ANTÉRIORITÉ ET DE LA POSTÉRIORITÉ

1. L'emploi des temps.

ACTION PRINCIPALE	ACTION ANTÉRIEURE	EXEMPLE
Futur	**Futur antérieur**	Quand Patrick aura fini ses devoirs, il sortira.
Imparfait	**Plus-que-parfait**	Il avait plu. La route était glissante.
Passé simple	• Action ponctuelle ou résultat d'une action. → **Passé antérieur** • État ou action vue dans sa continuité. → **Plus-que-parfait**	Quand il eut dîné, il s'endormit. Il avait bien mangé. Il s'endormit.
Passé composé	• Action ponctuelle ou résultat d'une action. → **Passé surcomposé** (Employé surtout à l'oral – fréquent dans le Sud de la France.) • État ou action vue dans sa continuité. → **Plus-que-parfait**	Quand j'ai eu dîné, je suis allé au cinéma. J'avais bien dîné. Je suis allé au cinéma.

2. Conjugaison : voir tableau à la fin du livre.

3. Construction avec *avant* et *après*.

• **avant + nom**
avant que + verbe au subjonctif (la langue écrite exige un « ne » sans valeur négative que la langue parlée oublie souvent)
avant de + infinitif (dans le cas d'un sujet unique).

J'ai dîné { **avant** l'arrivée de François / **avant que** François n'arrive / **avant de** partir.

• **après + nom**
après que + verbe à l'indicatif (la langue parlée emploie souvent le subjonctif)
après + infinitif passé (dans le cas d'un sujet unique).

J'ai lu { **après** le départ de François / **après que** François est parti / **après** avoir bavardé avec François.

EXPRESSION DE LA SIMULTANÉITÉ

• **deux actions ponctuelles : quand – lorsque – au moment où – comme**
Quand le téléphone a sonné, il a sursauté.
• **action ponctuelle/action qui dure : pendant que – comme – alors que**
Nous sommes entrés pendant qu'il dormait.
• **deux actions qui durent : quand – pendant que – lorsque**
Quand l'un travaillait, l'autre se reposait.
• **deux actions progressives : au fur et à mesure que – tant que – aussi longtemps que**
Aussi longtemps qu'il dirigera cette entreprise, les ouvriers seront satisfaits.
• **en + gérondif (sujet unique)**
En entrant dans la maison, j'ai senti une odeur de brûlé.

• **en même temps**
simultanément
pendant ce temps...

• **deux actions, deux événements**
simultanés, concomitants, contemporains
la synchronie – coïncider.

Elle peut travailler en écoutant de la musique.

■ LA COLÈRE ET L'INDIGNATION

- **L'exaspération**

être de mauvaise humeur – énervé – exaspéré – perdre son calme, son sang-froid – râler (fam.) – un râleur – faire râler quelqu'un.

- **La colère**

→ se mettre en colère – s'emporter.
Cette histoire l'a mis hors de lui. Il est tout de suite monté sur ses grands chevaux.
→ être irrité (l'irritation) – emporté (l'emportement) – exaspéré (l'exaspération) – furieux.
→ un tempérament coléreux – colérique – irritable.

- **L'indignation**

être indigné – outré.

Quand il perd, il pique des colères terribles.

Ça suffit!
Je ne supporte plus cette musique.

■ CRISES POLITIQUES – GRÈVES – RÉVOLTES

- **Le régime politique**

un gouvernant – un dirigeant
un homme politique – un politicien
un revirement – un changement – une crise
être élu – prendre le pouvoir – supplanter
nommer/révoquer un ministre – démissionner – abdiquer.

- **Un parti politique** – conservateur – républicain – libéral – social-démocrate – socialiste – communiste
- **La condition ouvrière**

la durée du travail – le rythme de travail – l'horaire
un congé payé – un congé de maladie, de maternité
un salaire (un salarié) – le traitement (un fonctionnaire) – une indemnité – une prime – une heure supplémentaire
la protection sociale – la retraite
embaucher – engager/licencier le personnel.

- **Un syndicat**

adhérer à un syndicat – une carte
un responsable – un délégué – une délégation
une grève – faire grève – un gréviste
l'arrêt/la reprise du travail
revendiquer – réclamer – une pétition
des doléances – des exigences
négocier (une négociation)
un accord – émettre une réserve

- **Une colonie** – un colon – coloniser un pays

l'indépendance – l'autonomie – la souveraineté.

- **L'agitation**

une manifestation – des manifestants – un cortège – une banderole
une émeute – une révolte – un soulèvement
une révolution – une barricade – un meneur.
→ appuyer – soutenir un parti
se consacrer à – se dévouer à
se sacrifier à une cause
s'unir – l'union
→ réprimer – la répression
un gaz lacrymogène.

■ CRITIQUER

Critiquer (une critique) – désapprouver (la désapprobation)
blâmer (un blâme) – réprouver (la réprobation)
condamner (une condamnation)
remettre en question – (re)mettre en cause.

Pas terrible son discours!
Son analyse laisse beaucoup à désirer
et ses arguments sont un peu légers!

■ FAIRE RÉFÉRENCE À SOI, À QUELQU'UN

- moi... lui...

pour moi... pour lui...
personnellement...
pour ma part... pour sa part...
en ce qui me concerne... en ce qui le concerne...

- quant à... (suppose la mise en relation de deux propositions).

Frédérique fait son droit, Anne-Marie
est en médecine, quant à moi, je suis dans
une école de commerce.

ACTIVITÉS

Découverte du texte « 1958... »

- **Rétablissez la chronologie des principaux événements survenus en France de 1945 à 1962.**
- **Quelle est la cause principale de l'arrivée au pouvoir du général de Gaulle ?**
- **Recherchez et classez, selon leur temps, les verbes qui expriment l'antériorité.**

Mécanismes A

- **J'ai dîné, puis je suis allé(e) au cinéma.**
  – Quand je suis allé(e) au cinéma, j'avais dîné.
- **Michel est sorti, puis Annie est arrivée.**
  – Quand Annie est arrivée, Michel était sorti.
- **Tu lui avais indiqué le chemin ?**
  – Oui, je le lui avais indiqué.
- **Tu lui avais parlé d'un raccourci à travers la forêt ?**
  – Oui, je lui en avais parlé.

1. Le plus-que-parfait. Mettez les verbes entre parenthèses au temps et à la forme qui conviennent.

Scène de jalousie.

Lui : Je t'**ai téléphoné** à 16 h puis à 18 h. Ça ne répondait pas.
Elle : J'**(sortir)** avec Arlette.
Lui : Pourquoi tu **(ne pas le dire) ?** Je ne me serais pas inquiété.
Elle : Arlette est passée à la maison à 2 h. Elle **(décider)** d'aller voir l'exposition de Gérard Lefort. Elle m'a demandé de l'accompagner. J'ai essayé de t'appeler. Tu **(sortir)**.
Lui : Vous avez vu Gérard à l'expo ?
Elle : Non, il **(aller)** à la télévision pour une interview. Mais je ne vois pas pourquoi tu me poses toutes ces questions. C'est toi qui **(me conseiller)** d'aller voir son exposition.
Lui : C'est vrai, mais nous **(prévoir)** d'y aller ensemble.

2. Le passé antérieur. Regroupez deux par deux les phrases de ce texte en employant le passé simple et le passé antérieur.

Brève histoire d'un gouvernement.

Janvier : On élit le Président. → **Février** : le Président nomme le Premier ministre.
Mars : le Premier ministre forme le gouvernement. → **Avril** : le Premier ministre fait une déclaration solennelle.
Mai : les lois sur le travail sont promulguées. → **Juin** : des ouvriers se mettent en grève.
Juillet : la grève se généralise. → **Août** : le pays est paralysé.
Septembre : des révoltes éclatent. → **Octobre** : le Premier ministre démissionne.
Novembre : le Président démissionne. → **Décembre** : les ouvriers reprennent le travail.

Exemple : **Quand on eut élu le Président, celui-ci nomma le Premier ministre.**

3. Imaginez ce qui s'est passé avant.

Hier, la petite Clélia (10 ans) a été retrouvée dans un jardin public.
Cette découverte met fin à 10 jours d'intolérable angoisse.

« Elle avait disparu mystérieusement le... »

Gouvernement et syndicats sont tombés d'accord sur l'aménagement des conditions de travail.

« Les premières revendications avaient été formulées il y a... »

Jules Barnabé a pris le pouvoir dans l'île de Méribelle.

En 1630, Julie d'Angennes a enfin dit « oui » au duc de Montausier qui la courtisait depuis 14 ans.

4. Entre l'histoire et la légende. Connaissez-vous des événements historiques qui ont été transformés par le temps et qui sont devenus légendaires ?

Louis David : *Les Sabines arrêtant le combat entre les Romains et les Sabins.*

Au 7e siècle avant J.-C., Romulus fonde Rome mais la population de la ville est essentiellement masculine. Pour que ces hommes puissent trouver des compagnes, Romulus organise une fête et invite les familles des villes voisines (en particulier de la région de Sabine). Au cours de la fête, les Romains impatients enlèvent les jeunes filles Sabines.
Ce rapt provoqua une guerre entre Romains et Sabins.

Prise de Jéricho.

En marche vers la « Terre promise », les Hébreux se heurtèrent à la place forte de Jéricho réputée imprenable. Dieu leur ordonna de faire le tour des remparts de la ville en jouant de la trompette et en transportant l'Arche d'Alliance (une fois pendant six jours et sept fois le septième jour).
Au septième passage, le septième jour, les murailles de la ville tombèrent et les Hébreux purent entrer.

5. La satire des hommes politiques. Connaissez-vous des anecdotes sur les hommes politiques de France ou de votre pays ?

En France, se moquer des hommes politiques est une tradition : poèmes et chansons satiriques sous l'Ancien Régime, chansonniers de Montmartre jusqu'à une époque récente et, actuellement, émissions de télévision *(Le Bébête show)* ou de radio *(L'Oreille en coin).*

Jacques Faizant commente chaque jour l'actualité politique sous forme de caricatures dans le *Figaro*. Ici, une critique du référendum de 1988 sur le statut de l'île de Nouvelle-Calédonie. Beaucoup de Français s'étaient abstenus d'aller voter.

• Pouvez-vous expliquer l'humour de cette caricature ?

Les hommes politiques...

... sont-ils féroces?
Clemenceau (1841-1929), président du Conseil, disait de ses deux principaux adversaires politiques : « Poincaré sait tout mais il ne comprend rien; Briand comprend tout mais il ne sait rien. »

... ont-ils de l'humour?
Fallières, président de la République de 1906 à 1913, disait de son poste : « La place n'est pas mauvaise mais il n'y a pas de perspectives d'avancement. »

... sont-ils maladroits?
Le 25 mai 1920, le président de la République, Paul Deschanel, tombe en pyjama du train présidentiel. Il s'était trompé de porte.

... sont-ils incultes?
En 1857, Mérimée (auteur de *Carmen*) fit faire une dictée à la cour de Napoléon III. L'empereur fit 75 fautes, l'impératrice, 62. Seul l'ambassadeur d'Autriche à Paris ne fit que 3 fautes.

... sont-ils avares?
Sous Jules Grévy (1807-1891), les réceptions à l'Élysée étaient particulièrement frugales. Un journal de l'époque écrivit le canular suivant : « Un homme en tenue de soirée a été arrêté par la police. Il venait de dérober un pain dans une boulangerie. Il a déclaré à la police : ''C'est un cas de force majeure. J'ai dîné ce soir à l'Élysée''. »

6. L'« idée de la France » chez Charles de Gaulle.

- **Analysez l'idée que Charles de Gaulle se fait de la France (point de vue affectif et point de vue réaliste).**
- **Ces deux analyses sont-elles contradictoires?**
- **Ce texte (écrit en 1954) vous paraît-il dépassé ou toujours actuel?**

Toute ma vie, je me suis fait une certaine idée de la France. Le sentiment me l'inspire aussi bien que la raison. Ce qu'il y a, en moi, d'affectif imagine naturellement la France, telle la princesse des contes ou la madone aux fresques des murs, comme vouée à une destinée éminente et exceptionnelle. J'ai, d'instinct, l'impression que la Providence l'a créée pour des succès achevés ou des malheurs exemplaires. S'il advient que la médiocrité marque, pourtant, ses faits et gestes, j'en éprouve la sensation d'une absurde anomalie, imputable aux fautes des Français, non au génie de la patrie. Mais aussi, le côté positif de mon esprit me convainc que la France n'est réellement elle-même qu'au premier rang; que, seules, de vastes entreprises sont susceptibles de compenser les ferments de dispersion que son peuple porte en lui-même; que notre pays, tel qu'il est, parmi les autres, tels qu'ils sont, doit, sous peine de danger mortel, viser haut et se tenir droit. Bref, à mon sens, la France ne peut être la France sans la grandeur.

Charles de Gaulle, *Mémoires de Guerre*, © Plon 1954.

Écoute de l'interview de M. Fernandez

- **Quelles difficultés M. Fernandez a-t-il rencontrées lors de son installation en France?**
- **Quelles sont les raisons des réactions hostiles de « certains Français » à l'égard des rapatriés d'Algérie? Cette hostilité est-elle d'après vous justifiée?**
- **Connaissez-vous, dans l'histoire, d'autres situations d'exode forcé?**
- **Relevez les verbes qui expriment l'antériorité.**

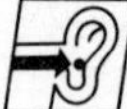

7. Exercice d'écoute. Ils ont été les témoins d'événements historiques. Ils racontent.

Complétez le tableau (reportez-vous à la chronologie de la p. 52).

Type d'événement	Date	Participants	Circonstances
....	....	....	....

8. *Colère et indignation.*

a. Jouez les scènes

Sa voiture a été cambriolée.
Il manifeste son indignation.

Elle essaie de passer avant les autres.
Ils ne sont pas d'accord.

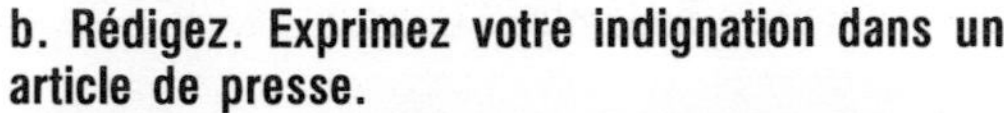

b. Rédigez. Exprimez votre indignation dans un article de presse.

- Une équipe d'étudiants a regardé pendant une semaine les sept chaînes de télévision françaises (en 1988). Elle a relevé : 670 meurtres, 27 scènes de tortures, 20 scènes de sexe, 15 viols.
- Un brave homme de 60 ans s'est entendu dire par une administration qu'il était mort depuis 15 ans. Il a dû passer six mois à rassembler les documents prouvant qu'il était bien en vie (histoire authentique).
- Par un décret municipal, la petite place qui est sous vos fenêtres accueillera toute l'année les fêtes foraines, les bals populaires et les défilés militaires.

Ce sont vos collègues de travail. Vous devez les supporter du matin au soir. Leur comportement avec vous est ignoble. Leur physique et leur attitude vous répugnent.

Vous écrivez à un(e) ami(e) pour lui raconter vos malheurs et votre irritation.

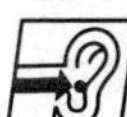

Écoute du dialogue (10 juin 1968)

- **Imaginez le plan du quartier que traverse le jeune étudiant. Reportez sur ce plan son itinéraire et les obstacles qu'il rencontre.**
- **Le père et le fils ont des conceptions différentes de l'action politique. Expliquez ces deux conceptions.**

Mécanismes B

- **Elle a terminé son travail, puis elle s'est couchée.**
  – Elle s'est couchée après avoir terminé son travail.
- **Nous sommes allés au cinéma, puis nous avons dîné.**
  – Nous avons dîné après être allés au cinéma.
- **Tu dois monter. Le train va partir.**
  – Monte avant qu'il ne parte !
- **Tu dois partir. Il va être trop tard.**
  – Pars avant qu'il ne soit trop tard !

9. *Expression de la simultanéité. Recomposez le texte suivant en utilisant une seule fois chacune des conjonctions suivantes : quand – lorsque – au moment où – comme.*

Une femme raconte son agression à la police :

« J'étais sur le point de rentrer chez moi. Deux individus masqués m'ont attaquée. Ils ont constaté que je leur résistais. Ils se sont énervés. Les gens m'ont entendue crier. Ils ont ouvert leur fenêtre. Je pense que quelqu'un a dû vous téléphoner. Ils ont aperçu votre voiture. Ils se sont enfuis. »

CHRONOLOGIE DE L'HISTOIRE DE LA FRANCE DEPUIS 1945

1945 – *Libération du territoire français* – Fin de la guerre (1939-1945).
Formation d'un gouvernement provisoire dirigé par le général de Gaulle. Droit de vote pour les femmes.

1946-1958 – *La quatrième République* – Nouvelle constitution : régime parlementaire.
→ *Instabilité gouvernementale* due au nombre des partis politiques et au type de régime. 23 gouvernements se succèdent en 12 ans.
→ *Problèmes coloniaux :* effritement de l'empire colonial français. Guerre d'Indochine. Problèmes au Maghreb. Guerre d'Algérie.
→ *Mouvements sociaux* dus à l'importance du parti communiste (premier parti de France avec 28 % des voix aux élections).
• Œuvre économique importante. Reconstruction de la France. Plein emploi. Prix stables.

1958-1969 – *Les années De Gaulle*

Crise de 1958
Due à la guerre d'Algérie.
Insurrection à Alger.
Menace de guerre civile en France.
Le gouvernement, incapable de résoudre la crise, fait appel au général de Gaulle.

↓

Nouvelle constitution → Cinquième République
Combinaison de régime présidentiel et de régime parlementaire.
Élection du président de la République au suffrage universel (pour 7 ans).
Élection (députés) pour 5 ans.
Consultation du peuple par référendum.
Le Président nomme le Premier ministre qui forme le gouvernement.

→ *Croissance économique de la France* (due au faible coût de l'énergie).
→ *Décolonisation :* autodétermination des pays de l'empire. La quasi-totalité deviennent indépendants. Fin de la guerre d'Algérie (1962) et indépendance de ce pays. Afflux de rapatriés en France.
→ *Politique d'indépendance vis-à-vis des deux grands blocs.* La France se dote d'une force de frappe nucléaire.

Crise de mai 1968
Grèves, manifestations, émeutes.
Causes complexes : désir des ouvriers et des fonctionnaires de profiter davantage de la croissance.
Fascination pour la Révolution (extrême gauche).
Souhait de changement dans les mœurs et les comportements.

→ *Juin 1968 :* lassé du désordre, le pays redonne une majorité à De Gaulle.
Mais le prestige du vieux Président est définitivement ébranlé.
→ *1969 :* la France rejette le projet de réforme sur la régionalisation.
De Gaulle quitte définitivement le pouvoir et meurt l'année suivante.

1969-1981 – *Du gaullisme au centrisme libéral*
• Deux présidents d'allures différentes vont se succéder : *Georges Pompidou* (1969-1974), ancien Premier ministre de De Gaulle, et *Valéry Giscard d'Estaing* (1974-1981).
→ *Bipolarisation du paysage politique :* la droite (gaullistes – centristes – libéraux) et la gauche (socialistes – communistes). Pendant quelques années, socialistes et communistes s'unissent pour un programme commun de gouvernement.
→ *Crise économique de 1974* due à l'augmentation du prix du pétrole.
→ *Transformation des valeurs morales* qui se concrétisent par certaines réformes (libéralisation de la contraception – abaissement du droit de vote à 18 ans).
→ *Affaiblissement du parti communiste.*

1981 – *La gauche au pouvoir*
François Mitterrand (parti socialiste) est élu Président. Le parti socialiste a la majorité absolue à l'Assemblée.
• *1981-1982 : l'état de grâce.* Le gouvernement socialiste applique toute une série de réformes (nationalisations – décentralisations – mesures sociales – abolition de la peine de mort). Mais les problèmes essentiels subsistent (chômage, inégalités, etc.) et le déficit budgétaire s'accroît.
• *1982-1986 : la rigueur.* Ralentissement des réformes, augmentation des impôts, etc.
• *1986-1988 : le retour de la droite au pouvoir après son succès aux élections législatives.*
(J. Chirac, Premier ministre).

• *1988 : le retour de la gauche au pouvoir.* F. Mitterrand, réélu président de la République nomme M. Rocard, Premier ministre.

Depuis plusieurs années, le problème de la place des populations étrangères dans la société française se pose avec acuité. Le Front National trouve là un de ses thèmes favoris.

Trois hommes politiques annoncent leur candidature à la présidence.

Dans un monde politique très médiatisé, l'annonce d'une candidature à la présidence de la République se fait selon une stratégie bien préparée.

- **Comparez les stratégies des trois candidats (dates – lieux – mise en scène – déclarations, etc.).**
- **Comparez les trois affiches électorales (image – texte – couleurs).**

16 janvier. C'est aujourd'hui, samedi, en fin de matinée, que le Premier ministre a annoncé qu'il était candidat à l'élection présidentielle. Jacques Chirac, qui s'exprimait depuis l'hôtel Matignon, a défendu son « ambition pour la France : donner un espoir à sa jeunesse, être plus attentif à ceux qui souffrent de la misère, de la solitude ou d'être sans emploi ». Le candidat Chirac s'est prononcé pour une « France audacieuse, dynamique, créative, prête à saisir la chance du grand marché européen, une France forte, rayonnante, généreuse, qui assure son indépendance et son rang dans le monde [...] une France fidèle à son passé et confiante en son avenir de grande puissance ». Jacques Chirac prononcera un discours cet après-midi devant les « états généraux du gaullisme », en présence d'anciens ministres.

8 février. C'est du palais des congrès de Lyon, au cœur de sa circonscription, que M. Barre vient d'annoncer sa candidature à l'élection présidentielle. Entouré de son épouse, Ève, et de ses deux fils, Olivier et Nicolas, l'ancien Premier ministre a lu sa déclaration devant cent cinquante journalistes. Le maire de Lyon, Francisque Collomb, était la seule personnalité locale assistant à cette conférence de presse. Raymond Barre a justifié sa décision en disant : « Il y a avant tout la confiance que beaucoup d'entre vous me témoignent [...] Je ne suis pas un spécialiste de la virevolte. Je n'ai jamais fardé la réalité. J'ai toujours agi avec loyauté. Je suis un homme d'ouverture. Je n'ai pas l'esprit de parti. Je veux un État impartial au service de tous. » Avec émotion, il a évoqué la Réunion, son île natale.

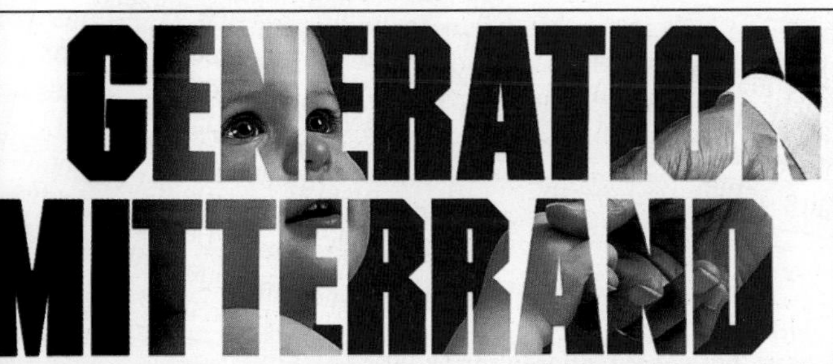

22 mars. Le président de la République a choisi A2 pour annoncer, peu après 20 h, sa candidature à l'Élysée pour un second mandat. Après une légère hésitation, le chef de l'État a simplement répondu « oui » à la question qui lui était posée en direct, à l'ouverture du journal. Le Président a indiqué qu'il ne savait pas lui-même quand, exactement, il avait pris sa décision, qui ne faisait, pour beaucoup de Français, aucun doute depuis plusieurs semaines. Il a indiqué à Paul Amar, chef du service politique d'A2 : « ... Il faut la paix sociale, il faut la paix civile. » M. Mitterrand s'est présenté comme le garant d'une France unie et s'est inquiété devant différents dangers ; il a fait allusion « aux partis, aux groupes, aux factions dont l'intolérance éclate tous les soirs dans les propos qu'ils tiennent ».

Chronique de l'année 1988, © Éd. Larousse 1989.

10. *Reliez les événements suivants par les conjonctions avant que... après que... à l'époque où... Rédigez les phrases au passé.*

a.	Les dinosaures disparaissent.	Les premiers hommes apparaissent.
b.	Les hommes découvrent le feu.	Les hommes commencent à parler.
c.	Les Chinois inventent leur écriture.	Les Sumériens gravent leurs premiers signes.
d.	Christophe Colomb découvre l'Amérique.	Isabelle de Castille règne en Espagne.
e.	R. Amundsen découvre le pôle Sud.	R.A. Peary atteint le pôle Nord.
f.	On cultive la pomme de terre en Amérique.	On cultive la pomme de terre en France.
g.	La culture de la vigne se développe en Gaule.	Les Romains occupent la Gaule.

Exemple : **Les dinosaures ont disparu avant que les premiers hommes n'apparaissent.**

11. *Exercice d'écoute. Que sont devenus les contestataires de mai 68?*

En 1990, un journaliste interroge trois anciens étudiants. Notez :

- **l'itinéraire qu'ils ont suivi;**
- **les raisons pour lequelles ils ont suivi cet itinéraire;**
- **leur opinion sur mai 68.**

12. *Formulez des propositions de réformes.*

En 1989, *L'Événement du Jeudi* a demandé aux Français de formuler 110 propositions de réforme (souvenir des 110 propositions que François Mitterrand a faites en 1981 quand il s'est présenté aux élections présidentielles). En voici quelques-unes.

Travail

• Revalorisation des salaires directs dans un plan de cinq ans, mis en place par l'État, afin de concilier croissance, amélioration de l'emploi et suppression des inégalités salariales. Revalorisation nécessaire dans les secteurs industriels (automobile par exemple) et du bâtiment, afin de rendre ces secteurs plus attractifs et d'éviter un manque de main-d'œuvre possible dans les années à venir.

• Réduire le temps de travail à trente-sept heures, deux de celles-ci étant consacrées à la formation des salariés. Encouragement financier pour les travailleurs désirant prendre une année sabbatique de formation.

Mères de famille

Permettre aux mères d'enfants en bas âge de travailler à mi-temps et d'être payées à temps complet.

Impôts

Suppression de l'impôt direct. Prêt de 500 000 F à tous les jeunes à partir de 18 ans, afin qu'ils puissent relancer la consommation et ainsi l'économie.

Coopération

L'aide au tiers monde sera fixée à 1 % du PNB au minimum. Elle sera délivrée essentiellement sous forme de biens d'équipements, afin d'éviter au maximum les gaspillages et les détournements de fonds.

Villes

• Taxe sur les chiens en ville. Elle serait exclusivement affectée au ramassage des crottes. Son rôle dissuasif permettrait sans doute d'alléger la population canine urbaine. Par ailleurs, en faisant porter sur les seuls propriétaires de chiens la charge financière du nettoyage, il sera un élément supplémentaire de justice sociale.

• Des pistes cyclables dans les grandes villes. Seulement 30 kilomètres de voies cyclables à Paris ! Une misère, comparé à Amsterdam, où la bicyclette est vraiment la petite reine. Des possibilités existent, l'aménagement des quais de Seine par exemple.

Écoles

Développer dans les écoles l'enseignement artistique (musique, théâtre, peinture) en modifiant le rythme scolaire actuel.

- **Analysez et discutez chacune de ces propositions.**
- **Rédigez cinq propositions de réformes qui vous paraissent prioritaires.**

À travers la littérature... la guerre

Le théâtre français du milieu du 20e siècle a été profondément marqué par la guerre (peur de la guerre – guerre vécue – guerre froide après 1945).

Joué en 1935, *La guerre de Troie n'aura pas lieu* de Giraudoux est une fantaisie tragique sur le célèbre thème antique.

Au début de la pièce Hector revient de guerre victorieux. Il semble heureux que son pays soit enfin en paix. Mais Andromaque, sa femme, doute de sa sincérité.

ANDROMAQUE

Aimes-tu la guerre?

HECTOR

Pourquoi cette question?

ANDROMAQUE

Avoue que certains jours tu l'aimes.

HECTOR

Si l'on aime ce qui vous délivre de l'espoir, du bonheur, des êtres les plus chers...

ANDROMAQUE

Tu ne crois pas si bien dire... On l'aime.

HECTOR

Si l'on se laisse séduire par cette petite délégation que les dieux vous donnent à l'instant du combat...

ANDROMAQUE

Ah? Tu te sens un dieu, à l'instant du combat?

HECTOR

Très souvent moins qu'un homme... Mais parfois, à certains matins, on se relève du sol allégé, étonné, mué. Le corps, les armes ont un autre poids, sont d'un autre alliage. On est invulnérable. Une tendresse vous envahit, vous submerge, la variété de tendresse des batailles : on est tendre parce qu'on est impitoyable; ce doit être en effet la tendresse des dieux. On avance vers l'ennemi lentement, presque distraitement, mais tendrement. Et l'on évite d'écraser le scarabée. Et l'on chasse le moustique sans l'abattre. Jamais l'homme n'a plus respecté la vie sur son passage...

ANDROMAQUE

Puis l'adversaire arrive?...

HECTOR

Puis l'adversaire arrive, écumant, terrible. On a pitié de lui, on voit en lui, derrière sa bave et ses yeux blancs, toute l'impuissance et tout le dévouement du pauvre fonctionnaire humain qu'il est, du pauvre mari et gendre, du pauvre cousin germain. [...] On a de l'amour pour lui. On aime sa verrue sur sa joue, sa taie(1) dans son œil. On l'aime... Mais il insiste... Alors on le tue.

Mais bientôt apparaît la menace d'une autre guerre. Les Grecs, furieux que Pâris (frère d'Hector) ait enlevé Hélène (femme du roi grec Ménélas), sont prêts à venir la reprendre par la force.
Toute la pièce se déroule dans cette incertitude : fera-t-on la guerre pour un motif aussi futile? À la fin, les chefs des armées se retrouvent face à face. Hector demande à Ulysse (chef des Grecs) s'il pense que le conflit est inévitable.

ULYSSE

Ce matin j'en doutais encore. J'ai posé le pied sur votre estacade(2) et j'en suis sûr.

HECTOR

Vous vous êtes senti sur un sol ennemi?

ULYSSE

Pourquoi toujours revenir à ce mot ennemi? Faut-il vous le redire? Ce ne sont pas les ennemis naturels qui se battent. Il est des peuples que tout désigne pour une guerre, leur peau, leur langue et leur odeur, ils se jalousent, ils se haïssent, ils ne peuvent pas se sentir... Ceux-là ne se battent jamais. Ceux qui se battent, ce sont ceux que le sort a lustrés et préparés pour une même guerre : ce sont les adversaires.

[...]

HECTOR

Et c'est ce que pensent aussi les autres Grecs?

ULYSSE

Ce qu'ils pensent n'est pas plus rassurant. Les autres Grecs pensent que Troie est riche, ses entrepôts magnifiques, sa banlieue fertile. Ils pensent qu'ils sont à l'étroit sur du roc. L'or de vos temples, celui de vos blés et de votre colza, ont fait à chacun de nos navires, de nos promontoires, un signe qu'il n'oublie pas. Il n'est pas très prudent d'avoir des dieux et des légumes trop dorés.

(1) tache sur l'œil. (2) sorte de digue qui ferme l'entrée du port.

• **En quoi les réflexions de Giraudoux sur la guerre sont-elles originales et inattendues?**

BILAN

■ 1. *Le récit au passé. D'après les notes ci-dessous faites le récit de la vie du peintre Gauguin. Prenez la date de 1883 comme point de départ de votre récit.*

« C'est en 1883 que Gauguin a abandonné sa famille et son travail pour . . . . . . »

1848 : naissance de Paul Gauguin à Paris.
De 1850 à 1855 : enfance à Lima (Pérou). Puis, retour en France. Il abandonne ses études et s'engage pendant quatre ans dans la marine.
1871 : il travaille comme agent de change. Mariage. Débuts dans la peinture. Participation à l'exposition des impressionnistes en 1880.
1883 : il abandonne famille et travail pour se consacrer uniquement à la peinture. Voyages en Bretagne, à Panama, en Martinique. Rencontre avec Van Gogh.
1888 : séjour à Arles avec Van Gogh. Séparation au bout de trois mois.
1890 : départ pour Tahiti en quête de simplicité, de beauté et de pureté. Production d'œuvres d'inspiration exotique. Maladie. Retour à Paris. Incompréhension du public pour ses œuvres d'inspiration primitive.
1896 : retour à Tahiti. Vie misérable et solitaire. Tentative de suicide.
1903 : mort aux îles Marquises.

■ 2. *L'expression de la durée. Posez cinq questions sur la vie de Gauguin commençant par les formes suivantes.*

• À partir de quand . . . . . ? • Il y avait combien de temps . . . . . ? • Pendant combien de temps . . . . . ? • Jusqu'à quand . . . . . ? • Pour combien de temps . . . . . ?

■ 3. *Le passé simple. Réécrivez ce texte en utilisant le passé composé et l'imparfait.*

Récit d'un voyageur du 18e siècle :

« Quand nous eûmes traversé le bois, la chaleur se fit accablante. Il était midi. Paul alla remplir nos gourdes au puits d'une ferme. Une heure après, nous aperçûmes le village de Corconne, dans un vallon. À ce moment-là, un cavalier nous dépassa au grand galop. Je le vis arriver sur la place du village et parler aux habitants. Alors, il se passa une chose extraordinaire. Les gens rentrèrent chez eux et fermèrent leurs portes et leurs volets. En quelques minutes, le village était désert. Le cavalier revint vers nous et s'arrêta. Je lui demandai ce qui se passait. Il répondit : "Quittez le plus vite possible cette région, étrangers ! Dix cas de peste ont été signalés ce matin dans la ville voisine." »

■ 4. *Le subjonctif ou l'indicatif. Mettez les verbes à la forme qui convient.*

• Après ce que tu lui as dit, je doute qu'il **(être)** de bonne humeur.
• À voir ces nuages, je suis certain qu'il **(pleuvoir)** ce soir.
• Il faut se dépêcher de rentrer avant qu'il **(faire nuit)**.
• Nous souhaitons que vous **(venir)** nous voir bientôt.
• J'espère que tu **(être guéri)** bientôt.
• Je te prête ma voiture mais il faut que tu **(prendre)** de l'essence.
• Lorsqu'elle **(aller)** en Italie, elle a visité Venise.
• J'ai envie que nous **(aller)** au restaurant.

■ 5. *L'antériorité et la postérité. Mettez les verbes entre parenthèses à la forme qui convient.*

• Au moment où l'orage **(éclater)**, nous étions loin du village.
• Francis et Jean-Luc n'ont pas cessé de parler. Quand l'un s'arrêtait, l'autre **(prendre)** le relai.
• Quand tu **(finir)** la vaisselle, tu passeras l'aspirateur.
• Il faut que tout soit prêt avant que les invités **(arriver)**.
• Lorsqu'il **(déjeuner)**, il faisait une sieste.
• Il y avait trois ans que nous **(ne pas voir)** Stéphanie quand nous l'avons rencontrée par hasard au jardin du Luxembourg.

■ 6. Vocabulaire. Trouvez dans la liste B un synonyme pour chacun des verbes de la liste A.

Ⓐ → s'entendre – se haïr – bouder – souder – fuir – prohiber – contraindre – révoquer – appuyer – se dévouer à

Ⓑ → réunir – soutenir – forcer – interdire – se consacrer à – s'accorder – repousser – se détester – renvoyer – s'échapper.

■ 7. Caractères et comportements. Caractérisez-les par un adjectif.

- Cet enfant fait souvent des bêtises. Il aime faire des farces mais il n'est pas méchant.
- En classe, cette fillette bavarde, fait du bruit, se déplace sans raison.
- Mireille accueille toujours les gens avec un large sourire.
- André n'arrête pas de se plaindre.
- Michel pique souvent de violentes colères.
- Son visage était fermé. C'est tout juste s'il m'a dit bonjour.
- Agnès a été indignée par le comportement de sa collègue.
- Le directeur a semblé être favorable à ma demande.

■ 8. Imaginez cinq dépêches d'agence de presse en utilisant les mots suivants.

1. grève – syndicat – revendication – délégation.
2. soulèvement – barricade – répression – gaz lacrymogène.
3. parti (politique) – gouvernement – réforme – loi sociale – soutenir.
4. Premier ministre – crise – opposition – démissionner.
5. entreprise – personnel – prime – licencier.

***Exemple :* manifestant – délégué – négociation – défiler.**

« Les postiers en grève ont défilé hier rue de Ségur. Les manifestants se sont rassemblés devant le ministère des Postes. Le ministre a reçu les délégués syndicaux et leur a promis l'ouverture prochaine de négociations. »

■ 9. Exprimez l'obligation et l'interdiction. Rédigez, en variant les formules qui expriment l'obligation ou l'interdiction :

a. Les articles du règlement d'un hôpital concernant les visiteurs.
b. Le règlement que le directeur d'un hôtel affiche dans chaque chambre.
c. Les conseils que vous donneriez à un enfant qui, pour la première fois, se rend à son école non accompagné.
d. Les conseils que vous donneriez à un(e) ami(e) français(e) qui, pour la première fois, va conduire dans votre pays.

■ 10. Formulez des demandes.

a. Vous faites une lettre à votre directeur pour lui demander l'autorisation de vous absenter deux jours afin d'assister au mariage de votre meilleur(e) ami(e). Il s'agit d'une autorisation exceptionnelle. Normalement, vous n'avez pas droit à un congé pour un tel motif.

b. Un de vos parents possède un studio à Paris qu'il n'occupe que de temps en temps. Vous lui écrivez pour lui demander s'il peut vous le prêter pendant quinze jours.

■ 11. Test culturel.

1. À quelle époque vivaient les peintres de l'École de Fontainebleau ?
2. Avignon est connue pour avoir été le lieu de résidence d'un personnage célèbre. Lequel ?
3. Quels ont été les chefs d'État français de 1958 à 1988 ?
4. Dans quelles circonstances Molière est-il mort ?
5. Citez quatre régions de France célèbres pour la qualité de leur vin.
6. Quel est le pourcentage d'étrangers dans la population française ?
7. À cause de quels événements De Gaulle est-il arrivé au pouvoir en 1958 ?
8. Quel est le titre du conte enfantin qui met en scène une fillette, sa grand-mère et un loup ?
9. Citez cinq catégories de fonctionnaires.
10. Citez trois îles françaises.

INTERROGATIONS

LEÇON 1 - FEMMES D'AUJOURD'HUI -

LEÇON 2 - LES APPRENTIS SORCIERS -

LEÇON 3 - LA BRETAGNE ÉTERNELLE -

LEÇON 4 - LES PHÉNOMÈNES ÉTRANGES -

GRAMMAIRE

L'expression du temps (situation et déroulement) – Les constructions relatives – Les pronoms interrogatifs – Le conditionnel – L'expression de la supposition – La vision passive.

COMMUNICATION

L'expression de l'espoir, du souhait, du regret, de la crainte, de la satisfaction ou de l'insatisfaction – L'explication, la logique et le raisonnement.

VOCABULAIRE

L'amour, la haine, la jalousie – Le sommeil et le rêve – Les sciences et la technologie – Le folklore et les fêtes – L'air et le feu – La peur et l'étrange.

CIVILISATION

Francophonie et diversité des langues françaises – L'Europe technologique – Régions de France et régionalisme.

FEMMES D'AUJOURD'HUI

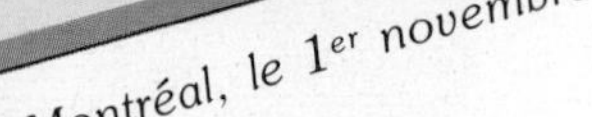

Montréal, le 1er novembre

Ma chère Valérie,

Dommage que tu n'aies pas pu venir passer deux ou trois semaines chez nous le mois dernier. Nous avons fait comme prévu un grand circuit à travers le Québec. Les enfants étaient ravis. Nos amis canadiens ont été charmants. Je regrette que tu ne les aies pas rencontrés. Ils sont tellement chaleureux et pleins d'humour!

Nous avons eu un été indien superbe. Si seulement tu avais pu voir les couleurs de l'automne dans le parc des Laurentides...

Nancy, le 15 novembre

Ma chère Cécile,

Tu féliciteras James pour sa brillante promotion. Je suis heureuse que tu sois maintenant à l'abri des problèmes matériels et je souhaite que ça dure. Quant à moi, ça ne va pas très fort en ce moment. Au journal, depuis le départ du rédacteur en chef, c'est la crise. Ils sont quatre à se disputer le poste. Inutile de te faire un dessin. Chacun a son clan et ses détracteurs. On se déchire à belles dents, on se fait des coups fourrés et on passe son temps en calomnies et en médisances. L'atmosphère est devenue irrespirable. Bref, j'en ai un peu marre.

Côté sentimental, ce n'est pas la joie non plus. Je t'avais parlé de Xavier, le grand blond qui m'avait littéralement subjuguée chez les Lacroix. Eh bien, il a quitté Nancy pour Paris. Certes, il n'y avait jamais rien eu de très sérieux entre nous mais de là à me laisser tomber comme une vieille chaussette... Il m'a annoncé son départ sans aucune émotion. On avait l'impression que ça ne lui faisait ni chaud ni froid. J'en suis restée effondrée. Je me rends compte qu'au fond, je tenais à ce type. J'espérais quelque chose...

Montréal, le 1er décembre

Ma chère Valérie,

Depuis que James a eu sa nouvelle promotion, je ne vis plus. Avant, il lui arrivait de rentrer tard le soir mais c'était exceptionnel. Maintenant, ça devient une habitude. Je sais aussi qu'il déjeune fréquemment avec Sandra, sa secrétaire, une fille qui a soi-disant toutes les qualités et dont il n'arrête pas de parler... Alors, que veux-tu, je ne peux pas m'empêcher de soupçonner le pire et, malgré moi, j'épie, j'espionne, je vérifie son agenda, je fouille ses poches. J'ai un peu honte de ce que je fais mais c'est plus fort que moi. Cette incertitude m'irrite et je m'emporte à tout propos. Hier soir, je lui ai même fait une scène...

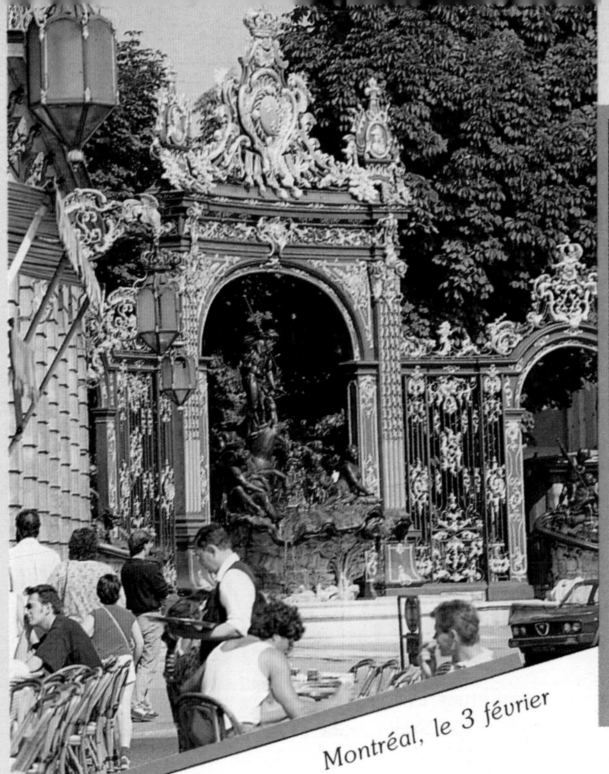

Terrasse de café, place Stanislas à Nancy.

Nancy, le 10 janvier

Ma chère Cécile,

Dans ma dernière lettre, je me réjouissais un peu rapidement de mon nouveau travail. Il était pourtant sympa le discours du PDG de Pradier-France : « Je dois avouer mon plaisir sincère d'avoir pour la première fois une femme au poste de directeur du personnel... » Tu parles! Certes, en apparence, tout se passe bien. On vante mon dynamisme, mon allure éclatante. Je me donne des airs de femme moderne. Mais aux réunions avec les chefs de service je perçois toujours des petits sourires en coin... Le plus dur, c'est avec mes collègues cadres supérieurs. Je suis en principe leur égale dans la hiérarchie mais ces petits messieurs acceptent difficilement d'être concurrencés par une femme. Et puis, il y a ceux qui ne me font pas de cadeaux, qui attendent avec impatience ma première faute professionnelle...

Montréal, le 3 février

Ma chère Valérie,

Il est deux heures du matin. Par la fenêtre, j'aperçois la ville couverte de neige. J'entends le ballet incessant des machines qui sont en train de déblayer les rues... Je viens de me réveiller en sursaut à la fin d'un rêve étrange... J'errais dans une succession de couloirs qui s'enchevêtraient à l'infini. Au début je cherchais la sortie calmement, méthodiquement. Puis, petit à petit, j'ai senti la panique me saisir. Je me suis mise à courir et j'avais l'impression que cette course allait durer éternellement. Enfin, j'ai trouvé une porte et je l'ai ouverte, mais une lumière aveuglante m'a rejetée dans le labyrinthe. Je me suis réveillée en sueur...

Vue générale de Montréal.

GRAMMAIRE ET VOCABULAIRE

LE DÉROULEMENT DE L'ACTION

1. Le début et la fin.

- **commencer à** / **se mettre à** } + verbe — commencer – débuter – entreprendre – entamer / aborder – s'engager dans... } + nom.
- **s'arrêter de** / **finir de** } + verbe — arrêter – finir – interrompre / stopper – achever } + nom.

2. La progression et la durée.

- **être en train de + verbe**

Il est en train de faire la vaisselle.

- **suffixe -ir** (vieux → vieillir – rouge → rougir)

Les feuilles jaunissent en automne.

- progressivement – peu à peu – par étapes.

- **continuer à...** prolonger

durer – persister – se prolonger – se poursuivre
Elle a continué à chanter après minuit.
Son concert s'est prolongé jusqu'à une heure.

LA RÉPÉTITION DE L'ACTION

- **La fréquence**

Elle va au cinéma { tous les jours / chaque jour / le lundi / chaque fois que...

- quelquefois – parfois – de temps en temps
- rarement – accidentellement – occasionnellement / souvent – fréquemment

c'est inaccoutumé – peu fréquent

- d'habitude – habituellement – généralement – d'ordinaire.

- **toujours / (ne)... jamais – (ne)... guère**

Elle va toujours au cinéma le dimanche.
En semaine, elle n'y va jamais.
Le samedi soir, elle n'y va guère (pas souvent).

2. La continuité.

- ne faire que... – ne pas arrêter de...
- **encore – toujours / ne... plus**

Il est minuit. Est-ce qu'il travaille encore?
Non, il ne travaille plus.

L'EXPRESSION DE L'ESPOIR, DU SOUHAIT, DU REGRET

- **L'espoir**

J'espère que... j'ai l'espoir que... j'ai bon espoir que... + **indicatif**
J'ai l'espoir de... + **infinitif.**

- **Le souhait**

Je souhaite que... / Il est à souhaiter que... / Pourvu que... } **+ subjonctif**
Un seul sujet → infinitif : je souhaite le rencontrer.

- **Le regret**

Je regrette que + subjonctif
Je regrette que tu doives partir.
Je regrette ton départ.
À mon grand regret... hélas... malheureusement...

L'AMOUR – LA JALOUSIE – LA HAINE

- **L'amour**

aimer bien – avoir un penchant pour...
tomber amoureux (de...) – s'éprendre de...
aimer – adorer – être épris de... – être attaché à...
l'attachement – une passion
un amour platonique/charnel – sensuel – une idylle – un flirt – une amourette – s'entendre avec... – être uni.

- **La jalousie**

être jaloux – méfiant
se méfier (de) – se défier (de) – soupçonner
être fidèle/infidèle
tromper quelqu'un – un amant – une maîtresse – une relation adultère.

- **La séparation**

se séparer – rompre (une rupture)
divorcer (un divorce)
laisser tomber quelqu'un (fam.) – plaquer (fam.).

- **La séduction**

séduire – un séducteur – une séductrice
fasciner – la fascination – subjuguer
faire tourner la tête – taper dans l'œil (fam.)
faire la cour à... – flirter avec...
déclarer son amour.

- **L'indifférence et la haine**

l'indifférence – l'insensibilité – l'animosité – l'aversion – la répulsion – la haine – détester – mépriser – haïr – exécrer.

LES RELATIONS CONFLICTUELLES

- un désaccord – un conflit

se disputer	une dispute	provoquer
se quereller	une querelle	exciter
se chamailler	un différend	apaiser.
se brouiller	une brouille	

- s'injurier – une injure – un juron – (s')invectiver – une invective.
- se battre – se bagarrer (une bagarre) – échanger des coups – en venir aux mains – casser la gueule (fam.) – flanquer un marron (fam.) – tabasser – passer à tabac.

LE SOMMEIL ET LE RÊVE

- avoir sommeil – dormir debout – s'assoupir – s'endormir – somnoler

le sommeil – un (petit) somme – une sieste
dormir profondément – à poings fermés – comme une souche – faire dodo (voc. enfantin)
ronfler – un ronflement
passer une nuit blanche – avoir des insomnies
un somnifère
se réveiller – s'éveiller.

- un rêve – un songe (voc. poétique)

un cauchemar
le monde onirique – un fantasme
l'interprétation des rêves – un symbole
→ poursuivre un rêve, un idéal, une chimère – faire des châteaux en Espagne.

L'EXPRESSION DE LA SATISFACTION

- il est satisfait/insatisfait de...

ça le satisfait – ça lui convient
il se contente de...
c'est satisfaisant – convenable – correct – acceptable.

- il est heureux de... – comblé par...

ça le rend heureux – ça le comble
→ je suis satisfait/insatisfait que...
je suis content/mécontent que...
je suis heureux/malheureux que...
etc.
} **+ subjonctif**
Je suis contente que vous soyez guéri.

- il est content/mécontent de... – déçu de... – mécontenter – décevoir

le mécontentement – la déception – le désenchantement (être désenchanté) – une désillusion.

- ça lui plaît/ça lui déplaît.

ACTIVITÉS

Lecture des trois premières lettres

• Réalisez une fiche descriptive pour chacune des deux femmes. Notez sur cette fiche ce que vous apprenez sur leur état civil, le déroulement de leur vie, leur caractère, leur comportement familial, professionnel, social, sentimental.

• Dans les deux premières lettres, relevez les mots ou expressions qui indiquent l'espoir, le souhait, le regret.

Mécanismes A

• Valérie ne travaille plus au journal *L'Espoir*, n'est-ce pas?
– Si, elle y travaille toujours.
• Cécile n'habite plus à Montréal, n'est-ce pas?
– Si, elle y habite toujours.

• Vous partez déjà? Je le regrette.
– Je regrette que vous partiez déjà.
• Vous reviendrez nous voir, j'espère!
– J'espère que vous reviendrez nous voir.

1. Expression de l'espoir, du souhait, du regret. Mettez les verbes entre parenthèses à la forme qui convient.

Les entremetteuses

Florence a organisé une soirée pour que deux célibataires, Agnès et Gérard, puissent se rencontrer. Colette, une amie de Florence et des deux célibataires, est dans la confidence.

Colette : Gérard est déjà là. Dommage qu'il **(mettre)** un costume et une cravate. Agnès préfère les tenues décontractées. Tu crois qu'elle **(venir)?**

Florence : Je lui ai dit que je souhaitais qu'elle **(arriver)** vers 9 h. Comme ça, Gérard sera un peu dans l'ambiance. Il semblera moins timide.

Colette : Espérons qu'ils **(se plaire)!**

Florence : Normalement ça devrait marcher. Ils ont les mêmes goûts, les mêmes intérêts artistiques...

Colette : Oui, mais il faut souhaiter qu'ils **(ne pas aborder)** la politique... Pourvu qu'elle **(ne pas lui dire)** au bout de deux minutes qu'elle est au parti socialiste!

Florence : Bof! Gérard est large d'esprit. Le problème, c'est quand Agnès va apprendre qu'il est de droite... Je regrette qu'elle **(être)** aussi peu tolérante... Tiens, la voilà! Mon Dieu! Quel accoutrement! Si seulement elle **(mettre)** un tailleur et un chemisier au lieu de ce jean rapiécé. Elle ne nous facilite vraiment pas la tâche!

2. Jouez la scène. Rédigez la lettre.

• Le juge et le petit délinquant

Marie-Louise a été surprise en train de dérober un paquet de biscuits dans un supermarché. Le juge la réprimande mais la laisse en liberté.

• La bouteille à la mer

Son bateau ayant fait naufrage, Loïc Le Dantec se retrouve sur un îlot désert. Après un mois d'attente, il écrit une lettre à son amie Florence et enferme la lettre dans une bouteille qu'il jette à la mer.

3. *Images des relations entre l'homme et la femme.*

• Quels types de relations évoquent ces photos?
• Les relations entre hommes et femmes ont-elles évolué depuis 50 ans? Depuis 10 ans?
• La publicité et le cinéma donnent-ils une image authentique de ces relations?

Le Sauvage de Jean-Paul Rappeneau.

Publicité.

Trois hommes et un couffin de Coline Serreau.

4. *Comportement. Les huit visages de l'homme d'aujourd'hui.*

a. Étudiez chaque catégorie et trouvez des exemples parmi les personnes ou les personnages que vous connaissez (hommes politiques, acteurs, personnages de romans et de théâtre).
b. Imaginez (en groupe) une classification des femmes en huit catégories. Décrivez le comportement de chaque type.

L'OLYMPIEN
est un être exceptionnel. Il a reçu le prix bel ou un Oscar du cinéma, ou bien a ti un empire financier. Il est hors des odes et des normes. C'est un véritable ythe.

LE PYGMALION
Il est protecteur, rassurant, généreux. Il aime le confort et la tradition. C'est un homme de goût qui plaît par sa sérénité.

L'INQUIÉTEUR
Il aime semer le trouble. Il est provocateur. Il aime l'improvisation. Ses réactions sont toujours inattendues. C'est un indépendant qui n'appartient à aucun groupe.

L'ANTIHÉROS
Il ne se prend jamais au sérieux. Il a de l'humour. Il est sincère, fragile et tendre, anticonformiste et simple.

LE PRINCE
Il est romantique et narcissique. C'est un éternel adolescent qui refuse de grandir. Il est esthète et raffiné. Il est partagé entre sa soif d'absolu et ses désirs terrestres.

LE PARTENAIRE
Il aime la convivialité, l'échange. Il cherche la complicité des autres. Il s'épanouit dans la relation de couple.

LE MACHO
ronzé et musclé, il aime le risque, l'avenure, le danger. Il a un côté bourru, parle rt et ne cherche pas à séduire. Pourtant, n aspect sauvage et indomptable en fait grand séducteur.

LE MENEUR
Il est jeune, dynamique, séducteur. On le voit souvent à la télévision. Il espère bien un jour devenir Olympien et possède une grande ambition.

D'après C. Degrèse et P. Amory, *Le Grand Jeu de la séduction*. © Éd. R. Laffont 1986.

5. ***ÊTES-VOUS JALOUX? Répondez aux questions de ce sondage.***

• Notez de 1 à 4 la fréquence du comportement décrit dans chaque phrase :
1 **pour** ***jamais*** **–** ***2*** **pour** ***exceptionnellement*** **–** ***3*** **pour** ***assez fréquemment*** **–** ***4*** **pour** ***à chaque occasion.***

		Notes
1.	Quand votre partenaire[1] a plus d'une heure de retard, la première raison qui vous vient à l'esprit est l'infidélité	....
2.	Quand il/elle est absent(e) plus de deux jours pour des raisons professionnelles ou autres, vous en perdez le sommeil et l'appétit	....
3.	Quand il/elle rentre, vous lui posez des questions directes sur les personnes qu'il/elle a rencontrées	....
4.	Vous n'êtes pas satisfait(e) de ses réponses. Vous cherchez a en savoir plus. Vous pensez qu'il/elle vous cache quelque chose	....
5.	À son insu, vous fouillez son sac, ses poches, son portefeuille	....
6.	Vous le/la suivez dans la rue ou vous le/la faites suivre	....
7.	Quand vous rencontrez une personne dont votre partenaire vante sans cesse le charme, vous avez envie de cogner ou de griffer	....
8.	Vous avez l'impression qu'il/elle va vous plaquer	....
9.	Vous lui faites des scènes de jalousie	....
10.	Au lieu d'essayer de vous raisonner, vous entretenez votre sentiment de jalousie	....
	Total	....

(1) Ami ou amie, époux ou épouse.

De 40 à 30 : vous êtes un Othello. Avec vous c'est l'enfer. Attention ! L'autre pourrait un jour reprendre sa liberté.
De 30 à 20 : vous êtes un(e) jaloux(se) maladif(ve), mais supportable.
De 20 à 10 : votre jalousie passera pour une preuve d'amour.
De 10 à 0 : vous êtes un(e) libéral(e). Attention ! Votre comportement pourrait passer pour de l'indifférence.

• Imaginez les questions d'un sondage sur l'un des sujets suivants.
À l'intention des femmes ? **Êtes-vous une femme moderne ?**
À l'intention des hommes ? **Êtes-vous macho ?**
À l'intention des deux sexes ? **Êtes-vous romantique ?**

6. Le déroulement de l'action. Vous êtes le guide. Présentez aux participants le déroulement de ce voyage organisé.
« Le matin, nous commencerons par ... Cette visite se poursuivra jusqu'à ... Elle sera suivie de ... Nous terminerons par .... »

L'EST DU CANADA

1er jour
Après un bon petit déjeuner vous ferez la visite de Québec : le vieux port, la place Royale, les Plaines d'Abraham, le château Frontenac, les ruelles pittoresques bordées de maisons du 18e siècle...
Déjeuner au restaurant « Sous le Port », place Royale (spécialités québécoises).
Croisière commentée avec animation musicale en saison sur le Saint-Laurent qui vous permettra d'admirer l'estuaire de la Saint-Charles, les installations de la Garde côtière canadienne et des chantiers maritimes de Lanzon, le vieux port et le vieux Québec dominé par le château Frontenac, le pont de l'île d'Orléans.
On aperçoit les chutes de Montmorency.
En option, possibilité d'effectuer une croisière d'observation des baleines (mi-juillet à mi-août et selon le temps).
Hébergement à l'hôtel Château Bonne-Entente.

2e jour
Petit déjeuner.
Départ vers Montréal par la rive nord du Saint-Laurent.
Arrêt dans un village Huron.

Arrivée à Montréal et déjeuner au restaurant des Gouverneurs, place Jacques-Cartier dans le vieux quartier.
Visite de Montréal, deuxième ville francophone du monde et l'une des plus anciennes villes du Canada. Elle est située sur une île du fleuve Saint-Laurent où l'explorateur Jacques Cartier débarqua en 1535; le parc du Mont-Royal, la place des Arts, le vieux Montréal, l'église Notre-Dame et le stade olympique.
Dîner. Hébergement à l'hôtel Holiday Inn.

3e jour
Petit déjeuner.
Départ pour Ottawa, à travers de beaux paysages.
Tour de la capitale du Canada; c'est en 1857 que la reine Victoria décida d'en faire le siège du Gouvernement; vous apprécierez la visite du Parlement et ses magnifiques jardins.
Le nom d'Ottawa est la forme anglicisée d'*Outaouac,* nom d'une tribu indienne qui faisait le commerce des fourrures avec la France au 17e siècle.
Continuation vers Kingston, agréable petite ville.
Déjeuner. Croisière commentée aux Mille Îles, charmant petit chapelet d'îlots.
Continuation vers Toronto.
Un bon dîner vous attend à l'hôtel Ibis où vous serez hébergés.

4e jour
Petit déjeuner.
Tour d'orientation de la ville qui fut à ses débuts un petit poste français de traite de fourrures.
Les maisons victoriennes de Yorkville, la CN Tower qui est la plus haute tour du monde avec ses 553 mètres de hauteur.
Continuation vers les spectaculaires chutes du Niagara qui forment un arc de cercle du côté canadien. Elles présentent une dénivellation de 56 mètres.
Déjeuner près du site.
Excursion sur le bateau « Maid of the Mist » qui vous conduira au pied des chutes.
Retour à Toronto dans la soirée.
Dîner. Hébergement à l'hôtel Ibis.

5e jour
Petit déjeuner.
Puis départ vers les Laurentides.
Visite du Upper Canada Village qui est probablement l'un des musées vivants les plus intéressants du Canada. Il s'agit de toute une série d'habitations, de fermes et de diverses installations datant du début du 19e siècle.
Déjeuner en cours de route.
Dîner chez Michel « La Petite Sologne ».
Hébergement à l'hôtel Auberge des Amériques.

6e jour
Petit déjeuner.
Promenade dans les Laurentides, splendide région forestière canadienne.
Déjeuner libre.
Transfert à l'aéroport de Montréal/Mirabel.
Envol pour Paris.

Touravia - TWA : 4, rue de la Paix, 75002 Paris.

- **Quelles photos choisiriez-vous pour illustrer ce document publicitaire? Justifiez votre choix.**
- **Rédigez un programme de voyage organisé de quatre jours pour une ville ou une région que vous connaissez.**

7. Exercice d'écoute.

Valérie et Jean-Louis parlent des personnes qu'ils ont rencontrées lors d'une soirée.

- **Relevez les traits de comportement de ces personnes. Dans quelle catégorie pouvez-vous ranger chacune d'elles?** (Utilisez la classification ci-dessus pour les hommes et celle que vous aurez imaginée pour les femmes.)

Norbert Delubac – Karine Vernon – Patrice Dubois – Hélène Roche – Didier Faure – Myriam Berthelot.

LA FRANCOPHONIE

LES ANNÉES DE GLOIRE

En France, le latin, la langue de l'Église catholique, restera longtemps la langue officielle.
C'est à l'extérieur de la France que le français commence à être utilisé comme langue administrative. En Angleterre, les lois sont rédigées en latin et en français jusqu'au 15e siècle et c'est dans le Val d'Aoste (Italie) que le premier acte notarié sera écrit en français (1532). En France, l'utilisation du français dans les actes officiels date de 1539 (Édit de Villers-Cotterêts promulgué par François Ier).
Entre le 17e siècle et le milieu du 19e la langue française est parlée un peu partout en Europe dans les milieux diplomatiques, scientifiques et culturels.
Cette extension est due :

- à l'émigration d'une partie de l'élite française. Protestants chassés par les guerres de religions, nobles fuyant la Révolution sont accueillis dans les cours d'Europe;
- au rôle important (politique et culturel) que joue la France en Europe;
- à l'esprit de conquête intellectuelle ou territoriale de la Révolution et de l'époque napoléonienne.

Au 19e siècle, le français commence à décliner. L'expansion coloniale de la fin du 19e siècle et du début du 20e permettra cependant d'ouvrir de nouveaux territoires francophones (Afrique et Asie du Sud-Est). Ces pays ont désormais conquis leur indépendance. Certains conservent l'usage du français comme langue officielle, langue d'enseignement et parfois langue de communication quotidienne (cas des pays où cohabitent plusieurs langues nationales).

- **Quelles sont les raisons du développement de la langue française dans le monde?**
- **Pensez-vous que la langue française soit aujourd'hui en déclin?**
- **Croyez-vous que ce déclin soit irréversible?**
- **Faites la liste des différentes raisons qui poussent aujourd'hui un non-francophone à apprendre le français.**

AU CANADA

État actuel : 6,5 millions de francophones dans la province de Québec, 267 000 en Acadie, 473 000 en Ontario.
Origine : à partir de 1608, la France colonise l'Est du Canada (appelé Nouvelle-France). En 1763, à la suite de nombreux conflits, la France cède tous ses territoires canadiens à l'Angleterre. Les colons français demeurent au Québec. Par contre, les colons d'Acadie sont expulsés et vont s'installer en Louisiane (aux États-Unis et sur les bords du Mississippi). Leurs descendants parlent encore une langue assez proche du français du 18e siècle.

Le français québécois

Le salut de la langue au Québec est probablement en train de se trouver dans la doctrine niniste. *Ni* le français international, *ni* le *parisian french, ni* le joual (1), mais le québécois. Un langage qui ne renonce pas à certaines de ses tournures sous prétexte qu'elles ne sont pas employées à Paris ou à Bruxelles, ou qu'elles sont « archaïques », qui ne renonce pas à son accent, pas plus ridicule que celui de Franche-Comté, d'Alsace, de Flandre, du Valais ou de Paris, qui ne cède pas devant les tentatives d'intimidation des professeurs ou des bureaucrates de la langue, et pas plus devant les pressions du voisinage anglais, et ne nie pas les apports étrangers dont toutes les langues sont faites, pas plus que les mots que les Québécois se sont forgés pour dire leur réalité. Il est plus beau de dire de deux personnes qu'elles sont « accotées » plutôt que de raconter qu'elles vivent en concubinage, une femme « en famille » n'est pas moins belle qu'une femme enceinte, les « aubaines » sont aussi avantageuses que les soldes, la « fesse » pas moins savoureuse que le jambon. On ne traduira pas « avoir du fun » par avoir du plaisir, même si c'est ce que dit le dictionnaire, ni « bicycle à gaz » par vélomoteur et encore moins « musique à bouche » par harmonica. On ne fera de toute façon pas une langue à coup de décrets, et même pas à grand renfort de publicité télévisée.

Philippe Meyer, *Québec*, © Éd. Le Seuil, Petite Planète, 1980.

(1) français populaire canadien.

- **Quelles sont, d'après Philippe Meyer, les conditions de la survie du français au Québec?**

Quelques expressions québécoises

c'est le fun	=	c'est super
un chien chaud	=	un hot-dog
la valise	=	le coffre de la voiture
pratiquer	=	s'entraîner
magasiner	=	faire des courses
un char	=	une voiture
un débosseur	=	un carrossier
dispendieux	=	cher
ça n'a pas de bout	=	ça n'a pas de sens

- **Relevez dans le texte et dans la liste d'expressions québécoises :** • des emprunts directs à l'anglais; • l'influence indirecte de l'anglais; • un cas de résistance à l'anglais; • les survivances du vieux français; • les créations originales.

EN BELGIQUE, AU LUXEMBOURG ET EN SUISSE

La Belgique

État actuel : 4,2 millions de francophones dans les provinces de Wallonie qui constituent la communauté française de Belgique. La ville de Bruxelles est officiellement bilingue mais à majorité francophone. 56 % de la population parle le néerlandais.
Origine : la création d'un État tampon destiné à contenir les ambitions territoriales françaises après la défaite de Napoléon. Cet État comprenait la Belgique et la Hollande. En 1830, la Belgique obtint son indépendance.

Le Luxembourg

État actuel : 350 000 francophones. Les langues parlées sont le luxembourgeois, le français et l'allemand.
Origine : proximité territoriale de la France. Le duché du Luxembourg a été déclaré neutre en 1867.

La Suisse

État actuel : dans cet État fédératif, 70 % des habitants parlent allemand, 19 % français, 9,5 % italien. On y parle aussi le romanche (langue celto-latine) et il existe de nombreux patois.
Origine : proximité territoriale de la France et émigration. La Confédération helvétique est née au 13e siècle.

DANS LES PAYS DU MAGHREB (ALGÉRIE, MAROC, TUNISIE) ET LES PAYS D'AFRIQUE

Origine : la colonisation de ces pays par la France au 19e siècle. Après 1945, ces pays retrouvent progressivement leur indépendance mais conservent des liens privilégiés avec la France.
État actuel : les situations sont variables. Dans certains pays, le français est langue officielle et langue d'enseignement (Mali, Niger, Togo, etc.); dans d'autres, il est seulement enseigné comme langue seconde avec un statut privilégié (pays du Maghreb).

Le français d'Afrique comporte de nombreux particularismes dus à sa grande vitalité.

Essayez de relier ces quelques mots de français d'Afrique à leur traduction en français « de France » :

Mots africains :
bricolage – crack – doublée – fréquenter – gâté – gagner – ziboulateur.

Français standard :
aller à l'école – décapsuleur – élégant – enceinte – en panne – posséder – travail temporaire

Lecture des deux dernières lettres

- **Quels problèmes Valérie rencontre-t-elle dans son nouvel emploi ?**
- **Le rêve de Cécile a-t-il une signification ? Que nous révèle-t-il sur la personnalité de la jeune femme ? Complétez les fiches sur les deux personnages.**

Mécanismes B

- **Est-ce que Paul travaille toujours autant ?**
– Non, il n'a guère travaillé depuis quelque temps.
- **Est-ce qu'il voit toujours autant Mireille ?**
– Non, il ne l'a guère vue depuis quelque temps.
- **Est-ce que Carmen a déjà mangé de la choucroute ?**
– Non, elle n'en a jamais mangé.
- **Est-ce que Pablo a déjà visité Paris ?**
– Non, il ne l'a jamais visité.

8. Formation des verbes à partir d'un adjectif.

a. Remplacez l'expression soulignée par un verbe en _ir_ (type : rougir, grandir, etc.).

- Les feuilles des arbres sont devenues jaunes.
- Le vent souffle plus faiblement.
- Il a perdu 3 kg.
- Il est plus grand qu'avant.
- Agnès a pris du poids.
- Le dossier est plus épais qu'il y a un mois.

b. Étudiez la formation des verbes suivants et classez-les en trois catégories (selon leur formation). agrandir – embellir – refroidir – abaisser – enlaidir – retarder – allonger – élargir – éloigner – réchauffer – aplatir – rehausser – approcher.

9. L'explication des rêves. Lisez cet article et faites la liste des différentes explications. Sont-elles contradictoires ou complémentaires ?

Le sommeil facilite-t-il la créativité et l'esprit d'invention? Von Kékulé aurait découvert en rêve la structure chimique du benzène en voyant six serpents se mordre la queue. Et Robert-Louis Stevenson affirmait avoir trouvé en dormant tous les thèmes de ses romans. Mais aucune étude systématique n'est venue confirmer ces observations. Pour Freud, les rêves sont l'expression de nos désirs refoulés(1). Ces « gardiens du sommeil » permettraient d'exprimer nos pulsions sous une forme déguisée. La sexualité constituerait la toile de fond du rêve. Il y voit deux contenus : un « manifeste » et un « latent », inconscients pour le rêveur. Ce camouflage(2) sert, selon les freudiens, à cacher le sens immoral ou asocial du rêve : désirs sexuels, de vengeance ou de mort. Contemporain de Freud, mais en désaccord avec sa théorie, Jung pense, pour sa part, que les images des rêves sont un rappel des mythes et qu'elles sont communes à tout le monde. Il les appelle des « archétypes ». Pour lui, le rêveur puise ces images dans une réserve universelle : l'« inconscient collectif ».

Autre hypothèse : le rêve permettrait de « traiter » les événements stressants du jour. Une fonction de compensation nous servirait à combler les manques éprouvés durant la journée. C'est le prisonnier qui rêve d'un dîner chez Maxim's ou le P.-D.G. qu'il pêche la crevette sur une plage bretonne. La « maîtrise », elle, nous donnerait, en rêve, un beau rôle dans les mauvaises situations que nous avons affrontées pendant la journée. « Les rêves intégreraient les matériaux pénibles au moyen de systèmes de mémorisation ayant dans le passé fourni des solutions satisfaisantes dans des situations analogues », écrit le Dr David Koulack, de l'université du Manitoba (Canada). Notre mémoire épongerait(3) nos déboires(4) et nous fournirait les solutions qui nous ont échappé. Si une fois éveillé, on se souvient et que l'on recourt(5) aux propositions suggérées en rêve, on est alors plus décontracté. On utilise l'invention créative que propose le rêve.

Ça m'intéresse, n° 106, décembre 1989.

**(1)** rejetés dans l'inconscient. **(2)** déguisement. **(3)** absorberait. **(4)** déceptions. **(5)** fait appel à.

10. Exercice d'écoute.

- **Quatre personnes racontent un de leurs rêves. Donnez à chaque rêve une des explications suivantes :**

a. complexe d'infériorité ; **b.** peur d'être abandonné ;
c. angoisse ; **d.** transformation intérieure.

- **Dites pourquoi vous avez choisi cette explication.**
- **Racontez un de vos rêves et essayez de l'interpréter.**

11. *Satisfaction et insatisfaction. Jouez les scènes et rédigez les textes.*

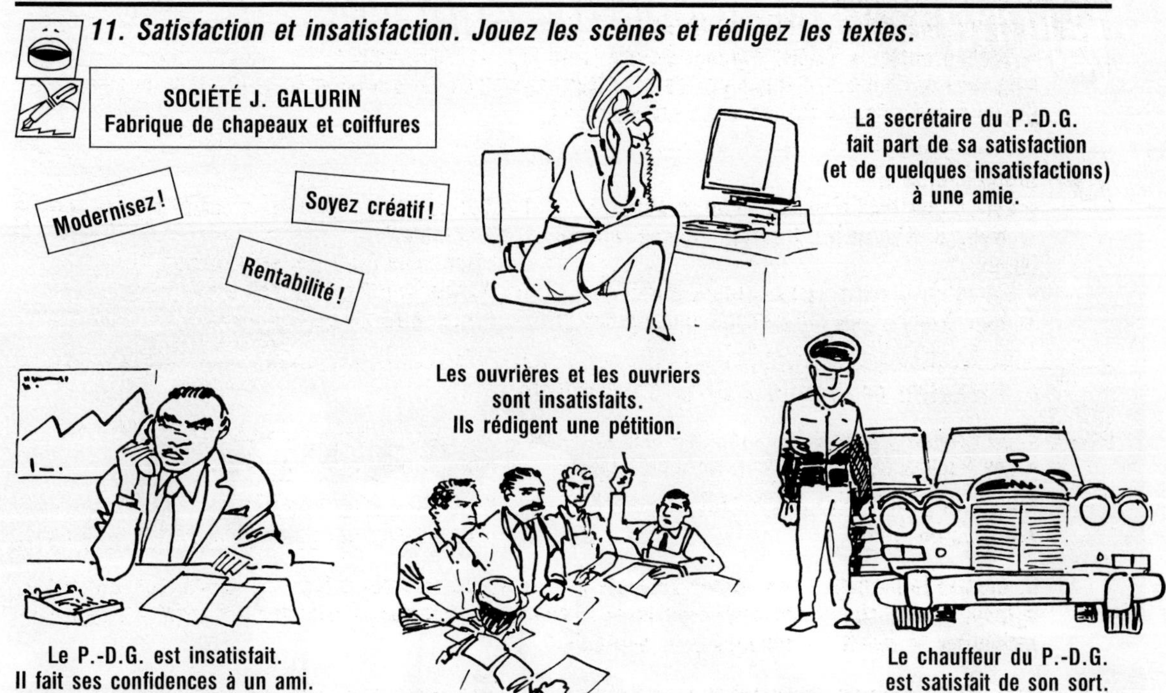

La secrétaire du P.-D.G. fait part de sa satisfaction (et de quelques insatisfactions) à une amie.

Les ouvrières et les ouvriers sont insatisfaits. Ils rédigent une pétition.

Le P.-D.G. est insatisfait. Il fait ses confidences à un ami.

Le chauffeur du P.-D.G. est satisfait de son sort.

À travers la littérature... L'AMOUR AVEUGLE

Au cours d'une discussion sur l'amour, Alceste, personnage principal de la pièce de Molière *Le Misanthrope* (1667), affirme : « Plus on aime quelqu'un, moins il faut qu'on le flatte. » Une jeune femme lui répond.

L'amour, pour l'ordinaire, est peu fait à ces lois,
Et l'on voit les amants[1] vanter toujours leurs choix;
Jamais leur passion n'y voit rien de blâmable,
Et dans l'objet aimé tout leur devient aimable :
Ils comptent les défauts pour des perfections,
Et savent y donner de favorables noms.
La pâle est aux jasmins en blancheur comparable;
La noire[2] à faire peur, une brune adorable;
La maigre a de la taille et de la liberté;
La grasse est dans son port pleine de majesté;
La malpropre sur soi, de peu d'attraits chargée[3],
Est mise sous le nom de beauté négligée;
La géante paraît une déesse aux yeux;
La naine, un abrégé des merveilles des cieux;
L'orgueilleuse a le cœur digne d'une couronne;
La fourbe[4] a de l'esprit; la sotte est toute bonne;
La trop grande parleuse est d'agréable humeur;
Et la muette garde une honnête pudeur.
C'est ainsi qu'un amant dont l'ardeur est extrême
Aime jusqu'aux défauts des personnes qu'il aime.

(Acte II, scène 4)

(1) personne qu'on aime.
(2) au teint bronzé par le soleil (au 17e siècle la mode était au teint blanc et on se protégeait soigneusement du soleil).
(3) qui est peu attirante.
(4) hypocrite et sournoise.

- **Montrez comment l'amoureux transforme en qualités les défauts de la personne qu'il aime.**
- **Imaginez comment l'amoureux ou l'amoureuse pourrait transformer les défauts suivants en qualités :** la paresse – la rudesse ou la brutalité – l'orgueil – l'avarice – la maladresse – l'infidélité, etc.

LES APPRENTIS SORCIERS

Ce jour-là, une réunion ultra-secrète se tenait dans le sous-sol de l'Institut National des Technologies du Futur. Trois hautes personnalités de l'État et quelques grands patrons de multinationales de l'industrie étaient présents. L'ingénieur Larivière les mettait au courant d'une invention révolutionnaire.

L'ingénieur : Messieurs, nous avons mis au point un robot d'un type entièrement nouveau. Non seulement cette machine peut s'exprimer dans la plupart des langues parlées sur notre planète, mais elle a aussi la capacité de réagir aux sollicitations de l'environnement. C'est en quelque sorte un ordinateur qui s'autoprogramme. J'ajoute qu'il peut parvenir à des performances bien supérieures à celles d'un cerveau humain. Suis-je clair jusqu'à présent?

Le ministre de la Défense : Parfaitement. Mais pouvez-vous nous préciser quelle découverte technologique a permis la réalisation de cette machine?

L'ingénieur : Nous avons réussi à interconnecter plusieurs millions de microprocesseurs... Mais ce n'est pas tout, Messieurs! En plus de capacités mentales hors du commun, nous avons la possibilité de doter cet ordinateur de capacités physiques et sensorielles. Par-dessus le marché – et ce n'est pas la moindre de nos découvertes – nous pouvons lui donner une forme analogue à celle d'un être humain.

Le ministre de la Défense : Messieurs, vous avez entendu. Face aux conséquences incalculables d'une telle découverte, nous sommes placés devant un choix capital. Soit nous décidons d'utiliser ce robot, soit nous le détruisons et abandonnons la recherche dans ce domaine.

Le chef des services secrets : Personnellement, j'ai peur qu'un jour nous ne soyons plus maîtres de cette machine. Imaginez qu'elle se détraque, que ce robot devienne fou et commette des actes criminels.

L'ingénieur : Il n'y a aucun risque. Sa mémoire a parfaitement intégré toutes les lois de notre société.

Le chef des services secrets : Mais ne craignez-vous pas que dans certaines circonstances, pour se protéger par exemple, il ne réussisse à déconnecter ce système de protection?

L'ingénieur : Impossible. Le système de protection fait partie des organes vitaux du robot. Si on le met hors circuit, la machine s'autodétruit.

Le ministre de la Défense : Dans ce cas, je ne vois aucune objection à sa mise en service.

L'ingénieur : Une dernière question, Messieurs. Quelle forme allons-nous donner à ce robot? Celle d'un homme ou celle d'une femme?

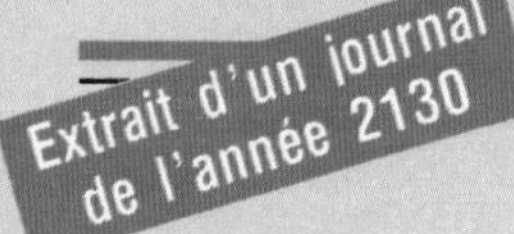

UN ROBOT DÉCOUVERT DANS LA VALLÉE DE KATMANDOU

Katmandou 03/04/2130. – Un de ces robots à forme humaine que les savants construisaient à la fin du siècle dernier a été découvert dans une grotte sur les pentes de l'Himalaya par une équipe d'alpinistes. Selon toute apparence, la pile atomique qui assurait l'énergie à la machine s'était arrêtée depuis peu de temps. L'analyse de la mémoire du robot nous a permis de reconstituer son itinéraire.

Cet humanoïde fut mis en service le 3 novembre 2040 à l'INTF de Sophia-Antipolis (France). Ce jour-là fut un jour de gloire pour l'ingénieur Larivière qui l'avait conçu et qui se voyait ainsi récompensé d'un travail commencé dix ans auparavant. Quelques mois plus tôt, de hautes personnalités s'étaient réunies dans le plus grand secret et avaient soupesé les avantages et les inconvénients d'une telle invention. Puis, elles avaient décidé de lui donner la forme d'une femme et de l'appeler Eva.

Le surlendemain de sa mise en service, Eva se retrouvait incognito dans la chaîne de montage d'une grande fabrique d'automobiles. Mais ses capacités étaient telles qu'elle fit à elle seule le travail de cinquante ouvriers. Les syndicats firent pression sur la direction et deux jours après, Eva était affectée au service « Projets et Prospectives ». Là, trois ingénieurs travaillaient à la mise au point de l'automobile du futur. Eva les étonna quand elle conçut, en quelques minutes, un prototype de véhicule fonctionnant grâce à un moteur atomique de 950 grammes et dont le reste des organes était constitué d'une matière caoutchouteuse à la fois souple et résistante. Gonflé sous une très forte pression, le véhicule avait une forme normale. Dégonflé, il pouvait tenir dans une valise... Après un moment de stupeur, les trois ingénieurs se concertèrent. Le premier entretenait des relations avec les grandes compagnies pétrolières, le second était lié aux industries métallurgiques de transformation, le troisième était de connivence avec l'armée.

Ils complotèrent alors de se débarrasser d'Eva...

GRAMMAIRE ET VOCABULAIRE

■ POUR ÉVITER UNE RÉPÉTITION

On peut utiliser :
1. Un pronom : voir catégories et emplois (p. 216).
2. Un mot de remplacement : le robot... cette machine... l'automate... l'appareil... l'engin... l'homme... l'individu... cette personne... l'être...
Quelques synonymes du registre familier pour :
un homme : un type – un mec – un gars – un bonhomme
une femme : une nana – une bonne femme
un objet : une chose – un machin – un truc – un bidule.

■ EXPLIQUER

• **Demander une explication**
pouvez-vous m'expliquer, me préciser...
je voudrais des explications sur...
des précisions sur... au sujet de...

• **Préciser**
je précise (que...)
plus précisément...
je m'explique...

• **Reformuler**
je veux dire (que)...
c'est-à-dire (que)...
autrement dit
en d'autres termes
si vous voulez, c'est...

• **Compléter**
j'ajoute (que)...
de plus... en plus
ce n'est pas tout...
pour être complet...

• **Énumérer**
d'abord... ensuite
premièrement...
deuxièmement...
non seulement... mais aussi...
d'une part... d'autre part...
par ailleurs...

• **Vérifier la compréhension**
Ça va? C'est clair?
Vous me suivez?
Je me fais comprendre?

Eh bien... c'est-à-dire que... je veux dire que... si vous voulez... enfin il faudrait... plus précisément... euh vous voyez? Non seulement...

Voulez-vous m'épouser?

Comment gagner du temps pour réfléchir.

■ LA CAPACITÉ

• être capable/incapable
apte/inapte
être fait pour...
être en mesure de...
être en état de...
être à même de...

• compétent (la compétence)/incompétent
expérimenté (l'expérience)/inexpérimenté
qualifié (la qualification)/sans qualification
• le talent – un don (doué) – la valeur – l'envergure
• faire preuve de grandes capacités – de compétences
réaliser des performances (être performant).

• Ce travail n'est pas de ma compétence – Il n'est pas en mon pouvoir de faire...
Ce n'est pas de mon ressort.

■ EXPRIMER LA CRAINTE

je crains
j'ai peur
je redoute
j'ai la trouille (fam.)

• **de + infinitif** (sujet unique)
J'ai peur d'avoir froid.
• **que + subjonctif**
(précédé de « ne » sans valeur négative – ce « ne » s'emploie uniquement à la forme affirmative).
Je crains que tu n'aies froid – Je ne crains pas qu'il fasse chaud.

■ *SITUER DANS LE TEMPS*

PAR RAPPORT AU MOMENT OÙ L'ON PARLE	PAR RAPPORT À UN MOMENT PASSÉ
aujourd'hui, cette semaine	ce jour-là, cette semaine-là
hier, avant-hier	la veille, l'avant-veille
demain, après-demain	le lendemain, le surlendemain
la semaine dernière	la semaine précédente la semaine d'avant
la semaine prochaine	la semaine suivante la semaine d'après
maintenant	à ce moment-là, alors
il y a dix jours	dix jours avant dix jours auparavant
dans dix jours	dix jours après

Attention !
→ **de suite** = sans interruption
tout de suite = immédiatement
→ **jadis** = il y a longtemps
naguère = il y a peu de temps

→ **tantôt**
a. peu de temps avant ou après :
Vous venez me voir tantôt?
b. tantôt... tantôt :
Tantôt il pleut, tantôt il fait beau.

■ *DÉCOUVERTES ET INVENTIONS*

• chercher – rechercher – la recherche scientifique
un chercheur – un homme de science – un scientifique – un savant – un génie
→ réfléchir – calculer – examiner, contrôler les résultats
se pencher sur un problème – analyser
→ expérimenter – l'expérimentation –
faire une expérience – un laboratoire
→ émettre, formuler une hypothèse
vérifier –
établir une loi, une formule, un principe.
• découvrir – une découverte –
inventer (une invention – un inventeur) – trouver (une trouvaille) – créer (une création)
une recherche de pointe, spécialisée – un brevet d'invention.

■ *LES SCIENCES ET LA TECHNOLOGIE*

• **La physique – un physicien**
un corps – la masse – la densité
une force – une pression
un frottement – la résistance
la pesanteur
→ l'état solide (solidifier) – liquide (liquéfier) – gazeux
la dilatation (se dilater) – la contraction (se contracter) –
la compression (comprimer) – la dissolution (dissoudre) –
soluble – l'ébullition (bouillir) – l'évaporation (s'évaporer)
– la fusion (fondre).

• **L'énergie nucléaire – l'atome**
une centrale atomique – un réacteur – une turbine – un surgénérateur – la réaction en chaîne – la fission nucléaire – la radioactivité – une radiation – un combustible – l'uranium – le plutonium.

• **La biologie**
la cellule – le noyau – un chromosome – un gène – le code génétique – un caractère transmissible – le patrimoine génétique – une greffe (greffer) – un clone – une manipulation génétique (manipuler) – une mutation génétique (muter) – le système immunitaire – un anticorps – un antigène – une cellule cancéreuse – la radiothérapie – la chimiothérapie – l'ablation d'un organe – la greffe – la transplantation (transplanter) – un donneur – un receveur.

• **La mécanique**
la mécanisation – l'automatisation (automatiser – un automate) – monter/démonter une machine, un mécanisme
→ fixer – poser
visser/dévisser
percer – perforer
souder
→ un bouton – un levier – une manette – une manivelle
un engrenage – la transmission – une courroie
un axe – un pivot (pivoter)
un ressort
→ mettre une machine en marche – déclencher un mécanisme – appuyer sur un bouton – pousser/tirer une manette – observer un voyant lumineux – arrêter, stopper la machine.

• **L'informatique** – l'intelligence artificielle – la robotique – un ordinateur – un écran – un clavier – une touche – une fonction – un programme (programmer) – une disquette – une puce – un microprocesseur – un transistor – brancher/débrancher (une prise) – connecter/déconnecter (une connection) – un réseau – la mémoire – stocker des informations.

ACTIVITÉS

Lecture du dialogue

• Faites la liste des caractéristiques du robot. Relevez tous les mots et expressions qui signifient *pouvoir*.
• Dans la première moitié du dialogue quels sont les mots (noms et pronoms) employés pour désigner le robot ?
• Quelles sont les craintes du chef des services secrets ? Connaissez-vous des histoires (romans ou films de science-fiction) qui racontent la peur de l'homme face à ses propres inventions ?
• Imaginez ce que va devenir le robot conçu par l'Institut National des Technologies du Futur.

Mécanismes A

• Vous avez parlé du projet au directeur ?
– Oui, je lui en ai parlé.
• Vous avez dit au directeur que ce projet coûterait très cher ?
– Oui, je le lui ai dit.

• Vous allez avoir froid. Je le crains.
– Je crains que vous n'ayez froid.
• Nous ne sommes pas assez couverts. J'en ai bien peur.
– J'ai peur que nous ne soyons pas assez couverts.

1. Les pronoms. Complétez avec le pronom qui convient.

Au salon des innovations. Le robot à découper les tissus de la société TMR est en panne.

– Vous avez fait toutes les vérifications ?
– Oui, nous ... avons faites et il y a un problème. Le circuit de transmission n° 4 ne fonctionne pas. L'ingénieur Duval ... a pourtant refait hier. Nous n'... comprenons rien.
– Duval doit être à l'usine en ce moment. Appelez-... ! Dites-... que nous avons besoin de ... immédiatement !
– C'est déjà fait. Nous ... avons eu au téléphone il y a cinq minutes. Il ... a promis de sauter dans le premier taxi.
– Cette machine doit absolument fonctionner avant l'inauguration. Je dois ... montrer au ministre.

2. L'expression de la capacité.

Le fils de Mme Lambert est un enfant surdoué. On interroge Mme Lambert sur les capacités du petit génie. Imaginez les questions. Rédigez les réponses en utilisant des pronoms.

Q : Est-ce qu'il peut . . . ?	R : Oui, il **le** peut.
Q : Est-ce qu'il est capable de . . . ?	R : . . . .
Q : Est-ce qu'il parvient à . . . ?	R : . . . .
Q : Est-ce qu'il a réussi (à) . . . ?	R : . . . .
Q : Est-ce qu'il a pu . . . ?	R : . . . .
Q : Est-ce qu'il est arrivé à . . . ?	R : . . . .

3. L'expression de la crainte. Transformez les phrases en utilisant l'expression entre parenthèses.

• Il conduit prudemment. Il ne veut pas avoir un accident. **(de peur de)**
• Il est venu me chercher à 8 h. Il ne veut pas que je rate mon train. **(avoir peur que)**
• On ne sonne pas. On ne veut pas réveiller les enfants. **(de crainte de)**
• Je lui ai dit de travailler davantage sinon il ne sera pas assez préparé. **(je crains que)**
• Je n'invite jamais Pierre et Hervé ensemble. Je ne veux pas qu'ils se disputent. **(je redoute que)**
• Il n'a pas trop insisté. Il n'a pas voulu l'irriter. **(par peur de)**

4. Les peurs et les angoisses du monde moderne.

On dit souvent que beaucoup d'œuvres d'art moderne reflètent l'angoisse des artistes face à l'évolution du monde et de la société.

Analysez ces œuvres. Vous paraissent-elles pessimistes ou optimistes ? Quel est leur sens ?

Monochromie de Monory, 1967.

Arman : *Colère de violon*, 1974.

Viallat (tableau sans titre), 1979.

Arroyo : Espoir et désespoir d'Angel Ganivet, 1977.

5. *Les mots de remplacement.*

Dans sa description du robot, l'ingénieur Larivière, pour éviter des répétitions, utilise des pronoms (il, le) ou des mots de remplacement (machine, ordinateur).

Trouvez les mots de remplacement que vous pourriez employer pour décrire :
- un tremblement de terre
- un voleur qui a commis un cambriolage
- un match de football
- Paris
- un président de la République
- une révolte d'étudiants

***Exemple :* un tremblement de terre** : cette catastrophe... le désastre... cette calamité... ce séisme... la secousse tellurique, etc.

6. *Rédigez un article de présentation du professeur Félicien Le Fol, savant génial et inventeur fantaisiste.*

- **Présentez :**

– son allure générale, ses traits distinctifs,
– ses manies et ses tics,
– ses domaines de recherche et de spécialisation,
– ses capacités intellectuelles (mémoire, QI, imagination),
– ses découvertes, ses inventions,
– ses cours, ses conférences,
– ses décorations, ses distinctions,
– ses autres domaines d'intérêts.

Utilisez les mots de remplacement suivants :
savant – chercheur – inventeur – homme de science – scientifique – spécialiste – créateur – professeur – conférencier – sommité – célébrité – maître – personnalité du monde scientifique – personnage, etc.

7. *Énumérez.*

a. Le Premier ministre présente l'ordre du jour du Conseil des ministres.

1. Affaires internationales
a. conflits,
b. échanges économiques,
c. coopération culturelle,
d. importation clandestine d'animaux.
2. Affaires intérieures
a. plan de formation des chômeurs,
b. aide à l'industrie de construction navale,
c. aménagement touristique de la Sologne.

Dans un premier temps, nous traiterons de...
Puis nous aborderons...
... nous examinerons... nous discuterons...

b. Vous êtes directeur d'une chaîne de télévision. Présentez le programme type d'une journée de la semaine et d'un dimanche.

8. *Petits problèmes de la vie quotidienne. Il ne sait rien faire de ses mains.*

Expliquez-lui comment il faut faire pour...

- changer une ampoule,
- déboucher la baignoire,
- changer la roue crevée de la voiture,
- faire démarrer la voiture par temps froid,
- réparer le robinet qui fuit,
- décoincer une fermeture Éclair.

9. *Lisez cette interview de Daniel Boulanger, écrivain et poète français contemporain (né en 1922).*

– Vous préférez la civilisation de l'encaustique[1] à celle de la vidéo...

– J'aime les bonnes odeurs, je préfère le bois au plastique, le bon pain aux saloperies industrielles. J'écris avec une plume plutôt qu'avec un stylo à bille, mais il y a aussi des choses belles dans le monde moderne : regardez ce feutre qui vient du Japon, c'est superbe! Si c'est cela, être province, pourquoi pas. À mes yeux, c'est plutôt rechercher ce qui est royal, princier, dans le meilleur sens du terme. Le beau, c'est une morale en soi. Mais ça peut être le fuselage d'un avion, un nœud d'autoroutes...

– Qu'est-ce qui vous déplaît dans le monde d'aujourd'hui?

– La standardisation, la couleur kaki, l'aspect fourmilière de notre société. Il n'y a rien qui ressemble plus à une fourmi qu'une autre fourmi. Tout le monde devient pareil. (...).

– Notre époque est médiocre?

– Il y a la même part de salauds [2] et d'imbéciles qu'au temps de Voltaire. Ce qui est grave, c'est le rétrécissement du monde. Tous ces gens qui voyagent et ne voient rien! Il y a dix millions de personnes qui voyagent et soixante-douze individus qui voient quelque chose. De toute façon, il y a très peu de pays qui ressemblent encore à un livre bien écrit. Je n'irai même pas vivre en Suisse, il y a trop de montagnes et sa propreté est un mythe!

– Vous êtes un nostalgique...

– Je constate seulement qu'un certain monde est en train de disparaître. Les commerçants sont remplacés par les supermarchés, ces cavernes d'Ali Baba en celluloïd. On transforme même les vieillards. J'ai toujours eu beaucoup d'affection pour les vieux messieurs et il y a plein de vieilles filles dans mes histoires. On en a fait « le troisième âge ». On les trimbale[3] en autobus, on leur montre Van Gogh, Picasso, les châteaux de la Loire. C'est devenu une troupe d'une sottise sans pareil. (...)

Paris-Match, propos recueillis par Jean-Dominique Bauby.

(1) préparation à base de cire qu'on utilise pour faire reluire les meubles (allusion à une époque révolue).
(2) personne méprisable (terme populaire).
(3) transporter avec difficulté.

- **Énumérez les aspects positifs et les aspects négatifs du monde moderne selon D. Boulanger.**
- **Analysez et discutez chacune de ses affirmations.**
- **Recueillez l'opinion de votre voisin(e) sur les aspects positifs ou négatifs du monde moderne. Présentez ses idées dans un bref article.**

10. *Exercice d'écoute.*

Un journaliste interviewe un scientifique sur les changements qui affecteront le monde au début du 21e siècle.

Résumez par une phrase chacun de ces changements.

11. Inventions insolites. Voici des inventions authentiques. Donnez un titre à chacune. Classez-les en commençant par celle qui vous paraît la plus intéressante.

L'ouverture d'une lettre n'est pas toujours facile, surtout lorsqu'on n'a ni canif ni coupe-papier et, qu'en plus, on est très impatient d'en connaître le contenu. Alors, le Français **André Bordas** a imaginé en 1988 un procédé très simple, qui rappelle un peu la manière d'ouvrir les crèmes de gruyère : il suffirait d'incorporer aux enveloppes un petit fil qui dépasserait et qu'il faudrait tirer pour que la lettre soit proprement et facilement décachetée. Ce n'est pas le fil à couper le beurre, invention fondamentale s'il en est, mais le fil à couper les enveloppes. Il fallait y penser.

Où ranger son parapluie trempé lorsqu'il pleut des cordes et qu'on se précipite dans sa voiture pour se mettre à l'abri ? L'Italien **Vincenzo Borriello** a imaginé en 1989 un dispositif qui, placé en diagonale dans la portière du véhicule, permettrait de ranger l'objet en question et d'éviter ainsi de mouiller les sièges et les tapis. Cet accessoire pourrait être facilement intégré aux voitures de série.

Fini le temps du « réversible » : plus besoin de retourner sa veste. L'Italien **Massimo Osti** a réalisé en 1987 un vêtement constitué de projections de cristaux qui change dès que le froid s'installe. Une veste blanche devient bleue, rose elle devient kaki et jaune elle sera verte aux premiers frimas.

Comment distinguer très nettement sur le cadran d'une horloge 5 heures du matin et 5 heures du soir ? C'est évidemment un problème ! La Française **Luce Pince My**, de Montpellier, semble l'avoir résolu en créant, en 1988, une montre à cadran variable qui distingue grâce à ses différences de couleurs (blanche et noire) les tranches du jour ante et post méridien(nes). Ainsi le cadran change-t-il d'aspect au fur et à mesure que l'heure avance.

Paul Moller, un ingénieur californien, a conçu en 1988 (et après 20 ans de recherches) un engin révolutionnaire qui roule comme une voiture et qui vole comme un avion. Ainsi, imaginons : nous sommes sur l'autoroute et, à l'horizon, horreur ! un bouchon. Qu'à cela ne tienne, une simple manette à actionner, et la voiture décolle à la verticale. Un vieux rêve d'automobiliste...
Techniquement, ce rêve-engin à décollage vertical semble réalisable. Il peut atteindre une vitesse moyenne de 400 km/h en vol et peut parcourir plus de 1 800 km en ne consommant qu'un seul bidon d'essence. Incroyable ! Équipé de trois ordinateurs de bord, il est facile à conduire. Sa commercialisation est prévue pour 1990.

Le Livre mondial des inventions, Cie Douze 1989.

A quoi sert ce marteau ?
Tout simplement à frapper les trois coups au théâtre en même temps.
Co-inventeur, Pascal Parmentier, en 1989.

• **Quelles sont les dix inventions qui, selon vous, amélioreraient le plus notre vie quotidienne ?**

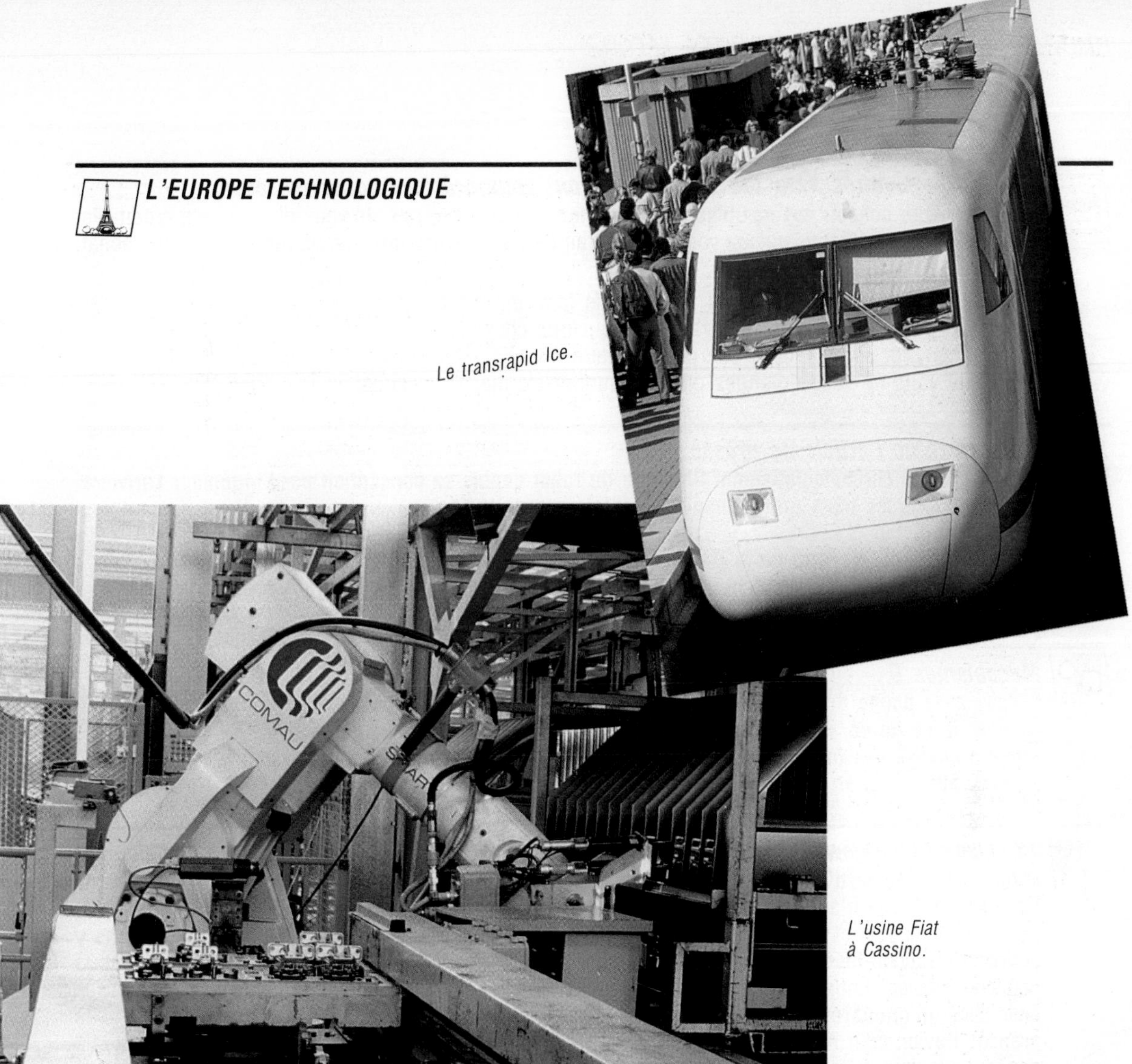

Le transrapid Ice.

L'usine Fiat à Cassino.

• **Le Concorde** : avion supersonique franco-britannique (Aérospatiale et British Aircraft Corporation) mis en service en 1976. Il peut transporter de 100 à 139 passagers et relie Paris à New York en 3 h 30 en volant à 18 000 m d'altitude. Né en même temps que la crise pétrolière, il n'a pas connu, en raison de son prix, un grand succès commercial. Il reste cependant le prototype d'un des avions du futur.

• **Le Transrapid** : cet électro-glisseur allemand peut rouler à 412 km/h. La rame mesure 54 m. Elle est maintenue au-dessus du rail par des électro-aimants.

• **L'usine Fiat** de Cassino en Italie est en 1990 la plus moderne du monde. Ses ordinateurs, ses robots, ses lasers de soudure des carrosseries et ses systèmes électroniques de contrôle des tâches permettent de fabriquer 1 800 véhicules par jour.

• **L'Airbus A-320** : fruit d'une coopération entre l'Allemagne, la Belgique, l'Espagne, la France et la Grande-Bretagne. L'utilisation de nouveaux matériaux, l'informatisation de toutes les fonctions et la multiplication des systèmes de sécurité en font l'appareil le plus moderne (en 1990).

• **Le réseau Numéris** : c'est le téléphone de demain. Mis au point par le Centre National d'Études des Télécommunications, il permettra de transporter du son, des images et des données sur une même ligne téléphonique.

Le programme Eurêka

Créé en 1985, sur proposition de la France, par les représentants de la Commission des Communautés européennes, ce programme de coopération industrielle et technologique regroupe les membres de la CEE ainsi que d'autres États de l'Europe géographique. Le but de ce programme est de mettre en commun les connaissances, les hommes et les moyens d'entreprise pour développer la productivité et la compétitivité. Les secteurs concernés sont surtout l'électronique, la robotique, l'informatique, l'énergie, les matériaux nouveaux et l'environnement. En 1990, deux cents programmes étaient en chantier.

• Connaissez-vous d'autres réalisations technologiques européennes ? Ces réalisations sont-elles l'œuvre d'un seul pays (comme le Transrapid allemand ou le TGV français) ou d'une coopération ?

12. Précisez. Après avoir fait une suggestion, vous précisez votre pensée.

Exemple : **Pour acheter vos meubles vous pourriez faire un emprunt.** Je veux dire un petit crédit. Par exemple 10 000 F. Disons que ça vous permettrait de vivre normalement sans renoncer à votre achat.

Utilisez les formes des rubriques « préciser », « reformuler » et « compléter » (p. 74).

- Pour améliorer ton jeu au tennis, tu pourrais faire un effort...
- Pour retrouver la forme, tu pourrais faire quelque chose...
- Pour améliorer son français, elle pourrait faire un séjour en France...
- Puisque vous ne vous entendez plus, il faudrait clarifier votre situation...

Découverte de l'article de presse

- **Reconstituez chronologiquement l'histoire du robot depuis sa conception par l'ingénieur Larivière.**
- **Relevez tous les mots qui donnent des précisions de temps.**
- **Imaginez :**

a. le discours du ministre de la Défense le jour de la mise en service d'Eva;
b. les protestations des syndicats de l'usine de construction automobile qui veulent écarter Eva;
c. la fin de l'histoire.

Mécanismes B

- **Vous avez donné du travail à la secrétaire?**
– Non, je ne lui en ai pas donné.
- **Elle a envoyé des invitations au ministre?**
– Non, elle ne lui en a pas envoyé.
- **Est-ce qu'il est arrivé à terminer son travail?**
– Non, il n'y est pas arrivé.
- **Est-ce qu'il a besoin d'aide?**
– Non, il n'en a pas besoin.

13. Lisez l'interview de Danièle Durand, gagnante du gros lot de la Loterie nationale.

« Vous savez, **aujourd'hui**, c'est le plus beau jour de ma vie. **Hier**, quand j'ai appris que j'avais gagné les 10 millions, je n'ai pas vraiment compris ce qui se passait. Quand je pense qu'**il y a dix jours** j'étais au chômage et complètement déprimée, que j'ai acheté ce billet **la semaine dernière** sans y croire et qu'**avant-hier**, j'ai même failli l'oublier dans la poche de mon jean que je mettais dans la machine à laver! Enfin, tout ça, c'est du passé. **Ce soir**, on fait la fête. J'ai invité la famille et les amis dans un grand restaurant. **Demain soir**, je pars pour Paris avec mon fiancé et **après-demain** nous prenons l'avion pour Acapulco. Je veux passer une semaine de rêve. Mais rassurez-vous, je ne vais pas tout dépenser bêtement. **Dans dix jours**, je rentre en France et **dans un mois** il faut que j'aie décidé de ce que je vais faire de cet argent. J'ai déjà une petite idée : créer un centre pour handicapés. J'espère bien vous inviter **l'année prochaine** à son inauguration! »

- **Dix ans plus tard, Danièle Durand, devenue présidente d'une association d'aide aux handicapés, écrit ses mémoires. Rédigez le récit qu'elle vient de raconter.**

« C'était, je me souviens, un 24 mars. Des journalistes sont venus m'interviewer. **Ce jour-là** a été le plus beau jour de ma vie... »

14. Exercice d'écoute. Ils racontent un événement important. Rétablissez la chronologie des faits en datant chacun d'eux.

Début février 1985 : ....

....

15. Formez des noms avec les verbes suivants et classez-les selon le suffixe qui sert à les former.

aboutir – atterrir – arranger – apprendre – accoucher – blesser – brûler – coiffer – coller – contracter – coudre – dilater – éclairer – enseigner – enrichir – exagérer – former – fonctionner – hériter – monter (une machine) – ouvrir – répéter – réfléchir – réparer.

-tion	-ure	-age	-ment
....	....	....	aboutissement

À travers la littérature

Voici la première page d'un roman de science-fiction écrit par René Barjavel en 1943.

François Deschamps soupira d'aise et déplia ses longues jambes sous la table. Pour franchir les deux cents kilomètres qui le séparaient de Marseille, il avait traîné plus d'une heure sur une voie secondaire et supporté l'ardeur du soleil dans le wagon tout acier d'un antique convoi rampant. Il goûtait maintenant la fraîcheur de la buvette de la gare Saint-Charles. Le long des murs, derrière des parois transparentes, coulaient des rideaux d'eau sombre et glacée. Des vibreurs corpusculaires entretenaient dans la salle des parfums alternés de la menthe et du citron. Aux fenêtres, des nappes d'ondes filtrantes retenaient une partie de la lumière du jour. Dans la pénombre, les consommateurs parlaient peu, parlaient bas, engourdis par un bien-être que toute phrase prononcée trop fort eût troublé.

Au plafond, le tableau lumineux indiquait, en teintes discrètes, les heures des départs. Pour Paris, des automotrices partaient toutes les cinq minutes. François savait qu'il lui faudrait à peine plus d'une heure pour atteindre la capitale. Il avait bien le temps. En face de lui, la caissière, les yeux mi-clos, poursuivait son rêve.

Sur chaque table, un robinet, un cadran semblable à celui de l'ancien téléphone automatique, une fente pour recevoir la monnaie, un distributeur de gobelets de plastec[(1)], et un orifice pneumatique qui les absorbait après usage, remplaçaient les anciens « garçons ». Personne ne troublait la quiétude des consommateurs et ne mettait de doigt dans leur verre.

Cependant, pour éviter que les salles de café ne prissent un air de maisons abandonnées, pour leur conserver une âme, les limonadiers[(2)] avaient gardé les caissières. Juchées[(3)] sur leurs hautes caisses vides, elles n'encaissaient plus rien. Elles ne parlaient pas. Elles bougeaient peu. Elles n'avaient rien à faire. Elles étaient présentes. Elles engraissaient. Celle que regardait François Deschamps était blonde et rose. (...) Au-dessus d'elle, au bout d'un fil, se balançait imperceptiblement le cadran d'une horloge perpétuelle. Les chiffres lumineux touchaient ses cheveux d'un reflet vert d'eau, et rappelaient aux voyageurs distraits que cette journée du 3 juin 2052 approchait de sept heures du soir, et que la lune allait changer.

Une automotrice à suspension aérienne entra lentement en gare, vint s'arrêter à la hauteur du panneau qui portait les mots : direction Lyon-Paris. Elle rappelait par sa forme élancée les anciens vaisseaux sous-marins.

François trouva un siège libre à l'avant du véhicule. Des appareils conditionneurs entretenaient dans le wagon une température agréable.

À travers la paroi transparente, les voyageurs qui venaient de s'asseoir regardaient avec satisfaction ceux qui venaient de sortir et qui se pressaient, trottaient, se dispersaient, vers la sortie, vers la buvette, vers les correspondances, fuyaient la chaleur qui régnait sous le hall de la gare.

Une sirène ulula[(4)] doucement, les hélices avant et arrière démarrèrent ensemble, l'automotrice décolla du quai, accéléra, fut en trois secondes hors de la gare.

René Barjavel, *Ravages*, © Éd. Denoël, 1943.

(1) mot créé par Barjavel.
(2) propriétaires de bars et de cafés.
(3) occupent une position élevée.
(4) s'écrit aussi « hululer ». Crier comme un oiseau de nuit.

- **Quels sont les détails qui indiquent que l'histoire se déroule en 2052?**
- **Trouvez des indices qui montrent que le roman a été écrit en 1943.**
- **Si, aujourd'hui, vous deviez réécrire cette scène en la situant dans cent ans, quels détails choisiriez-vous pour créer une ambiance de science-fiction?**

LEÇON 3 LA BRETAGNE ÉTERNELLE

Récolte des artichauts en Bretagne

Yves Le Bihan est un défenseur farouche de la langue et de la culture bretonnes. Son amie Gaëlle se plaît à le taquiner.

Gaëlle : Tu regardes le match Italie-France ? Comment se fait-il que tu n'aies pas pris la chaîne régionale ? Il y a la finale des championnats de lutte bretonne et un documentaire sur les sonneurs de bombarde.

Yves : Arrête, je t'en prie ! C'est un sujet sur lequel je n'aime pas qu'on plaisante. Pour moi, la vraie Bretagne, ce n'est pas celle qui joue du biniou et qui porte des costumes folkloriques. Encore qu'il y ait des coutumes qu'il faut essayer de conserver... Ce qui compte c'est de ne pas perdre l'essentiel, c'est-à-dire notre culture.

Gaëlle : Mais, qu'est-ce que ça veut dire, la culture ? Moi aussi, j'aime la Bretagne. Il y a des traditions auxquelles je tiens beaucoup et dont je suis fière. Mais aujourd'hui, il y a des tas de groupes et d'associations qui maintiennent ces traditions. Nous avons des écoles où l'on peut apprendre la langue bretonne. Il y a des journaux, des émissions de radio et de télé en breton. Ça suffit, non ? Il faut aussi vivre avec le monde d'aujourd'hui. Qu'est-ce que tu veux de plus ?

Yves : Tu ne me comprends pas. Quand je parle de culture, je ne pense pas au passé. Si nous ne voulons pas perdre notre identité, il faut que le breton devienne notre langue de communication et qu'à long terme nous ayons une réelle autonomie culturelle et économique. Voilà ce pour quoi je milite !

Gaëlle : A l'heure où on fait l'Europe, toi, tu veux te replier sur ta région ! Allons, il faut être réaliste ! Tu sais très bien que le déclin de notre langue est irréversible. Quant à l'autonomie, laisse-moi rire ! Maintenant, c'est à l'échelle européenne ou mondiale qu'on pense l'économie. Quand un agriculteur décide de planter des choux ici, il doit se demander si ailleurs, les Anglais ou les Allemands ne vont pas en produire à meilleur prix.

Yves : Eh bien, justement ! Te voilà piégée par ton propre raisonnement. Tu viens de dire que c'est la région qui doit se prendre en charge. En somme, la Bretagne peut traiter directement avec la Catalogne ou avec la Toscane. Je vais te dire : la construction de l'Europe, c'est une chance pour le développement des régions...

La langue bretonne fait partie du groupe des langues celtiques qui étaient largement parlées en Europe au 5e siècle avant J.-C. Le *gaëlique,* encore utilisé en Irlande et en Écosse et le *gallois,* très vivant au pays de Galles, appartiennent à cette même branche. Soumise tout au long de l'histoire à l'influence de son puissant voisin, la langue bretonne a intégré de nombreux mots *latins* (langue officielle en France jusqu'au 14e siècle), *romans* (langue courante du Moyen Age) et *français* (les 2/5 de son vocabulaire). Mais la structure des langues celtiques demeure. Par exemple, le pluriel des noms se forme à l'aide de nombreuses terminaisons différentes. Quelquefois, le singulier et le pluriel d'un mot ont des étymologies différentes (homme : *den,* hommes : *tud*). La syntaxe du breton est souple : le mot qui représente l'idée principale peut être placé au début de la phrase. Autre particularité, la numération procède par vingtaines et non par dizaines (le nombre français *quatre-vingts* est une survivance de la langue celtique). Mais la difficulté majeure pour ceux qui étudient cette langue reste le système des mutations. La consonne initiale d'un mot change en fonction du mot qui précède : mon cœur se dit *va C'halon,* ton cœur se dira *da Galon...*

Enseignement du breton à l'école.

L'histoire légendaire de saint Yves

Yves Héroli vécut au 13e siècle. C'était un prêtre et un juge ecclésiastique qui passa presque toute sa vie dans son manoir de Kermartin où il recueillait les vieillards et les enfants abandonnés. Avocat des pauvres, il devint populaire pour son esprit de justice. Un jour, un bourgeois se présenta devant lui, accompagné d'un mendiant.

« Seigneur, j'accuse ce mendiant de passer ses journées devant les fenêtres de mes cuisines !

– A-t-il commis une mauvaise action de laquelle tu pourrais te plaindre ? A-t-il dérobé quelque chose ?

– Il vole tous les jours le fumet de mes plats, lesquels, assurément, y perdent en saveur.

– Mendiant, reconnais-tu les faits ?

– Mais, Seigneur, de quoi m'accuse-t-on ? Je me réchauffe à la chaleur de la cuisine et je rêve en respirant le parfum du dîner. Quel mal y a-t-il à cela ? »

Yves Héroli prit alors une pièce de monnaie, la fit tinter aux oreilles du bourgeois et lui dit :

« Te voilà dédommagé. Le son que tu as entendu a payé l'odeur qu'on t'a volée. »

Statue de saint Yves.

GRAMMAIRE ET VOCABULAIRE

LES PRONOMS RELATIFS

1. Emploi.

FONCTIONS	PRONOMS RELATIFS ET PARTICULARITÉS D'EMPLOI		
sujet	**qui** (personnes et choses)	**lequel – laquelle** **lesquels – lesquelles**	(emploi archaïque)
complément d'objet direct	**que – qu'** (personnes et choses)		
complément indirect (préposition **à**)	**à qui** (personnes)	**auquel – à laquelle** **auxquels – auxquelles** (plutôt pour les choses)	**à quoi** (choses indéterminées)
complément indirect (préposition **de**)	**dont** (personnes et choses)	**duquel – de laquelle** **desquels – desquelles** (plutôt pour les choses)	
complément indirect (préposition autre que **à** et **de**)	**avec qui** (personnes)	**avec lequel, laquelle, lesquels, lesquelles**	**avec quoi** (choses indéterminées)
complément du nom	**dont** (personnes et choses)		
complément de lieu	**où**	**sur lequel, laquelle,** etc.	

2. Constructions.

a. constructions explicatives ou qualifiantes
J'ai lu un roman **qui** m'a beaucoup intéressé.
Yves, **qui** était en voyage, n'a pas pu venir.

b. constructions présentatives
De toutes les régions de France,
c'est la Bretagne **que** je préfère.

c. après un démonstratif
Fais **ce que** tu veux! Choisis **celle qui** te plaît!

d. qui employé seul
Qui vivra verra. Voilà **qui** est fait.

e. l'emploi du subjonctif dans les propositions relatives

• **idée d'intention, de but ou de conséquence**
Il cherche quelqu'un qui puisse l'aider.

• **après un superlatif ou un mot de sens analogue**
C'est le seul qui puisse l'aider (idée d'éventualité).
C'est le seul qui peut l'aider (constatation d'un fait).

• **après un mot négatif**
Il n'y a personne qui puisse nous renseigner.

■ *LES PRONOMS INTERROGATIFS*

• **Qui** êtes-vous?
À qui pensez-vous?
De qui avez-vous besoin?
Avec qui partez-vous?

• **Que** voulez-vous?
À quoi pensez-vous?
De quoi avez-vous besoin?
Avec quoi écrivez-vous?

• **Lequel**		**Auquel**		**Duquel**	
Laquelle	choisissez-vous?	**A laquelle**	vous intéressez-vous?	**De laquelle**	parlez-vous?
Lesquels		**Auxquels**		**Desquels**	
Lesquelles		**Auxquelles**		**Desquelles**	

■ *FÊTES ET FOLKLORE*

• **Le folklore**
une légende – un mythe – un conte populaire (la tradition orale – un conteur)
un proverbe – un dicton
la tradition (traditionaliste – conformiste) – une coutume – l'usage.

• **La fête**
→ la foule – la cohue – un badaud
se presser – se bousculer
se frayer un chemin.
→ une fête nationale, locale, votive – une kermesse
le comité des fêtes
un défilé – une fanfare
un feu de joie – un feu d'artifice – un pétard
un serpentin – les confetti – un masque de carnaval
une rue illuminée (les illuminations), pavoisée
décorer – orner.

• **La foire aux manèges**
un forain – une baraque de forain
un manège – les montagnes russes
un toboggan – le train fantôme
les autos-tamponneuses – le jeu de massacre
un stand de tir.

• **Le cirque**
un prestidigitateur – un magicien – un jongleur (jongler) – un équilibriste (un fil – un trapèze – se tenir en équilibre) – un trapéziste – un acrobate (faire des acrobaties) – un clown – un dompteur – un illusionniste.

■ *LA PARTIE – LE TOUT*

• je prends le tout – j'en prends une partie
j'ai fait ce travail en entier, en totalité/en partie
c'est complet/incomplet
la totalité – l'ensemble / une partie – une composante – un morceau – un bout – un fragment – une fraction.
• partager (un partage) – dédoubler (le dédoublement) – découper (le découpage)
fragmenter – morceller – diviser – séparer.
• regrouper (un regroupement) – réunir (une réunion) – rassembler (un rassemblement) – mettre ensemble – relier.

• inclure – englober – comprendre (la Bretagne comprend quatre départements).
faire partie (le département du Finistère fait partie de la Bretagne)
contenir – renfermer.
• prendre part à une fête
faire part d'une naissance
mettre quelque chose à part.

■ *LA FORCE – LA FAIBLESSE*

• être fort (la force) – puissant (la puissance) – robuste (la robustesse) – vigoureux (la vigueur) – solide (la solidité) – résistant (la résistance)
fortifier – renforcer – raffermir – consolider – prendre, reprendre des forces.
• être faible (la faiblesse) – fragile (la fragilité) – affaibli – frêle – chétif – (s')affaiblir – décliner (le déclin) – dépérir (le dépérissement) – s'anémier (l'anémie).

ACTIVITÉS

Découverte du dialogue entre Yves et Gaëlle

• Yves est un militant régionaliste. Quelles sont pour lui les caractéristiques régionales les plus importantes? Quelles sont celles qui lui paraissent secondaires?

• Relevez les propositions subordonnées relatives. Reformulez les passages contenant des propositions relatives sans utiliser de pronom relatif.

Exemple :

C'est un sujet sur lequel je n'aime pas qu'on plaisante.

→ Je n'aime pas qu'on plaisante sur ce sujet.

• Si les arguments développés dans le dialogue s'appliquaient à votre région, seriez-vous de l'avis d'Yves, de celui de Gaëlle ou d'un autre avis?

Mécanismes A

• Je viens d'acheter ce roman. Lisez-le!
– Lisez ce roman que je viens d'acheter.
• Ce livre est excellent. Achetez-le!
– Achetez ce livre qui est excellent.

• Je t'ai parlé d'un roman policier. Le voici!
– Voici le roman policier dont je t'ai parlé.
• Tu as besoin d'un dictionnaire? En voici un!
– Voici le dictionnaire dont tu as besoin.

***1. Les pronoms relatifs. Complétez avec* qui, que (qu'), où, dont.**

Les Tsiganes

Les Tsiganes (ou Roms) sont un peuple .... on connaît très mal. Ces nomades, ... l'origine est restée longtemps obscure, parcourent les routes d'Europe. Ils vivent en marge de la société .... les a d'ailleurs toujours rejetés. Les Tsiganes, ... beaucoup sont analphabètes, souffrent souvent de la société industrielle .... a fait disparaître les métiers .... ils exercent. Le monde actuel saura-t-il préserver un peuple .... les traditions sont si particulières? En 1971, les Tsiganes ont organisé un congrès .... devait défendre leurs droits et leur identité. Le drapeau .... ils ont adopté reflète leur idéal de vie. Les deux bandes bleues du haut représentent le ciel .... souffle le vent libre. Les deux bandes vertes du bas évoquent la nature et l'espace .... ils rêvent. Au centre, une roue de charrette figure les chemins de la vie .... passent leurs roulottes.

***2. Imaginez une publicité comparable. Employez les formes* ce + pronom relatif *et* c'est + nom + pronom relatif.**

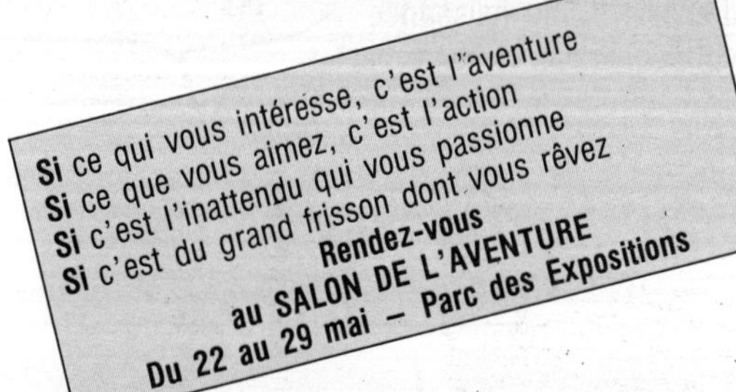

Créez votre publicité pour :

- un club de vacances;
- un grand restaurant;
- le salon du livre, des arts ménagers, etc.

3. Qui (dans les proverbes). Expliquez les proverbes suivants :

- Rira bien qui rira le dernier.
- Qui ne risque rien, n'a rien.
- Qui veut voyager loin, ménage sa monture.
- Qui s'y frotte, s'y pique.
- Qui vole un œuf, vole un bœuf.
- Qui sème le vent, récolte la tempête.

• Traduisez certains proverbes de votre langue en utilisant le pronom *qui*.

4. *Avons-nous perdu le sens de la fête?*

Jusqu'à la fin du 19e siècle, la vie des hommes était rythmée par de nombreuses fêtes : fêtes religieuses, célébrations en relation avec les travaux agricoles (fête des semailles, des vendanges), fêtes mi-religieuses mi-profanes relatives aux changements de saisons, fêtes privées (mariages, baptêmes).
Les premiers spécialistes du folklore ont interprété certaines de ces fêtes (la fête des fous, par exemple) comme de grands moments de débauche collective. Van Gennep a pu dire : « Le manteau de carnaval couvre l'immoralité, les pires fantaisies et le crime. » Les historiens actuels pensent que ces jugements sont exagérés mais que les fêtes étaient tout de même l'occasion d'un défoulement de groupe.

Quelques conclusions des sociologues contemporains qui ont étudié les fêtes en France :
– aujourd'hui le sens du sacré se perd et entraîne une disparition du sens de la fête;
– la fragmentation des groupes s'oppose à la fête totale d'autrefois;
– la civilisation moderne ne supporte plus les manifestations traditionnelles, les anciennes fêtes sont devenues les activités de loisir d'aujourd'hui (boums, festivals, vacances).

La Feria de Nîmes, une des dernières grandes fêtes collectives en France.

La foire du Trône : fête foraine qui a lieu en avril/mai à Paris. Cette manifestation remonte à 957. On y vendait des pains d'épice.

Pieter Bruegel (l'Ancien) : *Cérémonie populaire flamande.*

La foire du Trône vers 1900.

Feria de Nîmes.

• Que signifie pour vous *faire la fête.* Quelles sont les manifestations collectives que vous préférez?
• Vous écrivez à un(e) ami(e) français(e) pour l'inviter à venir chez vous à l'occasion d'une fête (nationale, folklorique, etc.). Présentez-lui brièvement cette fête.

5. *Subjonctif ou indicatif dans les propositions relatives ? Mettez les verbes à la forme qui convient.*

- – Qui fait la cuisine ce soir?
  – Moi, je fais la salade et c'est Michel qui **(préparer)** le coq au vin. C'est le seul d'entre nous qui **(savoir)** bien le préparer.
- – Formidable ton disque! C'est le meilleur morceau de rock que je **(entendre)** cette année.
  – Je l'aime bien aussi. C'est un disque que je **(entendre)** pour la première fois chez Mireille.
- – On **(connaître)** un mammifère plus gros que la baleine?
  – Non, je crois que c'est le plus gros qu'on **(connaître)**.
- – Qu'ils sont ennuyeux les amis de Brigitte! Ce sont des gens qui **(ne pas avoir)** le sens de l'humour.
  – C'est vrai. Charles est le seul qui **(comprendre)** un peu la plaisanterie.

6. *Exercice d'écoute. Deux Corses discutent de l'avenir de leur île.*

L'un travaille à Paris et ne rentre en Corse que pendant les vacances. L'autre, très attaché à sa région, n'a jamais voulu la quitter.

• **Relevez : a.** l'itinéraire de chacun; **b.** l'opinion de chacun sur l'avenir de l'île.

Découverte du texte sur la langue bretonne

• Complétez les points suivants :

– origines de la langue bretonne;

– évolution;

– particularités : a. vocabulaire, b. accords et constructions.

• Rédigez une brève présentation de la langue française (ou d'une autre langue que vous connaissez) en adoptant le même plan.

7. *L'évolution du sens des mots. À partir des indications données dans le tableau, expliquez pourquoi les mots suivants ont changé de sens.*

	Étymologie du mot	**Sens courant actuel**	**Autres sens actuels ou mots dérivés**
un chef	du latin *caput* = tête	personne qui dirige	– un couvre-chef, – faire quelque chose de son propre chef
un canal	de latin *canna* = roseau	cours d'eau artificiel	le canal auditif – le canal lacrymal (anatomie)
un tablier	du latin *tabula* = planche	vêtement de protection	le tablier d'un pont
un caprice	du latin *capra* = chèvre	fantaisie – coup de tête	le signe du capricorne
sinistre	du latin *sinister* = qui est à gauche	mauvais – menaçant	le côté sénestre d'un blason (voc. spécialisé)
errer	du latin *errare* = se tromper	vagabonder	une erreur

8. *Reformulez les phrases suivantes en utilisant les verbes de la liste.*

comprendre – dédoubler – faire partie de – morceler – regrouper – renfermer.

- Michel est membre d'une association pour le développement du folklore.
- Il y a trop d'élèves dans cette classe. On va la partager en deux. On va mettre ensemble tous les élèves qui ont moins de dix ans.
- Il y a huit départements dans la région Rhône-Alpes.
- Dans ce vieux coffre, il y a des papiers de famille importants.
- Au Moyen Âge le territoire de la France était composé de petites seigneuries.

9. Complétez en utilisant une des formes des relatifs **lequel, auquel, duquel.**

Histoire de la langue française

La langue, à partir ...... le français s'est formé, est le latin. Les Romains, par ...... le latin s'est diffusé en Gaule, se sont mélangés aux autres populations. Au Moyen Âge, l'Église, grâce ...... est assurée l'unité de l'Europe, donne au latin son rôle de langue dominante, véhiculaire et culturelle. Il faut dire aussi que le latin bénéficie du prestige de l'Empire romain ...... il doit également son rayonnement. Toutefois, les autres langues ...... le latin est confronté (langues celtiques et germaniques) ne tardent pas à altérer la langue romaine et à produire divers dialectes régionaux.

Les Serments de Strasbourg (842) sont les premiers textes ...... il faut remonter pour trouver un acte officiel rédigé en ancien français. En 1539, le roi François Ier promulgue l'Édit de Villers-Cotterêts par ...... le français est reconnu comme la seule langue administrative du royaume. Ainsi, le dialecte de l'Ile-de-France va-t-il triompher progressivement des autres parlers (provençal, normand, picard, etc.) avec ...... il était en rivalité.

10. Le langage des gestes. Mimez la façon de se saluer dans les pays présentés ci-dessous.

TOUR DU MONDE DE QUELQUES GESTES USUELS : LA RENCONTRE

Au Tibet : l'usage exige que l'on se tire la langue ; si l'on s'embrasse, c'est narine contre narine.

En Éthiopie : la paume ouverte touche celle du visiteur, puis frappe sa poitrine, l'accolade est permise à condition de ne jamais toucher la nuque de son interlocuteur, même par inadvertance, car c'est le symbole de la prise de possession d'un esclave.

En Indonésie : en serrant la main de son vis-à-vis entre ses deux paumes, on la porte à son cœur.

Chez les Touaregs : la main est présentée à plat, tendue contre celle de l'interlocuteur, puis rapidement retirée en accrochant le bout des doigts.

En France : quand on donne la main à quelqu'un pour marquer l'amitié, il faut toujours présenter la main nue. Deux « connaissances » se rencontrent dans la rue, en province spécialement ; elles s'embrassent bruyamment sur les deux joues, trois ou quatre fois.

En Grande-Bretagne : une femme salue toujours la première un homme qu'elle rencontre dans la rue, l'autorisant ainsi à la reconnaître.

Chez les Maoris : plier l'index de la main droite en portant le bout de la phalange à l'extrémité du nez.

En Australie : en croisant quelqu'un dans la rue, on ne soulève pas son chapeau, on se contente de le toucher légèrement.

Georges Jean, *Langage des signes,*

- **Connaissez-vous d'autres gestes significatifs différents de ceux utilisés dans votre pays ?**
- **Réalisez collectivement à l'intention des Français un petit répertoire descriptif des gestes dont il faut connaître le sens quand on vient dans votre pays.**

(Par exemple : pour dire au revoir – pour dire son indignation, sa perplexité, son ennui, etc.)

11. Exercice d'écoute. Analysez les caractéristiques de ces quatre accents régionaux.

Régions : Alsace – Provence – Auvergne – Sud-Ouest

Caractéristiques :

- les « e » sont : prononcés – non prononcés
- les « r » sont : roulés – non roulés
- les « o » sont : ouverts – fermés
- le « z » est prononcé : « s » – « z »
- **autres caractéristiques**

Découverte de la légende de saint Yves

- **Recherchez le vocabulaire relatif à la justice.**
- **Relevez les pronoms relatifs ou interrogatifs.**
- **Tous les saints ont leurs légendes. En connaissez-vous ? Racontez.**

Mécanismes B

- **Je suis allé(e) à Rome avec ce club de voyage.**
– C'est le club de voyage avec lequel je suis allé(e) à Rome.
- **Il travaille pour cette entreprise.**
– C'est l'entreprise pour laquelle il travaille.
- **Vous avez besoin d'un stylo ou d'un crayon ?**
– De quoi avez-vous besoin ?
- **Vous parlez de votre femme ou de votre fille ?**
– De qui parlez-vous ?

UNITÉ ET DIVERSITÉ DES RÉGIONS

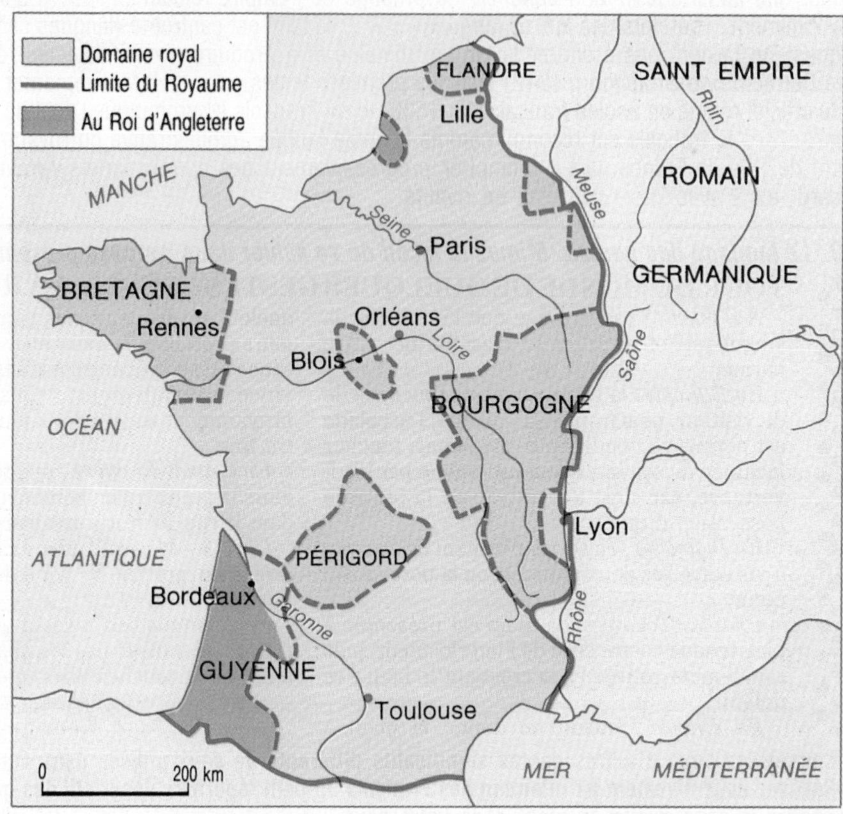

La France à la fin du Moyen Âge.

La France ne possède le visage hexagonal que nous lui connaissons que depuis le 16e siècle. Au Moyen Âge, ce n'est qu'un puzzle de petites seigneuries plus ou moins liées entre elles.
Toutefois, deux grands ensembles existent, à partir desquels l'unité va pouvoir se constituer.
Dans la moitié nord, *les pays de langue d'oïl* qui ont subi profondément l'influence des peuples du Nord (Germains et Normands).
Dans la moitié sud, *les pays de langue d'oc* qui sont longtemps restés sous influence romaine; (*oïl* et *oc* sont deux façons de dire *oui*).

L'œuvre des rois et la constitution des provinces
Au 12e siècle le territoire du roi de France ne dépasse pas 150 km autour de Paris. L'œuvre essentielle des « 40 rois qui ont fait la France » sera d'agrandir le royaume par des conquêtes militaires, des trocs de territoires, des mariages ou des héritages.
Ainsi, au 12e siècle, le roi Philippe Auguste acquiert la Normandie, le Poitou, la Charente. Le Languedoc est réuni à la France sous Louis IX (Saint Louis). Avec Louis XI, c'est la Bourgogne, le Nord, la Bretagne, puis la Provence qui viennent s'agréger aux territoires du roi (15e siècle).
Ces provinces qui entrent dans le royaume sont des ensembles relativement homogènes. Chacune a ses coutumes, son droit, sa langue ou son dialecte. Or, le pouvoir central monarchique est relativement faible en matière d'administration et de politique intérieure. Les provinces conservent donc leurs caractéristiques.
Toutefois, avec Louis XIV s'amorce une volonté d'unification administrative et juridique.

L'œuvre de la Révolution et de la République
L'unification administrative et juridique sera faite par Napoléon Ier. En divisant la France en départements, il brise l'unité des provinces.
L'unification linguistique et culturelle sera l'œuvre de la IIIe République. En 1881, l'école devient obligatoire, gratuite, laïque et la langue française y est la seule langue d'enseignement.

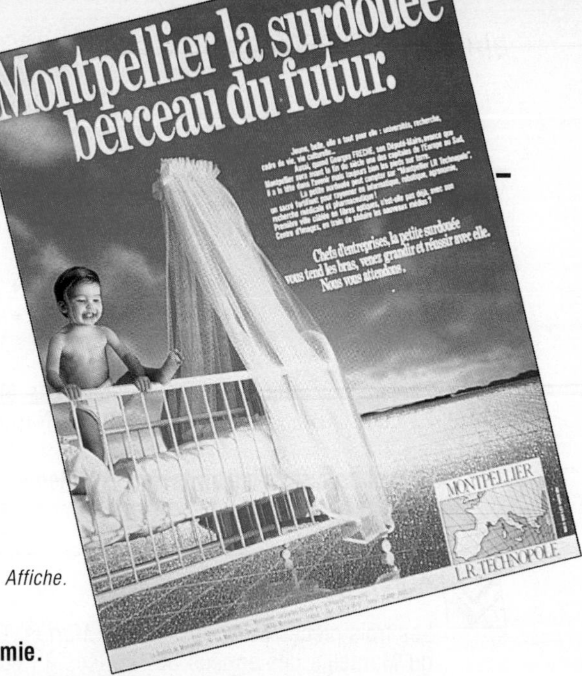

Affiche.

• **Pouvez-vous expliquer ces phrases prononcées par des Français ?**

• « Quand j'allais dans le village de mes grands-parents en 1960, les gens s'adressaient à moi en français mais entre eux ils parlaient patois. »

• « A partir de la fin des années soixante, on a de moins en moins entendu parler patois dans les campagnes. »

• « Je fais partie du groupe "La Nacioun Gardiano". J'écris des poèmes en provençal et ma fille fait de la danse folklorique. »

Les régions qui revendiquent davantage d'autonomie.

On peut en effet se demander pourquoi les Alsaciens, les Basques, les Bretons, les Corses, les Lorrains, les Occitans se sont mis, brusquement, à exprimer des revendications linguistiques, culturelles, voire nationalistes, alors que d'autres – les Normands, les Auvergnats, les Poitevins, etc. – dorment encore, et peut-être pour toujours.

Toutes les causes que l'on invoque habituellement – situation géographique périphérique, faible degré de mixage avec le reste de la population française, fin du système colonial qui a ramené au pays les émigrants d'antan, etc. – ne forment pas un modèle explicatif cohérent : la Lorraine est tout aussi « périphérique » que l'Alsace, mais le mouvement régionaliste lorrain est d'une importance bien moindre que le mouvement alsacien ; les Bretons se sont profondément mélangés à toutes les couches de la population française et n'en ont pas moins exprimé fortement, entre 1940 et 1970, leurs aspirations autonomistes ; il n'y avait pas que des Corses et des Alsaciens dans les colonies françaises, etc.

Par ailleurs, il faut souligner que la plupart des revendications minoritaires n'ont pas surgi *ex nihilo* des consciences collectives. Chez certains, elles n'ont jamais cessé d'exister : il s'est formé une Académie celtique en 1805 ; la politique linguistique de la Convention a été combattue par les Alsaciens et 30 000 d'entre eux ont rejoint les rangs des émigrés ; l'occitanisme a commencé, littérairement, avec la poésie des troubadours et, en 1790, les Constituants furent obligés de traduire la Constitution et les Droits de l'homme en dialectes occitans, car 90 % de la population du midi de la France ne comprenait pas le français ; les Corses, même au temps de la IIIe République et de l'empire colonial français, n'ont jamais cessé de célébrer le souvenir de Pascal Paoli[1] et celui, plus discutable, de Sampieru Corso[2]. Et l'on pourrait citer bien d'autres exemples. Certes, une volonté littéraire chez quelques-uns, le sentiment indéniable d'être « différent » chez les autres ne constituent pas un *fait* de minorité ; mais cela suggère l'existence d'un *terrain minoritaire* sur lequel pourront germer les revendications lorsque les conditions adéquates seront réunies.

Ces conditions sont, pour l'essentiel, au nombre de trois :

– l'existence d'une situation historique, fondée sur une stratégie idéologique, favorable à l'explosion minoritaire ;

– l'installation d'un état de crise, induisant un élément détonateur ;

– la présence sur le terrain de volontés individuelles – de leaders – dont l'action sera d'autant plus efficiente que les deux conditions précédentes seront plus nettes.

Roger Caratini, *La Force des faibles,* © Éd. Larousse 1986.

(1) patriote corse qui s'opposa à l'achat de la Corse par la France en 1768.

(2) héros national corse qui voulut affranchir son pays de la tutelle de Gênes (16e siècle).

• **Analysez l'argumentation de Roger Caratini.**

Les régions aujourd'hui

Depuis les années 50, l'idée de région a progressivement fait son chemin. Les lois de décentralisation de 1982 ont transféré une partie du pouvoir des préfets sur les présidents des régions qui sont administrées par des assemblées élues. La région (et les communes) disposent aujourd'hui de ressources propres plus importantes que par le passé. Elles doivent prendre en charge leur développement économique, social, scientifique et culturel.

Les cultures et les langues régionales ont la possibilité de se maintenir comme des éléments non dominants et complémentaires. Les langues régionales sont enseignées comme matières à option dans les lycées. De nombreuses associations participent au maintien des traditions locales.

12. Les pronoms interrogatifs. Imaginez un test culturel sur la France. Rédigez dix questions à choix multiples commençant par les pronoms interrogatifs suivants.

• lequel... • laquelle... • auquel... • à laquelle...
• duquel... • de laquelle... • dans lequel... • dans laquelle...
• à quoi... • à qui...

Exemples : **Duquel de ces personnages Marie-Antoinette était-elle l'épouse ?**
☐ Louis XIV ☐ Louis XVI ☐ Napoléon Ier

À quoi reconnaît-on un tableau de Renoir ?
☐ Petites touches de couleurs ☐ Jeux d'ombres et de lumière ☐ Formes stylisées

À travers la littérature

Les trois pièces de Marcel Pagnol *Marius, César* et *Fanny* mettent en scène des personnages typiques du Marseille des années 30. Portées à l'écran en 1930, elles ont connu jusqu'à une époque récente un immense succès populaire.
César tient un café sur le Vieux-Port à Marseille. Son fils Marius et la jeune Fanny sont amoureux l'un de l'autre, mais Marius hésite à se déclarer. Il est attiré par la mer et veut devenir marin. Un riche bourgeois veuf, Panisse, demande Fanny en mariage.
La mère de Fanny, Honorine, qui connaît les sentiments de sa fille, va alors trouver César. La scène se passe le soir dans le café de César. Les deux personnages sont seuls.

CÉSAR *(stupéfait)*

Comment ! Panisse veut épouser Fanny ?

HONORINE

Il me l'a demandée ce matin.

CÉSAR

Oh ! le pauvre fada(1) ! Quelle mentalité ! Mais il est fou, ce pauvre vieux ?

HONORINE

C'est ce que j'y ai dit. Mais il veut une réponse pour demain.

CÉSAR

Et qu'est-ce qu'elle dit la petite ?

HONORINE

Elle dira peut-être oui, si elle ne peut pas avoir celui qu'elle veut.

CÉSAR *(avec finesse)*

Et celui qu'elle veut c'est Marius.

HONORINE *(gênée)*

Tout juste.

Honorine raconte à César que Fanny lui a avoué son amour pour Marius.

CÉSAR

Enfin, elle vous a dit qu'ils se veulent tous les deux ?

HONORINE *(elle explose)*

Marius lui a dit qu'il ne pouvait pas l'épouser !

CÉSAR

Pourquoi ?

HONORINE *(violente)*

Il ne veut pas le dire ! Ma petite lui a presque demandé sa main, à ce beau monsieur, et il ne répond pas, et il me la fait pleurer sans même dire pourquoi ! Dites, César, qu'est-ce que c'est, des manières comme ça ? Qu'est-ce qu'il lui faut, à ce petit mastroquet(2), une princesse ?

CÉSAR

Ne vous fâchez pas, Norine ! Après tout, peut-être qu'il ne l'aime pas.

HONORINE

Il ne l'aime pas ? Il serait le seul à Marseille ! Tous les hommes la regardent, et il n'y a que lui qui ne la verrait pas ! Et puis, s'il ne l'aime pas, pourquoi est-il jaloux de Panisse ?

CÉSAR *(après un temps de réflexion)*

Tout ça n'est peut-être pas difficile à arranger.

HONORINE *(se lève, furieuse)*

Eh bien, tâchez de l'arranger vite, parce que si ma petite continue à pleurer la nuit, moi je fous le feu(3) à votre baraque(4) !

Raimu et Alida Rouffe dans *Marius.*

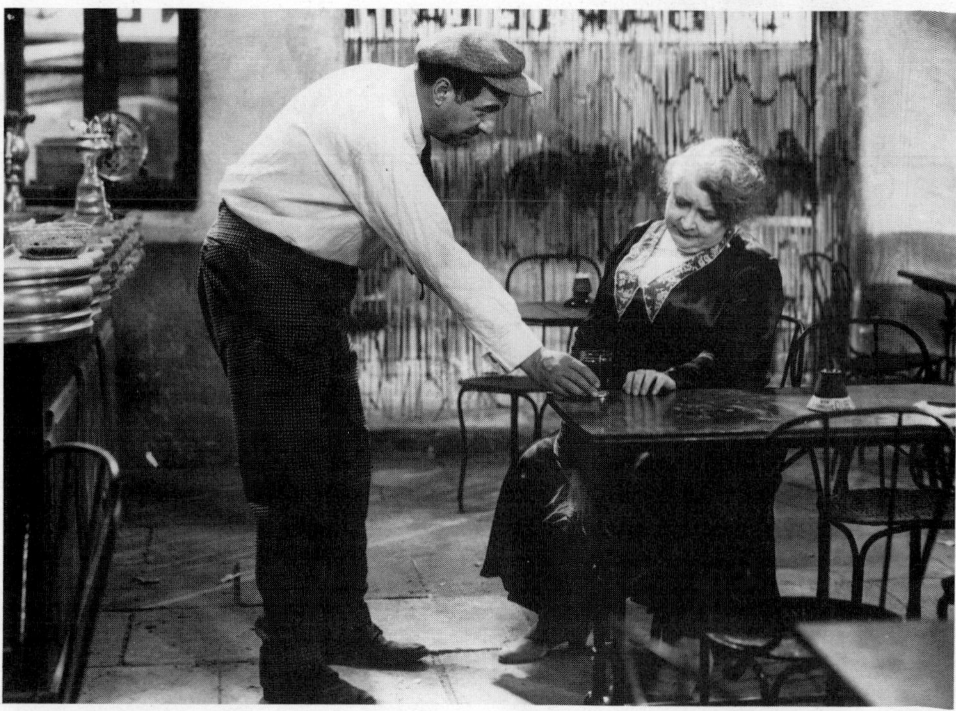

CÉSAR

Hé! doucement, Norine, doucement! Il la refuse. Eh bien, nous allons l'attendre ici, et puis nous lui demanderons pourquoi.

HONORINE

Ah! non! Pas devant moi!

CÉSAR

Pourquoi?

HONORINE

Je ne veux pas qu'il sache que je suis venue. Parce que, moi je connais les hommes. Si on lui dit que c'est Fanny qui a demandé sa main, elle ne pourra plus jamais lui faire une observation, parce qu'il lui dira : « C'est toi qui m'as demandé, c'est ta mère qui est venue raconter que tu pleurais », exétéra, exétéra... Il finira par la mépriser et ils seront très malheureux.

CÉSAR

Eh bien, je ne le lui dirai pas. Mais alors, elle, il ne faudra pas qu'elle lui parle de Panisse.

HONORINE

Et pourquoi elle lui en parlerait?

CÉSAR

Parce que si vous connaissez les hommes, moi je connais les femmes. Quand ils seront mariés, à la moindre dispute, elle lui dira : « Et dire que pour toi, j'ai refusé Panisse, un homme qui avait des cent mille francs! Maintenant, je serais riche j'aurais la bonne et l'automobile », exétéra... exétéra... Et elle le fera mourir à coups de Panisse. Je connais le refrain, je l'ai entendu. Ma pauvre femme, elle, c'était un marchand de bestiaux qui l'avait demandée! Elle m'en a parlé pendant vingt ans! Vingt ans! *(Gravement.)* Et pourtant, c'était une femme comme on n'en verra jamais plus.

Marcel Pagnol, *Marius*,

(1) imbécile (régionalisme); (2) cafetier (mot familier vieilli); (3) je mets le feu (familier); (4) maison.

• Écoutez l'enregistrement complet de la scène. Remarquez l'accent des personnages et les régionalismes (vocabulaire et constructions).
• Définissez le caractère des deux personnages.
• Cette scène vous paraît-elle comique ou pathétique? Pourquoi?
• Une telle situation pourrait-elle exister aujourd'hui? Des parents ou des amis peuvent-ils servir d'intermédiaires entre deux jeunes amoureux qui hésitent à s'engager?
• Les réflexions d'Honorine et de César sur le mariage vous paraissent-elles toujours actuelles?

LES PHÉNOMÈNES ÉTRANGES

Goya : *Le Sabbat des sorcière*

OVNI

Il est 2 h 37 du matin. L'airbus A 320 survole la masse sombre des monts d'Auvergne, à 6 000 mètres d'altitude. Soudain, dans la cabine de pilotage...

Le commandant : J'ai des hallucinations ou quoi?

Le copilote : Non, Commandant, je vois bien la même chose que vous. C'est effarant!

Le commandant : Mais, bon sang! Qu'est-ce que c'est que ce truc-là? J'appelle la tour...
La tour de contrôle de Clermont-Ferrand? Ici le vol XY 421. Nous venons d'apercevoir un objet lumineux. Il se dirige droit vers nous... Mais, nom d'un chien, il va nous rentrer dedans! Je vire à 45 degrés... Ouf, on l'a évité!

La tour de contrôle : C'était un météorite?

Le commandant : Si ça avait été un météorite, mon vieux, il ne se serait pas déplacé à l'horizontale et nous aurions été pulvérisés. Il a dû passer à 20 mètres de nous. On n'a pas eu le temps de voir ce que c'était.

La tour de contrôle : Vol XY 421, je vous ai repéré sur le radar. Il y a effectivement quelque chose derrière vous. Attention, l'objet se rapproche! Vous le voyez?

Le commandant : Et comment! On dirait le fuselage d'un gros porteur. Il émet une lumière bleue et verte à l'arrière.

La tour de contrôle : Supposons que ce soit un 747...

Le commandant : Inconcevable! Il aurait des ailes, des hublots et ça ne produirait pas cette lumière... Non, ce serait plutôt une sorte d'énorme missile.

La tour de contrôle : Je vais quand même essayer d'entrer en contact, au cas où ce serait un avion...

Le commandant : Bon sang! Il vient de nous dépasser et il repique sur nous... Mesdames et Messieurs, ici le commandant de bord, nous allons traverser une zone de turbulences...

COMBUSTIONS SPONTANÉES

Il y a une quinzaine de jours, un homme a été découvert entièrement carbonisé dans son appartement. Après avoir écarté la thèse de l'accident, l'enquête s'est révélée impuissante à démontrer s'il pouvait s'agir d'un acte criminel. En effet, selon les policiers, personne n'a pu entrer dans l'appartement, ni par la porte qui était bloquée de l'intérieur par un verrou, ni par les fenêtres, l'appartement se trouvant au 6e étage de l'immeuble. Le dossier a donc été refermé faute de preuves et d'indices.

D'après certaines confidences faites par le médecin légiste, il s'agirait d'un cas de combustion spontanée. Pour des raisons qui restent encore mystérieuses, certaines personnes auraient la faculté de s'enflammer soudainement. De tels cas se voient rarement mais le phénomène a été plusieurs fois décrit depuis le 17e siècle. L'exemple le plus célèbre est littéraire : c'est celui d'Antoine Macquart consumé par le feu dans *Le Docteur Pascal* d'Émile Zola.

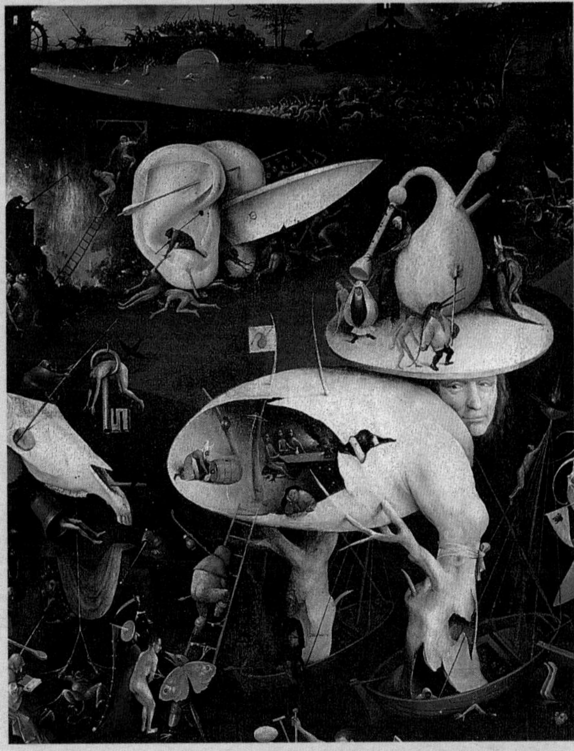

Jérôme Bosch : *Le Jardin des délices.*

RÉSISTANCE AU FROID

L'être humain aurait la faculté d'agir sur sa température corporelle. Ce phénomène s'observe chez certains moines tibétains qui, par des exercices de yoga, parviennent à dilater leurs vaisseaux sanguins. Leur température s'élèverait alors de 8 à 10 degrés. L'un de ces moines aurait passé un hiver entier dans une caverne bloquée par la neige à 4 000 mètres d'altitude avec pour seul vêtement une mince étoffe de coton.

Magritte : La Reconnaissance infinie

COÏNCIDENCES

Selon une enquête récente, un Français sur cinq consulterait régulièrement une voyante. Certaines entreprises recrutent après des examens graphologiques ou astrologiques et à l'approche des élections beaucoup d'hommes politiques fréquenteraient assidûment devins et tireuses de cartes. Croyances absurdes dans les forces de l'irrationnel, diront les cartésiens. Besoin de sécurité, affirmeront les psychologues. Soit. Mais pourquoi pas aussi une méfiance à l'égard de la science?

Quand il était enfant, le futur roi Louis XVI rencontra un astrologue qui lui prédit que le chiffre 21 lui porterait malheur. Toute sa vie le roi se méfia du 21 de chaque mois. Et pourtant, le 21 juin 1791, Louis XVI fut arrêté alors qu'il s'enfuyait à l'étranger. Le 21 septembre de l'année suivante, l'Assemblée nationale abolissait la royauté et le 21 janvier 1793, le roi fut décapité.

GRAMMAIRE ET VOCABULAIRE

■ L'EXPRESSION DE LA SUPPOSITION ET DE L'HYPOTHÈSE

1. Expression de la supposition avec *« si »*.

SUPPOSITION	CONSÉQUENCE	EXEMPLES
• **Si** + présent • **Si** + imparfait • **Si** + plus-que-parfait	futur conditionnel présent conditionnel passé	Si j'ai le temps, je viendrai. Si j'avais le temps, je viendrais. Si j'avais eu le temps, je serais venu.

2. Verbes supposer, admettre, imaginer + indicatif ou subjonctif
Elle n'est pas venue. Je suppose qu'elle a eu un empêchement.
Supposons qu'il pleuve demain. Que ferions-nous?

• **À supposer que**
En supposant que } **+ subjonctif.**
En admettant que

3. Au cas où... Pour le cas où... Dans l'hypothèse où + conditionnel.
Au cas où vous auriez un empêchement, téléphonez-moi!
En cas de + nom. En cas de panne, téléphonez au garage le plus proche.
4. Soit que... soit que... + subjonctif (double supposition).
Il n'est pas venu dîner soit qu'il ait été malade, soit qu'il ait oublié.

■ LES SENS DU CONDITIONNEL

Le conditionnel peut exprimer :
1. Une supposition ou une hypothèse (voir ci-dessus).
2. Une affirmation atténuée ou non vérifiée.
Un OVNI aurait traversé le ciel de Paris dans la nuit de vendredi.
3. Une demande polie.
Je voudrais... Je souhaiterais...
4. Un conseil.
À ta place, je n'irais pas voir ce film.

■ LA VISION PASSIVE

Cas où le sujet ne fait pas l'action exprimée par le verbe. Cette vision passive peut s'exprimer par :
1. être + participe passé.
Ce professeur est très écouté.
Deux mille logements ont été construits.
2. la transformation passive.
Le pilote a aperçu un objet lumineux →
Un objet lumineux a été aperçu par le pilote.
3. la forme pronominale.
La tour Eiffel se voit bien de la fenêtre de ma chambre.
La bouillabaisse se prépare avec plusieurs sortes de poissons.
4. faire (ou **se faire) + verbe.**
Il fait construire sa maison.
Elle s'est fait couper les cheveux.

■ L'AIR ET LE FEU

• Le ciel
l'univers – la terre – une planète – une étoile – une étoile filante – une comète – un météorite – la lune – le clair de lune – une éclipse – le soleil – le lever/le coucher du soleil – l'espace – un vaisseau spatial – une station spatiale – un satellite.

• Le feu
être en feu – en flamme – embrasé – ardent – incandescent – allumer/éteindre un feu – mettre le feu – incendier (un incendie) – brûler (la combustion) – flamber – un brasier – des braises – un produit inflammable – combustible.

• La lumière
éclairer – un éclair – briller – scintiller (le scintillement) – luire (une lueur) – étinceler (une étincelle) – illuminer (une illumination) – flamboyer – le reflet – refléter – réfléchir – un miroir – miroiter – aveugler – éblouir.

■ LES PHÉNOMÈNES ÉTRANGES

• un phénomène anormal – bizarre – curieux – singulier – étrange – extraordinaire.
• une apparition – un fantôme – un revenant – un spectre – un esprit – un vampire – un démon – un diable.
• un sorcier – une sorcière – la sorcellerie – un magicien – un mage – la magie – un guérisseur – un charlatan – un voyant – une cartomancienne.
• avoir des visions – des hallucinations – envoûter – jeter un sort – le mauvais œil – exorciser – un exorciste – un charme – être sous le charme de... – un philtre magique – faire tourner les tables – tirer les cartes.

■ LA PEUR

• la crainte – craindre
l'inquiétude – (s')inquiéter
l'appréhension – appréhender quelque chose
la frayeur – l'effroi – effrayer
la panique – être pris de panique
l'affolement – (s') affoler
la terreur – terrifier – terroriser
l'épouvante – épouvanter – épouvantable.
• un caractère peureux – craintif – timoré – poltron
avoir peur – avoir la trouille (fam.).

• Les manifestations de la peur
→ sursauter – tressaillir
→ trembler – frissonner – frémir
avoir la chair de poule,
les cheveux dressés
claquer des dents
→ pâlir – blêmir – verdir –
être vert de peur – être livide
→ avoir les yeux exorbités – égarés
→ avoir le souffle coupé – la gorge sèche
être muet de terreur
bégayer
→ transpirer – avoir des sueurs froides.

CLAC – CLAC – CLAC!

■ LA LOGIQUE ET LE RAISONNEMENT

• Penser – une pensée – une idée
raisonner – la raison – un raisonnement
réfléchir – une réflexion
méditer – une méditation
se concentrer – la concentration
cogiter – les cogitations (fam).

• Le jugement
un préjugé – avoir des préjugés sur...
une preuve – affirmer quelque chose sans preuve – prouver
être partial/impartial
être large/étroit d'esprit – être sensé – raisonnable – perspicace.

• La logique
faire une supposition – une hypothèse
vérifier – contrôler
déduire – une déduction
conclure – une conclusion
c'est logique/illogique – absurde – insensé – cela n'a pas de sens.

La cle etait sous le paillasson.
Ça ne m'est pas venu à l'esprit.

ACTIVITÉS

Découverte du dialogue « OVNI » (objet volant non identifié)

• **Écoutez l'enregistrement et complétez le tableau.**

Ce que voient les pilotes	Ce qu'ils font	Les suppositions qu'ils font
....	....	....

• **Imaginez la suite de l'histoire.**
• **Rédigez un rapport des événements selon la suite que vous avez donnée à l'histoire. Soit c'est le commandant qui fait le rapport, soit (dans l'hypothèse d'une disparition de l'avion) c'est le responsable de la tour de contrôle.**

Mécanismes A

• **Si nous avions un long week-end, nous irions le passer à Paris.**
– **Supposons que nous ayons un long week-end, nous irions le passer à Paris.**
• **Si je pouvais quitter le bureau assez tôt, je passerais chez toi.**
– **Supposons que je puisse quitter le bureau assez tôt, je passerais chez toi.**

• **Je ne peux pas aller au théâtre avec toi. Je ne suis pas libre.**
– **Si j'étais libre, j'irais au théâtre avec toi.**
• **Il ne peut pas s'acheter ce blouson. Il n'a pas encore reçu sa paie.**
– **S'il avait reçu sa paie, il pourrait s'acheter ce blouson.**

1. La supposition et l'hypothèse. Ils font des suppositions. Indiquez si elles leur paraissent:

• **probables mais un petit doute subsiste (+ + +)** • **possibles mais un grand doute subsiste (+ +)**
• **purement imaginaires (+)** • **impossibles parce que faites _a posteriori_ (0)**

a. Même si ce vieux tacot pouvait rouler à 300 km/h, nous n'arriverions jamais à l'heure.
b. Si je manque mon train, je prendrai le suivant.
c. Supposons que je peigne la porte en bleu, tu crois que ça irait avec la couleur des murs?
d. Si on l'avait aidé, il aurait pu s'en sortir.
e. Si j'obtenais le poste que j'ai demandé, je vous offrirais le champagne.
f. Au cas où tu la verrais, parle-lui de moi!

2. Qu'auriez-vous fait si vous aviez été à leur place?

• **Cas de conscience**
Manjul Asnah est Indien. Il est chercheur à l'Institut Pasteur depuis 10 ans; sa carrière s'annonce brillante. Il vient de se fiancer à une Française. Un jour, il reçoit un télégramme de New Dehli. Son père et son frère aîné sont morts dans un accident. Sa mère lui demande de rentrer vivre en Inde pour s'occuper de ses frères et sœurs en bas âge, ainsi que de ses grands-parents...

• **Bizutage**
Pendant que Guilhen dort d'un profond sommeil dans sa chambre à la cité universitaire, ses amis lui dérobent tous ses vêtements. Il se réveille le matin totalement nu dans sa chambre.

• **Preuve d'amour**
Mathilde doit épouser Paul. Mais la veille du mariage, Paul est victime d'un très grave accident. Les médecins affirment qu'il restera toute sa vie paralysé des deux jambes.

• **Découverte**
Dans la forêt où vous faites seul(e) votre jogging matinal, vous êtes témoin d'une scène étrange. Deux hommes, que vous pouvez observer caché(e) derrière un fourré, enterrent un coffret métallique de 50 cm de long qui paraît assez lourd. Puis, ils rejoignent la voiture qui les attend sur le chemin et démarrent en trombe...

3. Le ciel et la lumière.
Vous êtes metteur en scène.

Quelles scènes placeriez-vous sous les éclairages suivants ?

Comment placeriez-vous les acteurs ? Donnez des instructions à votre chef éclairagiste.

4. Ils font des suppositions. Continuez leurs pensées.

- **Loïc Le Dantec** : « Si je n'obtenais pas le financement de mon projet. . . . »
- **Valérie (de Nancy) à Cécile (de Montréal)** : « Si tu n'avais pas épousé James . . . . »
- **Un des participants à la réunion de l'Institut National des Technologies du Futur** : « Supposons que nous ne puissions plus commander ce robot . . . . »
- **Un père de famille en vacances qui a dû rester une semaine sous la tente pour cause de pluies diluviennes** : « S'il pleut encore comme ça pendant deux jours . . . . »
- **Un ange du paradis** : « Si Ève n'avait pas mangé la pomme . . . . »
- **Un philosophe** : « Supposons que les hommes n'aient pas inventé la roue . . . . »

5. Les mystères de l'Univers

D'où venons-nous, où allons-nous, pourquoi existons-nous? Tous les hommes se sont posé la question. Les astronomes et astrophysiciens se la posent encore plus souvent que le reste des mortels : c'est leur raison d'être, à ces hommes penchés sur l'infini de l'espace qui nous entoure. Et comme ils ne peuvent pas encore dompter l'espace avec leurs vaisseaux, ils essaient de le comprendre avec leur tête.

Les astrophysiciens modernes sont au moins autant des scientifiques que des artistes. Leurs équations sont les instruments de leurs rêves. Avec un crayon et du papier, Albert Einstein a, à l'aube de ce siècle, exploré l'espace. D'autres ont parcouru depuis un bon bout de chemin dans leur tête.

On a commencé par le big bang, origine du grand Tout. Puis on a supposé des accrocs dans l'espace : les trous noirs. On les a presque trouvés. Et leurs contraires : les fontaines blanches. On est en pleine poésie. Lorsque les étoiles s'enfoncent dans l'Univers, elles l'étirent comme du chewing-gum puis le percent. On nomme cela des ponts entre plusieurs couches d'Univers ou plus communément des trous de ver! Il y aurait aussi des sortes de minuscules élastiques parcourus d'une énergie gigantesque qui enserreraient les frontières de l'espace comme un rôti de dindonneau : les cordes cosmiques.

Les pessimistes parlent de big crunch, le contraire du big bang. Cet instant d'un avenir lointain où toute la matière de l'Univers se resoudera dans un point infime. Les optimistes parlent d'entropie. Ils voient un Univers en expansion constante, toujours plus énergétique toujours plus complexe, toujours plus conscient. Les plus fous voient des portes spatio-temporelles cachées dans le noir du vide.

Les astrophysiciens sont les nouveaux prophètes des temps modernes. Et nous sommes prêts à adhérer à toutes leurs religions pouvu qu'elles nous fassent rêver.

B.W.

Ils vont changer le monde,
Le Nouvel Observateur, 14-20 décembre 1989.

• En lisant l'article, faites la liste des différentes hypothèses sur lesquelles travaillent actuellement les astrophysiciens?
• Présentez chaque explication par un schéma.

6. Exercice d'écoute. Discussion sur les OVNI. Faites la liste des différentes hypothèses.

• Quelle est celle qui vous paraît la plus plausible?

Découverte des articles de presse

• Combustions spontanées : observez tous les mots qui ont la fonction grammaticale de sujet du verbe. Classez ces sujets en deux catégories.
a. Le sujet est actif. / b. Le sujet est passif :
– Classez les formes verbales après un sujet passif.
– Imaginez les circonstances de cette macabre découverte.
• Résistance au froid et coïncidences.
Pourquoi certains verbes sont-ils au conditionnel?

Mécanismes B

• Je n'ai pas pu me coucher tôt. J'avais trop de travail.
– Mais si je n'avais pas eu de travail, je me serais couché(e) tôt.
• Elle n'est pas sortie. Il neigeait.
– Mais s'il n'avait pas neigé, elle serait sortie.

• On a construit des logements neufs ici?
– Oui, des logements neufs ont été construits.
• On a appelé Mireille au téléphone?
– Oui, Mireille a été appelée au téléphone.

7. *Lisez ces récits de phénomènes étranges.*

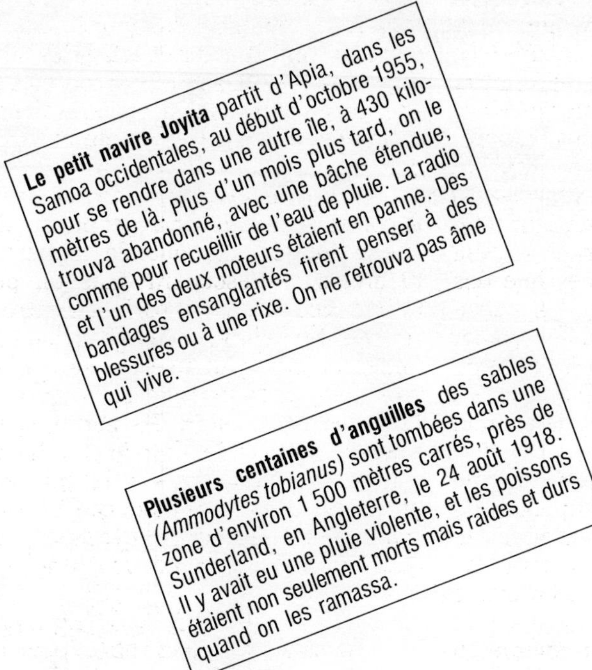

Le petit navire Joyita partit d'Apia, dans les Samoa occidentales, au début d'octobre 1955, pour se rendre dans une autre île, à 430 kilomètres de là. Plus d'un mois plus tard, on le trouva abandonné, avec une bâche étendue, comme pour recueillir de l'eau de pluie. La radio et l'un des deux moteurs étaient en panne. Des bandages ensanglantés firent penser à des blessures ou à une rixe. On ne retrouva pas âme qui vive.

Plusieurs centaines d'anguilles des sables (*Ammodytes tobianus*) sont tombées dans une zone d'environ 1 500 mètres carrés, près de Sunderland, en Angleterre, le 24 août 1918. Il y avait eu une pluie violente, et les poissons étaient non seulement morts mais raides et durs quand on les ramassa.

Un vendredi 13, en 1946, une sage-femme de Georgie fut appelée pour la venue au monde de trois petites filles, dans la région du marais d'Okefenokee. Méchamment, elle jeta un sort aux trois nouveau-nées. Elle prédit que la première mourrait avant ses seize ans ; la deuxième, avant ses vingt et un ans, et la troisième, avant son vingt-troisième anniversaire. Les deux premières prédictions se réalisèrent par mort violente : une des jeunes filles, à quinze ans, succomba dans un accident de voiture ; une autre fut tuée d'un coup de feu, au cours d'une rixe dans un cabaret de nuit, la veille de ses vingt et un ans. Deux années plus tard, en 1969, la troisième jeune fille demanda à être admise dans un hôpital de Baltimore. Au bord de l'hystérie, elle affirma avoir été condamnée à mourir avant son vingt-troisième anniversaire, à trois jours de là. Elle ne présentait aucun trouble physiologique, mais on la mit en observation.

Le lendemain matin, deux jours avant la date fatale, on la trouva morte dans son lit, apparemment victime de sa croyance en la puissance du maléfice de la sage-femme.

À cinq heures, un matin de 1979, Helen Tillotson fut réveillée dans son appartement de Philadelphie par des coups impatients frappés à sa porte et par la voix de sa mère : « Helen, tu es là ? Ouvre-moi ! ».

Elle ouvrit la porte, et sa mère, qui habitait juste en face, lui demanda pourquoi elle était venue frapper à sa porte quelques instants plus tôt. Helen assura qu'elle s'était couchée la veille au soir à onze heures et venait de se réveiller. « Mais je t'ai vue ! Je t'ai parlé ! » s'écria Mrs. Tillotson, et elle ajouta qu'Helen lui avait demandé de la suivre chez elle, sans lui poser de questions.

À cet instant retentit l'explosion. Une fuite de gaz avait causé une déflagration dans l'immeuble de Mrs. Tillotson, dont l'appartement subit de graves dégâts. « Si elle avait dormi à ce moment-là, je doute qu'elle en eût réchappé », dit plus tard le capitaine des pompiers.

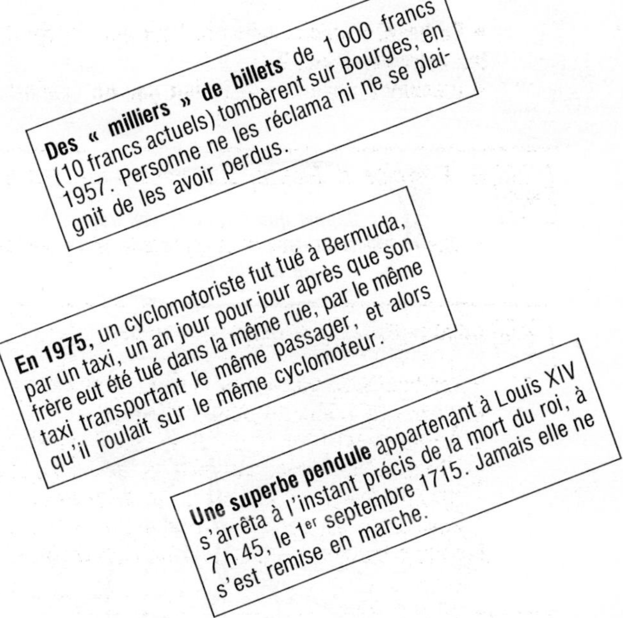

Des « milliers » de billets de 1 000 francs (10 francs actuels) tombèrent sur Bourges, en 1957. Personne ne les réclama ni ne se plaignit de les avoir perdus.

En 1975, un cyclomotoriste fut tué à Bermuda, par un taxi, un an jour pour jour après que son frère eut été tué dans la même rue, par le même taxi transportant le même passager, et alors qu'il roulait sur le même cyclomoteur.

Une superbe pendule appartenant à Louis XIV s'arrêta à l'instant précis de la mort du roi, à 7 h 45, le 1er septembre 1715. Jamais elle ne s'est remise en marche.

Le Grand Livre du mystérieux, Sélection du Reader's Digest 1985.

- **Donnez un titre à chacun de ces récits.**
- **Vous êtes journaliste à la radio et vous devez présenter ces événements aux informations.**

Vous n'êtes pas absolument sûr(e) de la vérité de ces nouvelles. Comment les relateriez-vous ?

- Connaissez-vous d'autres phénomènes étranges (monstres, fantômes, apparitions, coïncidences, don d'ubiquité, prédictions, influence à distance, actes physiquement ou physiologiquement impossibles) ? **Racontez-les sous forme de brefs articles.**

LA FRANCE MYSTÉRIEUSE

Lieux étranges

Dans les Alpes du Sud, au nord de Nice se trouve une vallée sauvage et difficilement pénétrable appelée « la vallée des Merveilles ». Sur les parois rocheuses des montagnes, on a recensé des dizaines de milliers de signes étranges et indéchiffrables. Personne n'a pu jusqu'à présent découvrir la signification de ces formes stylisées et géométriques. S'agit-il d'une écriture archaïque, des signes d'une religion primitive ou bien de l'image d'un cadastre avec la représentation des routes et des parcelles cultivées ? Le mystère reste entier.

- Il y aurait en France 40 000 voyants et 30 000 sorciers.
- 66 % des Français croient à l'astrologie. 5 % se rendent chez un astrologue une fois par an.
- Chaque année le diocèse de Paris reçoit plus de 1 000 demandes d'exorcisme.
- Le best-seller de l'année 1988 a été un ouvrage traitant de médecine naturelle (vendu à trois millions d'exemplaires).
- Le nombre de visiteurs du salon de la parapsychologie a triplé entre 1986 et 1988.

Signes dans la vallée des Merveilles.

Superstitions

- Pour conjurer le mauvais sort on **touche du bois.** On peut aussi **croiser les doigts.**
- **Passer sous une échelle** porte malheur.
- **Le vendredi 13** porte malheur ou bonheur selon les personnes.
- Quand on **renverse une salière,** il faut jeter trois pincées de sel par-dessus son épaule gauche.
- À table on ne doit pas **croiser la fourchette et le couteau.**
- **Se lever du pied gauche** est de mauvaise augure. De quelqu'un qui est de mauvaise humeur le matin on dira : « Il s'est levé du pied gauche. »
- **Ne jamais dire « bonne chance »** à quelqu'un, surtout s'il va subir une épreuve importante (examen, rencontre, etc.). Dire « je ne te souhaite rien ». Les plus grossiers diront « merde ! ». Par euphémisme on dit aussi « les cinq lettres ».

Radiesthésistes, guérisseurs, et magnétiseurs. ***Ils sont nombreux à la ville comme dans les campagnes. Par exemple, le père Guillon qui guérit les hommes et les animaux dans le Berry.***

Le père Guillon a aussi traité les bêtes de Maurice[1]. Une fois, cinq vaches ont été atteintes du « mal blanc ». C'est un champignon purulent qui pousse entre les sabots et finit par manger la jambe. Le père Guillon vient à deux reprises dans le pré. Il repère les bêtes malades, prend de l'herbe et des mottes de terre, et fait plusieurs fois le tour de chacune d'entre elles et de l'ensemble du troupeau en récitant des formules à voix basse. Elles ont guéri très vite.

« Ça lui avait demandé un gros effort, se souvient Olga. Il suait des gouttes grosses comme des petits pois. »

Parfois, il n'y est pas arrivé. Il tombait sur quelqu'un qui avait « plus de fluide » que lui. Dans ce cas, le traitement est impossible.

Chacun a son ou ses secrets. L'un ne soigne qu'à la pleine lune. L'autre fait sécher du houx sous son oreiller quand il a des dartres. « Elles sèchent à la vitesse de la plante » dit-il. Le Berry est un pays de secrets, de choses vécues, entretenues, mais incompréhensibles. Pourquoi faudrait-il qu'une chèvre qui n'a plus de lait aille marcher dans la rosée le matin au 1er mai, pour être traitée sur une taupinière? Et pourquoi un marron dans la poche guérirait-il les rhumatismes? La plupart disent : « C'est ainsi. » Et certains, parmi les plus jeunes, assurent que « si ça ne fait pas du bien, ça ne peut pas faire de mal ».

Philippe Lançon,
L'Événement du Jeudi, 26 octobre 1989.

(1) *un éleveur berrichon.*

La cartomancienne (1800).

8. Les sens du conditionnel. Qu'exprime le conditionnel dans les phrases suivantes?

regret
hypothèse
conseil
demande polie
souhait
affirmation non vérifiée
futur dans le passé

a. « Ah, si j'avais pu vivre au 18e siècle! »
b. « Pourriez-vous me passer le sel, s'il vous plaît? »
c. « D'après certains, le 8 mai ne serait plus un jour férié à partir de l'année prochaine. »
d. « Elle m'a affirmé qu'elle quitterait Paris le mois prochain. »
e. « Au cas où tu passerais dans la région, viens me voir! »
f. « Si j'étais toi, je n'irais pas à ce rendez-vous. »

9. *La forme passive. Construisez une phrase passive à partir de chacune des indications suivantes.*

a. Interdiction de se baigner.
b. Hospitalisation d'urgence de Jean Brun.
c. Découverte d'un traitement contre le vieillissement.
d. Dans 15 ans, épuisement des réserves de pétrole.
e. Stendhal : auteur de *Le Rouge et le Noir* (1830).
f. *Le Maître d'école :* tableau de Magritte.
g. 202 avant J.-C. : les Romains vainqueurs d'Hannibal.

10. Construction* faire *(ou* se faire*) + infinitif. Utilisez ces constructions pour rédiger une suite aux phrases suivantes.

***Exemple :* Michel a une dent cariée...** Il faudrait qu'il aille chez le dentiste pour la **faire soigner** et puisque c'est une dent de sagesse, il devrait **se la faire arracher.**

- Nous devons sortir ce soir et nous ne pouvons pas laisser notre fils de cinq ans seul à la maison . . . .
- J'ai une voiture en très mauvais état mais pour le moment, je n'ai pas l'intention d'en acheter une autre. Alors . . . .
- Ton fils n'a pas de bons résultats en classe. Si tu veux qu'il rattrape le niveau des autres élèves tu devrais . . . .
- Une intervention de chirurgie esthétique, un passage chez un coiffeur-visagiste, un arrêt chez un tailleur avaient complètement modifié l'apparence de Tony Bertolini. Il était méconnaissable . . . .

11. Exercice d'écoute. Trois personnes racontent un moment de peur.

Complétez le tableau	Peggy	Frédéric	Agnès
Sensations et perceptions qui provoquent la peur	....	....	....
Réactions physiques à la peur	....	....	....
Causes imaginaires de la peur	....	....	....
Causes réelles	....	....	....

12. La forme pronominale à sens passif.

a. Reformulez comme dans l'exemple :
- On traduit de nombreux livres en français → De nombreux livres se traduisent en français.
- On ne peut pas expliquer ce phénomène.
- On doit exécuter les instructions dans l'ordre précis.
- Il faut écouter ce disque les yeux fermés.
- Il faut boire le champagne frappé.
- On comprend mal les échecs de cet ancien champion.

b. Rédigez (sous forme de phrases comportant des verbes à la forme pronominale) les notations suivantes extraites du script d'un film d'épouvante.
Fermeture d'une porte – ouverture violente d'une fenêtre – déchirure du rideau de la fenêtre – perception nette de coups sourds frappés sur le plafond – vision d'une forme étrange dans l'encadrement de la fenêtre – crevasses dans les murs – zoom de la caméra sur la fenêtre.
« Tout à coup une porte se ferme... »

13. *Un ami vous écrit la lettre suivante. Répondez-lui en lui donnant des conseils.*

« Si j'étais toi... À ta place... Moi, je lui dirais... »

Je traverse une mauvaise période. Tout va mal. D'abord, je suis épuisé. Je n'ai plus aucune énergie. Le matin, au lever, j'ai toujours mal au dos et ces douleurs me reprennent quelquefois au bureau quand je reste assis trop longtemps.

Par-dessus le marché, j'ai l'impression que Nathalie n'est plus la même. Je ne sais pas ce qu'elle a. Quand je rentre le soir on dirait qu'elle me boude. Mais je suis trop crevé pour réagir.

On n'a toujours pas pris de décision concernant Thierry. Doit-on le changer d'école? Visiblement, là où il est, il ne fait rien. Ses professeurs l'ont menacé de le faire redoubler encore un an s'il n'y avait pas d'amélioration...

À travers la littérature... LE FANTASTIQUE

Dans sa nouvelle fantastique intitulée *Le Horla,* Guy de Maupassant (1850-1893) évoque les angoisses d'un homme qui devient progressivement l'esclave d'une présence invisible. Une carafe pleine le soir est vide le matin. Les pages d'un livre ouvert sur la table tournent toutes seules. Doit-il croire à sa propre folie, à ses propres hallucinations? Doit-il croire à l'existence d'un être réel, transparent et insaisissable?

Au début du passage suivant, le narrateur est seul dans sa chambre. Il guette la présence invisible.

Et je le guettais avec tous mes organes surexcités.

J'avais allumé mes deux lampes et les huit bougies de ma cheminée, comme si j'eusse pu, dans cette clarté, le découvrir.

En face de moi, mon lit, un vieux lit de chêne à colonnes; à droite, ma cheminée; à gauche, ma porte fermée avec soin, après l'avoir laissée longtemps ouverte, afin de l'attirer; derrière moi, une très haute armoire à glace, qui me servait chaque jour pour me raser, pour m'habiller, et où j'avais coutume de me regarder, de la tête aux pieds, chaque fois que je passais devant.

Donc, je faisais semblant d'écrire, pour le tromper, car il m'épiait lui aussi; et soudain, je sentis, je fus certain qu'il lisait par-dessus mon épaule, qu'il était là, frôlant mon oreille.

Je me dressai, les mains tendues, en me tournant si vite que je faillis tomber. Eh bien?... on y voyait comme en plein jour, et je ne me vis pas dans ma glace!... Elle était vide, claire, profonde, pleine de lumière! Mon image n'était pas dedans... et j'étais en face, moi! Je voyais le grand verre limpide du haut en bas. Et je regardais cela avec des yeux affolés; et je n'osais plus avancer, je n'osais plus faire un mouvement, sentant bien pourtant qu'il était là, mais qu'il m'échapperait encore, lui dont le corps imperceptible avait dévoré mon reflet.

Comme j'eus peur! Puis voilà que tout à coup je commençai à m'apercevoir dans une brume, au fond du miroir, dans une brume comme à travers une nappe d'eau; et il me semblait que cette eau glissait de gauche à droite, lentement, rendant plus précise mon image, de seconde en seconde. C'était comme la fin d'une éclipse. Ce qui me cachait ne paraissait point posséder de contours nettement arrêtés, mais une sorte de transparence opaque, s'éclaircissant peu à peu.

Je pus enfin me distinguer complètement, ainsi que je le fais chaque jour en me regardant.

Je l'avais vu! L'épouvante m'en est restée, qui me fait encore frissonner.

- **Dessinez à grands traits le décor de la pièce où se trouve le narrateur.**
- **Recherchez les mots en rapport avec l'idée de vue.**
- **Recherchez les mots et expressions qui indiquent la peur.**
- **Imaginez la suite de l'histoire.**

BILAN

■ 1. Subjonctif ou indicatif? Mettez les verbes à la forme qui convient.

Dialogue entre deux responsables de l'Institut de la Recherche scientifique.
– Nous avons engagé le docteur Rémy. C'est le seul qui **(être)** suffisamment compétent. Je crois que ses travaux en biologie **(faire)** bientôt autorité.
– J'espère qu'il **(s'entendre)** bien avec Pasquier et Reynaud. Pourvu qu'ils **(être)** coopératifs.
– Je ne crois pas que Pasquier et Reynaud **(pouvoir)** faire quoi que ce soit contre Rémy. Ils se font une trop haute idée de leur profession. Non, je ne crains pas qu'ils **(faire)** quelque chose contre l'intérêt du service.
– Souhaitons que tout **(aller)** bien.
– Je suis persuadé que tout **(aller)** bien et je suis content que nous **(faire)** ce choix.

■ 2. Les propositions relatives. Continuez ces débuts de phrases en y intégrant les éléments entre parenthèses.

- **Jacques est une personne** . . . . (Je m'entends bien avec Jacques. Je peux compter sur lui.)
- **L'Italie est un pays** . . . . . (Sylvie est très attachée à l'Italie. Elle en parle constamment.)
- **Didier a écrit un recueil de poèmes** . . . . . (Il offre ce recueil à tous ses amis. Il en est très fier.)
- **Elle continuera ses recherches avec Patrick** . . . . (Patrick l'a toujours aidée. Elle lui fait confiance.)

■ 3. Les pronoms interrogatifs. Posez une question pour demander des précisions (utilisez un pronom interrogatif).

- Je pense à quelqu'un → **À qui pensez-vous?**
- Il a besoin de quelque chose → . . . . . . ?
- Je vais acheter l'un de ces pulls → . . . . . . ?
- Il votera pour l'un de ces deux candidats → . . . . . . ?
- Elle parle de ses cousins → . . . . . . ?
- J'écris à des amis → . . . . . . ?
- Elle s'intéresse à beaucoup de choses → . . . . . . ?
- Elle est fascinée par un tableau de Van Gogh → . . . . . . ?
- Je pars en voyage avec une de mes amies → . . . . . . ?

■ 4. La vision passive. À partir de chacune des indications ci-dessus, rédigez une phrase en utilisant la forme indiquée entre parenthèses (forme passive ou forme pronominale du verbe).

Exemple : **Vente de salades à l'unité → forme passive : les salades sont vendues à l'unité.**
→ forme pronominale : les salades se vendent à l'unité.

- Portes ouvertes à 8 h. **(forme pronominale)**
- Renforcement de la législation sur les vins de qualité. **(forme passive)**
- Composition du comité : 20 membres. **(forme pronominale)**
- Attachement des Français à la lecture d'un quotidien. **(forme passive)**
- Préparation du cassoulet : haricots, saucisses, confit de canard. **(forme pronominale)**
- Hier à l'Assemblée, vote de la loi sur l'immigration. **(forme passive)**

■ 5. Les sens du conditionnel. Cherchez dans la liste le sens de l'emploi du conditionnel.

- Il m'a téléphoné pour me dire qu'il serait en retard.
- Elle serait partie sans me le dire! Je ne peux pas le croire.
- Voudriez-vous m'aider, s'il vous plaît?
- Le gouvernement aurait décidé une augmentation du traitement des fonctionnaires à partir du 1er mars.
- À ta place, j'écouterais ce que dit Philippe.
- J'aimerais que vous soyez plus prudent.

affirmation non vérifiée
souhait
hypothèse
conseil
demande polie
futur

■ *6. Faire ou se faire + infinitif. Répondez en utilisant (se) faire et le verbe entre parenthèses.*

Que doivent-ils faire ?

- La voiture de Michel est en panne. Il ..... **(réparer).**
- Les cheveux d'Annie sont trop longs. Elle ..... **(couper).**
- Les murs du salon sont sales. On ..... **(repeindre).**
- Françoise n'arrive pas à faire son travail. Elle ..... **(aider).**

Que va-t-il leur arriver ?

- Le petit Sébastien (6 ans) a été désagréable. Il ..... **(gronder).**
- Il a oublié son portefeuille dans une cabine téléphonique. Il ..... **(voler).**
- Émilie a brûlé un feu rouge à 120 km/h. Elle ..... **(retirer son permis).**
- Jacques nous propose de nous ramener chez nous avec sa voiture. Nous ..... **(ramener).**

■ *7. L'expression des sentiments. Rédigez.*

- **Le prisonnier dans sa cellule.**

- **Le journaliste responsable de la rubrique « spectacles ».**

■ *8. Fréquence et répétition de l'action.*

- **Imaginez comment il vit et quelles sont ses habitudes.**

■ *9. Expression de l'hypothèse.*

- **Ils entendent des bruits mystérieux. Imaginez leur dialogue.**

■ *10. Test culturel.*

1. À quelle époque le français est-il devenu langue officielle en France?
2. Citez cinq régions où une partie de la population souhaite préserver l'usage de sa langue régionale.
3. Citez quatre pays où le français est langue officielle.
4. Pourquoi le français est-il parlé dans de nombreux pays africains?
5. Quelles sont par ordre d'importance, les langues à partir desquelles la langue française s'est constituée?
6. Citez trois femmes françaises écrivains.
7. Citez cinq attitudes superstitieuses.
8. Citez cinq grandes réalisations technologiques européennes.
9. Dans quelle pièce Molière présente-t-il un personnage qui déteste la société?
10. Guy de Maupassant a excellé dans un genre littéraire peu répandu dans la littérature française. Lequel?

PASSIONS

LEÇON 1 - LES FOUS DE L'EXTRÊME -

LEÇON 2 - CINÉMA PASSION -

LEÇON 3 - LES FABRICANTS DE RÊVES -

LEÇON 4 - LES PASSIONNÉS DE LA NATURE -

GRAMMAIRE

Les relations logiques (cause - but - conséquence - condition - moyen - opposition) – La négation – Les constructions comparatives.

COMMUNICATION

Exprimer son opinion – Conseiller, déconseiller, proposer, suggérer – Convaincre – Comparer – Enchaîner des idées.

VOCABULAIRE

L'aventure et l'exploit – Le cinéma – Le mode et la publicité – La nature, le relief, les animaux, la pollution – L'intelligence et la folie – Classer et ordonner.

CIVILISATION

Les Français et le sport – Le cinéma français – Modes et publicité – La protection de la nature.

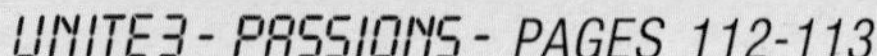

LEÇON 1 LES FOUS DE L'EXTRÊME

LES NOUVEAUX AVENTURIERS

Course Paris-Dakar, escalade des trois faces Nord des Alpes en solitaire et en temps limité, traversée du Groenland sans chiens de traîneaux. Qu'est-ce qui les fait courir, ces casse-cou? Quel but veulent-ils atteindre? Qu'est-ce qui motive leurs actes téméraires?

Certainement pas l'aventure au sens classique du terme. Celle-ci est bel et bien révolue car les endroits les plus perdus du monde sont maintenant décrits et cartographiés. Mais le besoin d'inconnu reste intact, d'autant que l'environnement quotidien a banalisé l'exotisme. Le masque Baoulé qu'on trouve au supermarché, le documentaire sur l'Amazonie qu'on peut voir à la télé n'ont pas éteint notre soif de conquête. Alors, puisqu'il n'y a plus de nouvelles terres à découvrir et comme les tribus primitives finissent par nous ressembler, il faut bien trouver d'autres domaines d'exploration.

« *J'ai fait cela afin de connaître mes propres limites* » affirme Jean-Louis, qui vient de passer deux mois dans la jungle péruvienne et Alain, organisateur de sauts vertigineux dans le vide au bout d'un élastique, confirme :

« *Ils hésitent mais ils sautent pour pouvoir se sentir fiers d'eux-mêmes. On a si peu l'occasion d'éprouver ce sentiment aujourd'hui.* »

Au fond, ce goût du risque, ce besoin de prouesses résultent peut-être du désir de se prouver à soi-même qu'en cette fin de 20e siècle pantouflard, on peut encore être un héros.

Les Sources, le 20 août

Chère Sylvie,

Les vacances s'achèvent. J'ai presque envie de dire « heureusement ». Je ne sais pas où j'irai assouvir ma passion de la montagne l'année prochaine, mais en tout cas pas ici. Je ne peux plus sentir ce coin. Je suis littéralement « sourçophobe ».

Imagine que tu grimpes tranquillement un petit sentier qui escalade une pente escarpée. Tout est calme. Tu te sens bien. Tu respires à fond l'air pur des cimes. Tout à coup, voilà que déboule sur des vélos tous terrains (il faut dire « moutain bike » si tu veux paraître branchée) une horde de brutes qui pousse des cris de sauvages. Tu te dépêches d'atteindre le sommet. Tu te dis : « Plus aucun risque au-delà de l'arrivée du téléphérique car ces soi-disant sportifs ne font jamais la montée à vélo. » Enfin, c'est la solitude, le grand vent qui te fouette le visage, la vue à l'infini sur les glaciers. Soudain, une ombre gigantesque t'enveloppe. C'est un ptérodactyle de l'ère secondaire en tenue fluorescente qui pousse lui aussi un hurlement car il t'a repérée. Tu reconnais ton voisin de l'hôtel qui fait du deltaplane…

Point de salut sur les hauteurs! Descendons dans la vallée. Tu te trouves une gorge profonde, aux parois trop rapprochées pour les Icares et trop abruptes pour les cyclistes, au fond de laquelle coule un torrent, trop tumultueux pour les baigneurs. Le grondement de l'eau est infernal. Adieu le calme! Mais, au moins, tu as la nature pour toi. Tu te trompes! Car, des rapides bouillonnants, surgit un monstre du Loch Ness, lui aussi fluorescent. Il porte une combinaison de plongée, un casque de motocycliste, s'agrippe à une plaque flottante et se laisse emporter par le courant. Quand il ne rejette pas de l'eau comme un cétacé, il émet des hurlements que l'écho des parois de la gorge amplifie d'une manière terrifiante.

Je m'arrête là, mais ce n'est pas tout. Car il y a ceux qui descendent les vertes prairies en planche à roulettes, ceux qui atterrissent sur les pics en parachute…

GRAMMAIRE ET VOCABULAIRE

■ L'EXPRESSION DE LA CAUSE

• Demander la cause

Pourquoi / **Pour quelle(s) raison(s)** } est-il apprécié ?

Comment se fait-il qu'il soit apprécié ?

• La cause est exprimée par une proposition

→ **car** — **la cause se place après la conséquence**
Il ne viendra pas car il est malade.

→ **comme...** — **la cause se place avant la conséquence**
Comme il s'est entraîné, il doit faire un bon résultat.

→ **parce que**
étant donné que...
vu que ...
du moment que...
puisque...
} **la cause se place avant ou après la conséquence**
Puisqu'elle est arrivée première, elle a gagné la coupe.
Elle a gagné la coupe puisqu'elle est arrivée première.

• La cause est exprimée par un nom

C'est... **pour** ses exploits
en raison de son courage
à cause de... du fait de...
grâce à... à la suite de...
à force de... faute de...

• Effet de constraste
d'autant (plus) que... — Elle doit gagner. D'autant qu'elle s'est beaucoup entraînée.

• causer – provoquer – produire – permettre (de)
engendrer – créer – déclencher
amener – donner naissance à – faire naître
rendre + adjectif – **donner** + nom
faire + verbe.

• résulter (de) – venir (de) – être causé (par)
découler (de) – être à l'origine (de).

• la cause – l'origine – le point de départ – la source – le fondement – la raison – le motif – la motivation – le mobile – le prétexte.

La chaleur me rend apathique.
Elle me fait transpirer.
Elle me donne soif.
Elle fait naître en moi
l'envie de dormir.

■ L'EXPRESSION DU BUT

• un but – un objectif (viser... tendre vers... atteindre un but)
une fin – une finalité – un objet (avoir pour objet...) – une intention – un dessein.

• pour
afin de
dans le but de
de façon à
en vue de
} + infinitif

pour que... afin que... de façon que...
de sorte que... de manière que...
de crainte que... de peur que
} + subjonctif.

■ LES GOÛTS ET LES PRÉFÉRENCES

• Aimer – apprécier
aimer bien – trouver beau, intéressant
avoir du goût pour... trouver du plaisir à...
prendre plaisir à... se plaire à...
s'extasier (sur...) s'enthousiasmer (pour...)
adorer – être fou de...

• Préférer
mettre au premier rang, en première place
faire passer avant
privilégier – favoriser (un favori).

→ **suffixes :**
-phile : francophile – bibliophile
-mane : mélomane
-phobe : xénophobe.

• Ne pas aimer
détester – haïr – abominer – exécrer – éprouver du dégoût, de l'aversion, de la répulsion – Je ne peux pas le voir (le sentir) (fam.).

■ LE RELIEF

- une montagne – un mont – une chaîne de montagnes

un sommet – une cime – un pic – une crête
une hauteur – une colline – une pente
un glacier – une crevasse – une avalanche.

- une vallée – une gorge – un défilé – un col – un ravin – un précipice – un abîme – une falaise – un gouffre – une grotte – une caverne.

- une source – un ruisseau – un torrent

une cascade – une chute d'eau
un fleuve – une rivière – un affluent
le cours – le courant
un bassin – un estuaire
un lac – un étang – un marais – un marécage.

- montagneux – accidenté – rocheux – raide – escarpé – à pic – profond.

- se dresser – s'élever – s'étendre – couvrir – border – se profiler – se détacher (sur).

- couler/stagner – se déverser... – déborder – jaillir – ruisseler – tourbillonner – bouillonner.

Ô lac! rochers muets! grottes! forêt obscure!

■ L'EXPLOIT ET L'AVENTURE

- **Facilité et difficulté**

→ C'est facile/difficile – aisé/malaisé
Ce n'est rien à faire/c'est dur
Ça ne présente aucune difficulté.
→ être en difficulté
avoir du mal (de la peine) à...
peiner.

- **Essayer (de)/ne pas essayer (de)**

→ tenter (de) – s'efforcer de...
faire l'effort de... prendre la peine de...
→ éviter (de) – se défiler
il ne s'est pas donné la peine de...
il n'a pas cherché à...

- **Réussir (à)**

parvenir (à) – arriver (à)
mener à bien
Il s'en est bien sorti.
un succès – une performance
un exploit – une prouesse
une victoire.

- **Échouer**

rater
manquer son coup
buter contre un obstacle
L'affaire a mal tourné.
un échec – un bide (fam.).

- **Faillir – manquer**

Elle a failli tomber.
Elle a manqué réussir.
Pour un peu, elle réussissait.
Un peu plus, il tombait.
Encore un peu et il tombait.

- **Défier**

un défi – lancer un défi – provoquer quelqu'un
risquer sa vie – un risque – se dépasser – se surpasser.

- **Le courage**

→ être énergique (l'énergie) – plein d'entrain – brave (la bravoure) – héroïque (l'héroïsme)
hardi (la hardiesse) – téméraire (la témérité) – intrépide (l'intrépidité)
avoir du cran – un casse-cou
→ être faible (la faiblesse) – craintif – timoré – timide (la timidité) – lâche (la lâcheté)
manquer de courage – perdre courage – flancher – se dégonfler (fam.).

■ LA MAIN ET L'OBJET

- prendre – saisir – empoigner – serrer – s'agripper – s'accrocher – se cramponner
- toucher – effleurer – frôler
- tâter – caresser – palper
- frapper – cogner – heurter

gifler – applaudir

- se frotter les mains
- applaudir.

- arracher – extraire

retirer – décrocher

Nous lui avons donné un coup de main.
Tout le monde a mis la main à la pâte.
Maintenant, il a la situation bien en main.
Il va pouvoir remettre le travail en mains propres au directeur.
Après, il aura les mains libres.

LEÇON 1 ACTIVITÉS

Découverte de l'article : « Les nouveaux aventuriers »

- **Faites la liste des différentes activités mentionnées dans l'article.**
- **Relevez :**

a. les expressions et les verbes qui indiquent la cause ;
b. les expressions qui indiquent le but.

- **Quelles sont les raisons de l'engouement actuel pour l'aventure ? Pouvez-vous donner d'autres raisons que celles qui sont développées dans l'article ?**

Mécanismes A

- **À cause de la chaleur, il a soif.**
  – La chaleur lui donne soif.
- **À cause de sa grippe, elle a des frissons.**
  – Sa grippe lui donne des frissons.
- **Il claque des dents à cause du froid.**
  – Le froid le fait claquer des dents.
- **Nous sommes rentrés à cause du mauvais temps.**
  – Le mauvais temps nous a fait rentrer.

1. L'expression de la cause. Reconstruisez les phrases en utilisant les verbes donner, faire *ou* rendre.

Exemple : **J'ai fait une longue promenade. Maintenant, j'ai faim.**
→ J'ai fait une longue promenade. Ça m'a donné faim.
(ou) **La promenade que j'ai faite m'a donné faim.**

- À l'âge de 7 ans, Brigitte a assisté à un concert de musique classique. Elle a eu envie de faire de la musique.
- Jacques nous a raconté des histoires drôles. Nous avons beaucoup ri.
- Son mari est parti en voyage. Elle est triste.
- La conférence était ennuyeuse. Je me suis endormi.
- C'est grâce à sa chanson « Les Corons » que Pierre Bachelet est devenu célèbre.
- C'est parce qu'il est allé à la piscine que Sébastien a eu des démangeaisons.

2. Complétez avec une expression de cause (voir p. 114).

- La récolte a été mauvaise ... la sécheresse.
- Michèle a été sélectionnée pour le poste de directrice ... sa grande expérience.
- Il a pu éviter l'accident ... il avait de bons freins.
- ... c'est ton anniversaire aujourd'hui, nous allons dîner au restaurant.
- Il a obtenu le prix Nobel ... ses travaux en biologie moléculaire.
- ... le train a une heure de retard, allons prendre un café !

3. Exercice d'écoute. Un représentant du ministère de la Jeunesse et des Sports présente quatre projets.

Relevez les informations nécessaires pour compléter le tableau.

État de la situation	Causes de cette situation	Projet proposé	Objectifs
....	....	....	....

4. Ces personnes accomplissent des actes exceptionnels.

Imaginez ce qu'ils font et ce qui les motive.

Sœur Emmanuelle passe sa vie avec les pauvres du monde.

Djamel Balhi, 24 ans. Il a effectué le tour de la planète en petites foulées à raison de 60 à 80 km par jour.

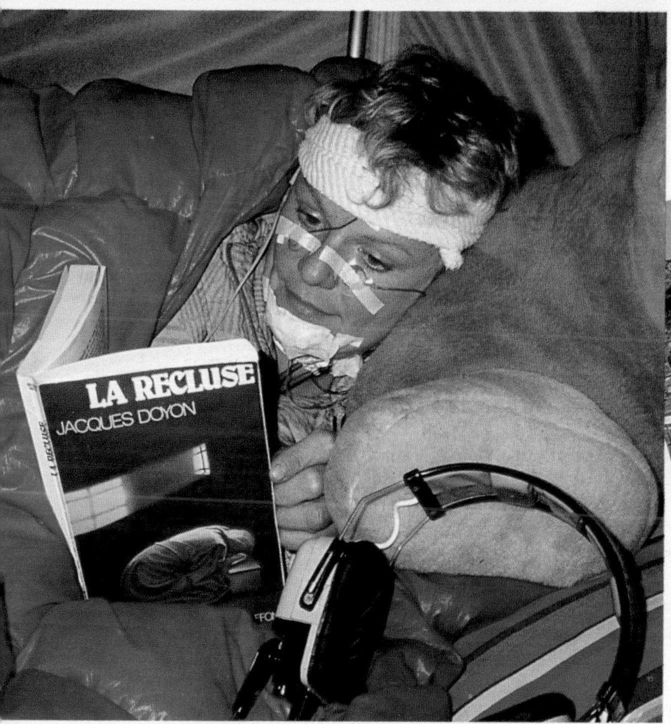

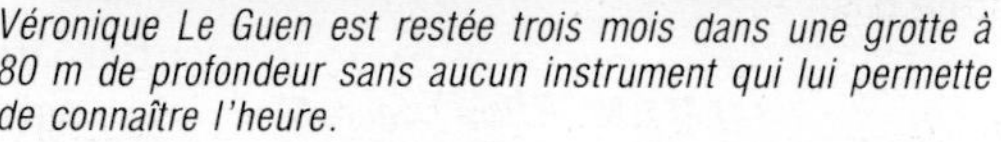

Véronique Le Guen est restée trois mois dans une grotte à 80 m de profondeur sans aucun instrument qui lui permette de connaître l'heure.

Un cascadeur.

• Connaissez-vous d'autres personnes qui ont accompli des choses exceptionnelles ? Donnez les raisons et les buts de leurs actions.

5. L'aventure. Comparez ces deux conceptions de l'aventure.

- **Quelle est votre conception personnelle de l'aventure?**
- **Élaborez en groupe un projet commun d'aventure.**

À 20 ans, Anne-Sophie Tiberghien a quitté le confort de la haute bourgeoisie du Nord à laquelle elle appartenait. Avec sa fille Samantha dans un couffin, elle est partie non pas à l'aventure, mais à la recherche de la grande famille des hommes et des femmes du monde. Elle voulait savoir ce qui se passe dans le cœur des autres. Elle a vécu avec les hippies à Londres, avec les Gitans, avec les Indiens « Cree » au Canada. Elle s'est installée chez les Indiens « Yanomami » dans la forêt amazonienne, où elle faillit mourir d'une flèche empoisonnée. Plus récemment elle a partagé la vie des Tziganes de la Turquie à la Grèce en passant par la Pologne et la Tchécoslovaquie; elle en a tiré un très beau film : « Sur la trace des Tziganes par les chemins de Byzance. »

« Ma vie est faite de voyages, d'imprévus, de spontanéité. Ces mots-là correspondent à la définition que je me fais de l'aventure, ils forment ma devise.
L'aventure, c'est ma vie. Laisser entièrement la place à la liberté, à mes impulsions.
Ma passion est de vivre, seule blanche avec ma petite fille, dans des civilisations qui sont radicalement opposées au point de vue culture, logement, nourriture, habillement. Ils parlent une langue que je ne connais absolument pas et que je finis par maîtriser au bout de quelques semaines.
Les risques ne sont pas plus nombreux dans l'aventure que dans la vie quotidienne.
Si je prends par exemple ma vie dans une tribu du bout du monde, je peux mourir de flèches empoisonnées lors de guerres intertribales, de paludisme, maladie principale qui décime les populations – ou même être sérieusement violée. C'est un mode de civilisation de ces peuples. Ces risques-là ne sont pas ceux que j'encourais en vivant en France avec par exemple les accidents de circulation.
Avant de partir je ne sais jamais quelle sera mon aventure. Je pars un beau matin sans idée préconçue, juste une vague idée que je garde secrète. Je suis fataliste.
À partir du moment où je choisis de vivre avec une civilisation, avec un peuple, je dois également en accepter les risques de mort. »

A.S. Tiberghien

Bernard Lamy a volé dans le monde entier sur toutes sortes d'avions. D'abord pilote de chasse, c'est aux commandes de son propre avion qu'il a sillonné le Moyen-Orient et l'Extrême-Orient pour (comme il dit) « vendre ses casseroles » : il était directeur des ventes chez Seb-Tefal. De cette vie, il a gardé le goût de l'aventure, et son expérience lui permet aujourd'hui d'organiser l'aventure pour les autres. Il a créé « Londres-Paris » en ULM[(1)], organisé « Courrier Sud » et la course « Paris-Pékin-Paris » en avion.

« L'aventure c'est la vie... c'est sentir son sang couler plus vite dans ses veines, c'est sortir de ses rails pour dépasser ses limites.
Cerner un risque, l'évaluer, le contourner, l'éviter après l'avoir reconnu, c'est la démarche de l'aventurier.
L'aventurier est le contraire d'un casse-cou. Repérer les obstacles pour ne pas trébucher, c'est aussi éviter la chute dont on peut ne pas se relever.
L'aventure c'est le piment de la vie.
La réussite qui donne confiance en soi implique toujours de prendre une part de risque dans ce que l'on entreprend.
Quand j'organise une course comme « Courrier Sud » je vis une aventure aussi intense que quand je participe moi-même comme simple concurrent.
En aviation, on dit souvent qu'il faut ne plus avoir de problèmes de machine, pour que l'esprit soit totalement libre. Pour le corps c'est la même chose et c'est pour cela que l'entraînement physique est indispensable quelle que soit l'aventure que l'on prépare.
L'aventure ne doit jamais être impromptue, on ne doit jamais se laisser entraîner, sans préparation, mais l'étude terminée il faut foncer!
Il y a une notion à laquelle je tiens tout particulièrement quand je pense aventure... c'est à l'amitié.
Je ne crois pas que l'aventure doive être spécifiquement personnelle, il me semble indispensable qu'elle soit partagée. Je considère que vivre l'aventure en groupe est le meilleur moyen d'en profiter complètement. »

Bernard Lamy

***(1) ULM** (Ultra Légers Motorisés) : engins volants très légers.*

Michel Leblanc, *Le Grand Livre de l'aventure 88,* © Éd. Carrère - Michel Lafon 1986.

6. *Développez les notes suivantes en utilisant une seule fois chaque verbe de la liste.*

a. De la cause à la conséquence (→)

amener
causer
créer
déclencher
entraîner
faire naître
permettre
provoquer

- Ouragan → graves dégâts dans l'île → sentiment de désespoir chez les habitants.
- Gestion informatisée de l'entreprise → gain de temps → compression de personnel.
- Conflit entre Rémi et son directeur → situation professionnelle insupportable → démission.
- Projet de loi sur l'école privée en 1984 → colère des écoles privées → le gouvernement revient sur ses positions.

b. De la conséquence à la cause (←)

découler
résulter
venir (de)

- Jalousie de Cécile ← comportement de James.
- Flambée de violence ← attitude rigide du gouvernement.
- Sa méfiance à l'égard de ses collègues ← ses nombreuses déceptions.

7. *Voici trois constatations. Recherchez les causes et variez les formulations.*

- Le nombre d'heures passées devant la télévision n'a cessé d'augmenter.
- Depuis 1945, la population des villes augmente et les campagnes se dépeuplent.
- Depuis une trentaine d'années on se plaint de la baisse du niveau scolaire.

LE SPORT EN FRANCE

Tendances

Après la grande vague du début des années quatre-vingts, l'engouement des Français pour le sport se manifeste différemment. Le sport-douleur cède la place au sport-plaisir et la dimension individuelle s'accentue. L'attrait pour la compétition et l'aventure sportive se manifeste surtout devant la télévision.

L'honnête homme du 17e siècle était celui qui avait réussi la synthèse des principales disciplines de l'esprit et du corps et qui, comme les femmes savantes de Molière, avait des « clartés de tout ». Tout en ne se « piquant de rien », comme le conseillait La Rochefoucault... Les choses avaient ensuite plutôt tourné à l'avantage de l'esprit. L'honnête homme de cette fin de 20e siècle est à la recherche d'un nouvel équilibre. La culture, au sens classique du terme, fait aujourd'hui bon ménage avec la culture physique.

Le début des années quatre-vingts aura été marqué, en France et dans la plupart des pays occidentaux, par la redécouverte du corps. Dans un désir, collectif et inconscient, de mieux supporter les agressions de la vie moderne par une meilleure résistance physique. Mais aussi parce que l'apparence est un atout important dans une société qui valorise la forme (y compris physique) autant que le fond. Parce qu'elle donne, enfin, l'agréable impression de l'immortalité...

La pratique des sports a beaucoup augmenté depuis le début des années quatre-vingts. 77 % des hommes et 71 % des femmes se livrent à une activité physique plus ou moins régulièrement.

Pour les Français, le sport est à la fois un moyen d'entretenir son corps et de se faire plaisir. Près d'un sur cinq est adhérent d'une association sportive, plus de 12 millions sont licenciés d'une fédération.

L'évolution dans les préférences et dans les pratiques est très significative des grands mouvements qui ont affecté la société depuis quelques années. Ce ne sont pas les disciplines traditionnelles (football, rugby, athlétisme) qui attirent le plus, mais celles qui procurent un plaisir plus individuel : planche à voile, alpinisme, parapente, tennis, gymnastique, etc.

G. Mermet, *Francoscopie 88,* © Larousse 1989.

- **Caractérisez l'attitude des Français en matière de sport** : au 17e siècle, au 19e, jusqu'en 1980, après 1980.
- **Y a-t-il eu une évolution semblable dans votre pays?**
- **Comment expliquez-vous cette évolution?**
- **Organisez un sondage dans votre groupe sur les goûts et les préférences en matière de sport** (sport-plaisir / sport-douleur – sport individuel / sport de groupe, etc.).

Jeannie Longo.

Le Tour de France

Le Tour de France a été jusqu'à la fin des années 60 une des compétitions sportives les plus populaires de France. Elle a eu ses héros (Bobet, Anquetil, Merckx, Hinault). Aujourd'hui, si on se déplace encore pour voir « passer le Tour de France », son audience à la télévision arrive loin derrière celle que recueillent les grands matchs de football et de rugby ou les finales de tennis et de patinage artistique.
Pourtant, la sportive française la plus célèbre en 1989 était Jeannie Longo (3 fois vainqueur du Tour de France dames, 12 records mondiaux).

**• Si les femmes sont aussi célèbres que les hommes dans certains sports (athlétisme, ski, tennis), on les voit peu, en revanche, dans certaines disciplines (football, boxe, etc.).
Pour quelles raisons ?**

Professionnalisme ou amateurisme

Horaire hebdomadaire des disciplines sportives dans les écoles françaises (enseignement primaire : 5 h – collèges : 3 h – lycées : 2 h).
C'est seulement dans les années 80 que des sections sport-études ont été ouvertes dans certains collèges et lycées de France. Elles accueillent des élèves qui ont déjà un bon niveau sportif et leur offrent des horaires aménagés pour qu'ils puissent suivre un entraînement intensif.

• Le système éducatif développe-t-il suffisamment le goût et la pratique des sports ?
• L'État doit-il prendre en charge la formation des sportifs de haut niveau ?

*Yannick Noah
a remporté le tournoi international de Roland-Garros en*

*Alain Prost
champion du monde automobile 1985, 1986 et 1989.*

LE RELIEF DE LA FRANCE

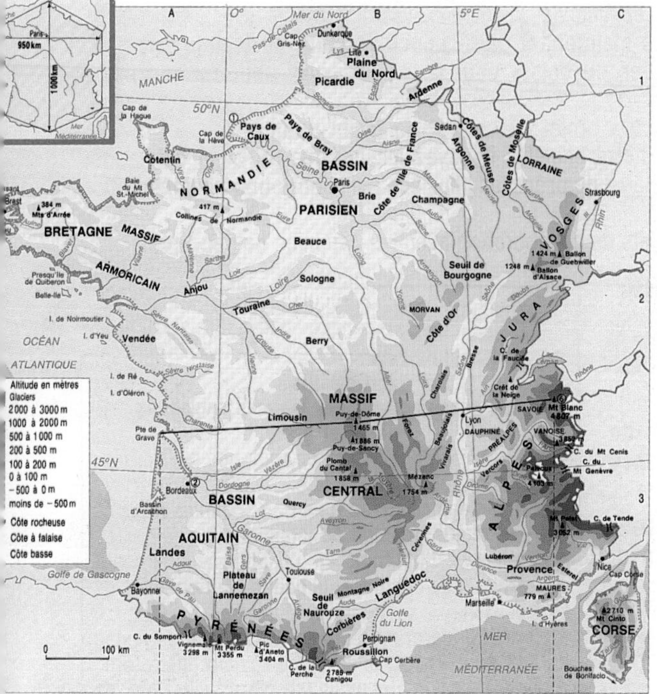

Un peu de géologie

Le massif Armoricain, le massif Central, les Vosges et les Ardennes sont des massifs montagneux qui datent de l'*ère primaire*. Les Alpes et les Pyrénées datent de l'*ère tertiaire*.

• **Pourquoi** le massif Central et les Vosges sont-ils moins élevés que les Alpes et les Pyrénées et plus élevés que le massif Armoricain et les Ardennes ?

Un peu de géopolitique

• **Justifiez** par leur situation géographique la position de la capitale et celles des quatre villes les plus peuplées après Paris (Lyon, Marseille, Lille, Bordeaux).

• **Pourquoi** y a-t-il eu jusqu'au 19e siècle, une France du Nord (lange d'oïl) et une France du Sud (langue d'oc) ?

• **Pourquoi** la France a-t-elle pris au cours de son histoire la forme d'un hexagone ? L'existence d'une frontière non naturelle permet-elle d'expliquer certains épisodes de l'histoire ?

Gorges du Verdon.

Puy de Dôme : le lac Pavin (1 197 m).

• **Décrivez et comparez ces paysages de montagne.** Dans quel massif les situeriez-vous ?

8. L'expression de but. Complétez les phrases (attention au temps des verbes!).

Dans quelques heures l'entreprise Rigaud doit recevoir les représentants d'une entreprise étrangère avec laquelle elle espère signer un contrat important. Le directeur a réuni ses collaborateurs.

« Nous devons régler les derniers détails **en vue de** ... !

Mme Legal et M. Mangrin, vous devriez dès maintenant partir pour l'aéroport **de crainte que** ... !

Mlle Dampierre, appelez le restaurant « L'Orée du bois » **pour** .... Réservez une table un peu à l'écart dans le jardin **de sorte que** ... !

Michel, faites photocopier en dix exemplaires le projet de contrat **de façon que** ... !

Mme Chazelles, c'est vous qui présenterez notre société. Revoyez les chiffres du bilan de l'année passée **de façon à** ... et demandez au secrétaire de préparer pour ces messieurs une documentation sur Paris **pour que** ... !

Et surtout, que personne ne parle de nos projets de collaboration avec les Japonais **de peur que** ... !»

9. Présentez des objectifs.

- **Rédigez une présentation des objectifs de l'enseignement du grec et du latin en France (variez les expressions de but).**
- **Élaborez un projet pour votre ville (construction, transformation, etc.), pour votre école, ou bien un projet personnel,**
  - **présentez brièvement ce projet,**
  - **énumérez les objectifs de ce projet.**

Objectifs
de l'enseignement des langues anciennes
(latin et grec)

- faciliter l'étude de la langue française (en particulier la compréhension de la grammaire);
- enrichir le vocabulaire (beaucoup de mots français ont une racine grecque ou latine);
- développer l'aptitude au raisonnement, l'esprit d'analyse et de synthèse, le goût de la rigueur et de la précision;
- connaître les grands mythes et les grands textes qui ont nourri notre philosophie et notre littérature;
- favoriser la compréhension de notre civilisation, de notre histoire, de nos lois et de nos mœurs.

Découverte de la lettre

- **Relevez :**

a. les différents lieux où l'auteur de la lettre essaie de trouver la tranquillité;
b. l'incident qui se produit dans chaque lieu.

- **Imaginez une suite à la lettre. Le narrateur part à la recherche d'autres espaces de tranquillité...**

Mécanismes B

- **Il doit venir tout de suite. C'est pourquoi je l'appelle.**
- **– Je l'appelle pour qu'il vienne tout de suite.**
- **Ils doivent réussir. C'est pourquoi je les aide.**
- **– Je les aide pour qu'ils réussissent.**
- **Jean-Marie a aimé le film?**
- **– Non, ça ne lui a pas plu.**
- **Les enfants ont aimé la promenade?**
- **– Non, ça ne leur a pas plu.**

10. Exercice d'écoute. Une artiste parle de ses activités de loisir.

Classez ces activités par ordre de préférence.

11. Complétez avec l'un des verbes de la rubrique « La main et l'objet », p. 115.

- Il n'est pas nécessaire d'appuyer fort sur les touches de ce lecteur de disques laser. Il suffit de les ....
- Sur le balcon, le vent était si violent que je dus me ... à la balustrade.
- Le dentiste doit lui ... une dent de sagesse.
- J'ai failli avoir un accident. Une voiture a débouché sur ma droite et ... l'avant de mon véhicule.
- L'aveugle ... l'objet pour le reconnaître.
- Le bilan de l'entreprise est positif. Les bénéfices sont en hausse. Les perspectives sont excellentes. Le directeur ... les mains.

12. *Racontez des tentatives, des échecs et des réussites.*

• Utilisez le vocabulaire de « L'exploit et l'aventure », p. 115.
Elle a essayé d'apprendre à skier. Il a tenté de se mettre au piano. Ils ont fait des efforts mais ils ont fini par se décourager.
Imaginez leur dialogue

Dans *Le Tour du monde en quatre-vingts jours* de Jules Verne, un gentleman anglais, Phileas Fogg, parie avec ses amis qu'il parviendra à faire le tour du monde en 80 jours (l'histoire se passe au 19e siècle). Il part aussitôt avec son domestique Passepartout et il tient son pari.

Imaginez : a. la scène du pari; b. le récit de Phileas Fogg à son retour au club anglais (« A Bombay nous sommes parvenus à... À Pékin, nous avons failli... »).

À travers la littérature... LES PAYSAGES ROMANTIQUES.

Il est dans la nature des effets dont les significations sont sans bornes, et qui s'élèvent à la hauteur des plus grandes conceptions morales. Soit une bruyère fleurie, couverte des diamants de la rosée qui la trempe, et dans laquelle se joue le soleil, immensité parée pour un seul regard qui s'y jette à propos. Soit un coin de forêt environné de roches ruineuses, coupé de sables, vêtu de mousses, garni de genévriers (1), qui vous saisit par je ne sais quoi de sauvage, de heurté, d'effrayant, et d'où sort le cri de l'orfraie (2). Soit une lande chaude, sans végétation, pierreuse, à pans raides, dont les horizons tiennent de ceux du désert, et où je rencontrais une fleur sublime et solitaire, [...] image attendrissante de ma blanche idole, seule dans la vallée (3). Soit de grandes mares d'eau sur lesquelles la nature jette aussitôt des taches vertes, espèce de transition entre la plante et l'animal, où la vie arrive en quelques jours, des plantes et des insectes flottant là, comme un monde dans l'éther! Soit encore une chaumière avec son jardin plein de choux, sa vigne, suspendue au-dessus d'une fondrière (4), encadrée par quelques maigres champs de seigle, figure de tant d'humbles existences! Soit une longue allée de forêt semblable à quelque nef de cathédrale, où les arbres sont des piliers, où leurs branches forment les arceaux de la voûte, au bout de laquelle une clairière lointaine aux jours mélangés d'ombres ou nuancés par les teintes rouges du couchant poind à travers les feuilles et montre comme les vitraux coloriés d'un chœur plein d'oiseaux qui chantent. Puis au sortir de ces bois frais et touffus, une jachère (5) crayeuse où sur des mousses ardentes et sonores, des couleuvres repues rentrent chez elles en levant leurs têtes élégantes et fines.

Balzac, *Le Lys dans la vallée,* 1835.

(1) arbuste qui produit de petits fruits violets utilisés autrefois pour faire le genièvre. (2) oiseau de proie. (3) le narrateur est amoureux d'une femme exemplaire qu'il compare à un lys. (4) affaissement de terrain. (5) terre cultivable qu'on laisse reposer temporairement.

- **Énumérez les sept paysages évoqués dans ce texte. Relevez les caractéristiques de chacun.**
- **Quelle scène de roman placeriez-vous dans chacun de ces décors?**

LEÇON 2 CINÉMA PASSION

Un bureau de la chaîne de télévision Antenne 4. Pierre Zaminof expose son projet de film à Serge Backman, responsable de la programmation.

S. Backman : J'ai lu votre scénario sur George Sand. Je reconnais qu'il est excellent. Pourtant... je suis un peu embarrassé pour vous le dire, je ne mettrai pas un centime dans ce projet.

P. Zaminof : Vous avouerez quand même que la vie de cette femme est assez extraordinaire. Bien qu'elle ait été critiquée par ses contemporains et malgré tous les tabous qui pesaient sur les femmes du 19e siècle, elle a réussi une grande œuvre littéraire, une vie sentimentale totalement libre, un engagement politique qui a marqué son époque... sans pour autant négliger ses devoirs de mère de famille. N'est-elle pas la plus moderne des femmes de notre histoire ?

S. Backman : Je vous l'accorde. Mais c'est bien ça qui me gêne. George Sand est l'image de la femme actuelle. On la verrait très bien aujourd'hui se prêter à un spot publicitaire pour une banque ou pour une marque de moto... Or, je ne vous apprendrai pas que les gens ne regardent pas un film à la télé pour y retrouver leurs préoccupations quotidiennes. Un film, ça doit faire rêver. Ça s'adresse avant tout à notre sensibilité.

P. Zaminof : C'est bien dans ce sens que j'aurais voulu travailler : présenter un personnage fort, animé d'une grande passion...

S. Backman : Dans ce cas, je vous conseille de choisir un autre sujet... Vous avez entendu parler de Marie Mancini ?

P. Zaminof : Le premier grand amour de Louis XIV ?

S. Backman : C'est un personnage complexe et attachant. Vous devriez y penser...

Six mois après, à la brasserie Lipp. Pierre Zaminof déjeune avec Chantal Alexandre, une réalisatrice, à qui il a soumis son scénario.

P. Zaminof : Alors, tu marches dans l'affaire ?

C. Alexandre : Oui, à condition que je puisse remanier le scénario.

P. Zaminof : Attention, Backman tient à la vérité historique ! Si tu mets un smoking à Louis XIV, il retire ses billes.

C. Alexandre : Je te rassure, Backman aura ses costumes, ses carrosses et on verra Fontainebleau. Mais j'ai lu trois biographies de Marie Mancini. Elles sont pleines de contradictions. J'ai quand même le droit de choisir ma vérité... à moins que Backman ne veuille faire un documentaire historique pour les enfants...

Un an après. Sur le plateau de tournage.

Chantal : Tout le monde est prêt? On va faire un essai pour la scène entre Marie et Hortense. Mettez-vous en place!... Moins de lumière sur Marie, s'il vous plaît! ... Silence, on tourne...

L'actrice jouant Marie Mancini :
« Mon oncle m'ordonne de n'écouter ni mon cœur ni ce que me dit Louis. Il me répète sans cesse qu'un roi n'est pas un homme comme les autres et que Louis doit épouser cette Espagnole parce que ce mariage servira l'intérêt du royaume... Pourquoi serait-ce à moi de me retirer quand Louis me dit chaque jour que je suis toute sa vie?... J'ai beau chercher des raisons, je n'en trouve que de mesquines... Non, Hortense, je n'obéirai pas au Cardinal, non que je ne veuille pas moi aussi la paix en Europe, mais tu vois, je n'ai pas l'âme d'une sacrifiée... »

Chantal : Coupez! C'est pas mal mais tu dois jouer ça moins tragique.

L'actrice : C'est quand même tous mes rêves qui s'écroulent! Non?

Chantal : Tes rêves d'enfant. Mais tu n'es plus une enfant. Tu sais que la séparation est inévitable. Ni toi ni Louis n'y pouvez rien. Ton oncle le Cardinal, la reine mère, la Cour, tout le monde est contre vous... D'autre part, tu sais que, quoi qu'il arrive, tu posséderas toujours une partie de celui que tu aimes.
Souviens-toi de la chanson de Brassens :
« Jamais de la vie on ne l'oubliera
La première fille qu'on a prise dans ses bras. »
C'est pour cela d'ailleurs que finalement tu prendras l'initiative de la séparation.

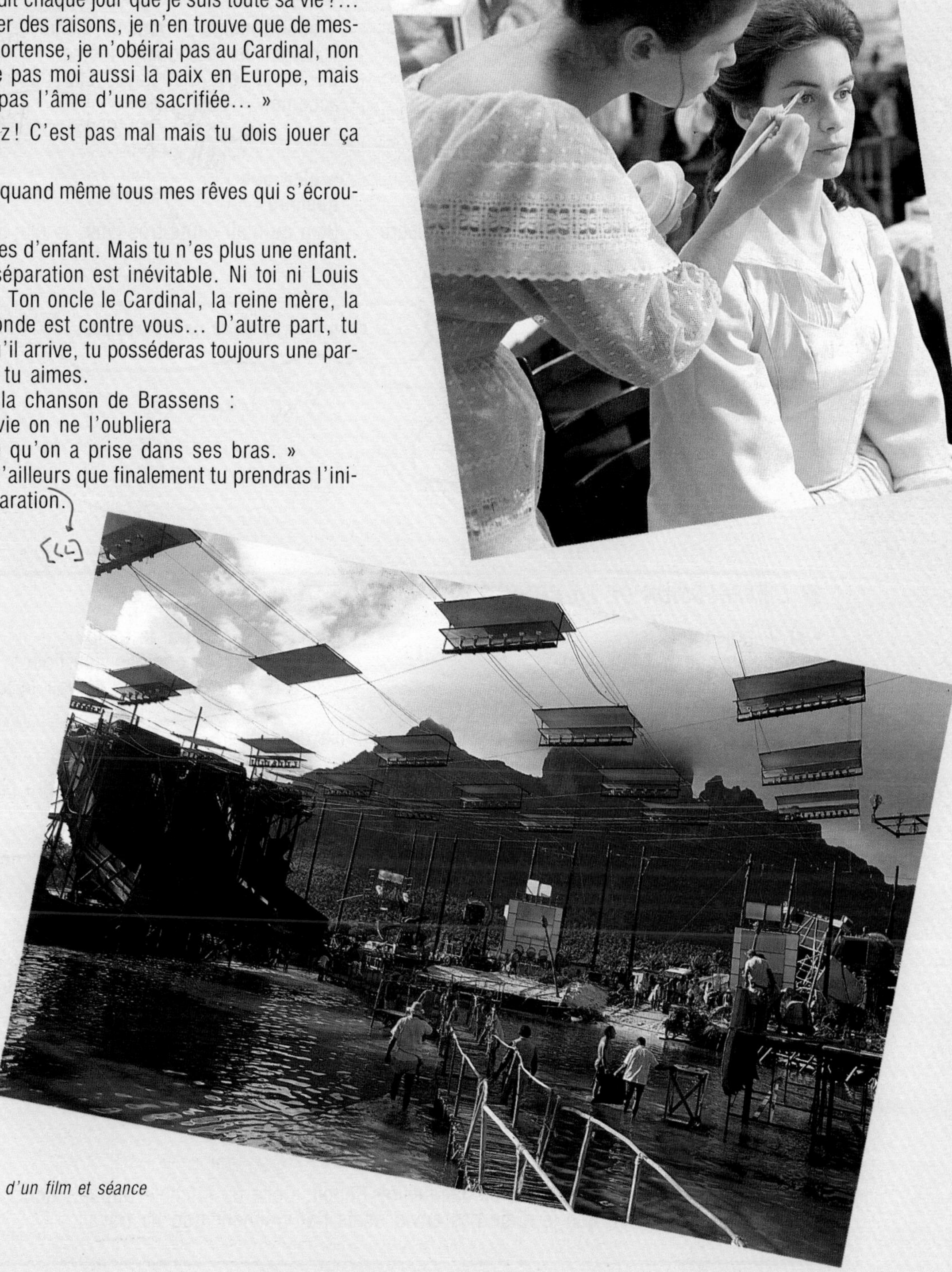

Scènes de tournage d'un film et séance de maquillage.

GRAMMAIRE ET VOCABULAIRE

■ L'EXPRESSION DE L'OPPOSITION

• Il fait soleil { **mais** / **cependant** / **toutefois** / **néanmoins** / **pourtant** / **par contre** } il fait froid.

• **malgré** / **en dépit de** } + nom.

Malgré sa beauté, cette actrice est médiocre.

• **avoir beau...**

• **sans** + infinitif – **sans que** + subjonctif.

Il est parti **sans que** personne le sache.

• **quand même** – **tout de même**

Il neige. Je sors quand même.

Le travail est mal payé. Elle l'a tout de même accepté.

• **bien que** / **quoique** } + subjonctif.

Bien qu'il ait coûté très cher, le film est un échec.

■ L'EXPRESSION DE LA CONDITION

• **si** + présent

à condition que + subjonctif

à condition de + infinitif.

Je viendrai { **si** j'ai le temps / **à condition que** j'aie le temps / **à condition d'**avoir le temps.

• **formes restrictives**

ne... que Le film **ne** sortira **que** s'il obtient le visa de censure.

à moins que + subjonctif J'irai au cinéma **à moins qu'**il (n') y ait un bon film à la télé.

à moins de + infinitif **À moins d'**être appuyé par la critique, ce film ne tiendra pas longtemps à l'affiche.

■ CAS PARTICULIER DE LA NÉGATION

• **Négation de l'infinitif**

Je vous prie de ne pas me déranger.

• **Ni... ni**

Il **n'**aime **ni** le théâtre **ni** le cinéma.

Ni la musique **ni** la danse **ne** l'intéressent.

• **Absence du terme *pas***

→ lorsqu'il y a un autre terme négatif : Elle n'a envie de rien.

→ forme archaïsante et précieuse : Je n'ose le lui demander.

→ cas de **ne** sans valeur négative : Je crains qu'il ne soit en retard = Je crains qu'il ne soit pas à l'heure.

• **Absence de *ne*** (langue parlée familière)

Je suis pas en forme aujourd'hui.

• ***Non*** et ***non que***

Je l'ai convaincu, **non** sans difficultés.

J'ai beaucoup aimé l'interprétation de Jacqueline Benoit. Celle de Michèle Duparc, **non.**

Je ne viendrai pas, **non que** je n'aie pas envie, mais j'ai vraiment trop de travail.

LE CINÉMA ET LA PHOTOGRAPHIE

• **Le cinéma** muet/parlant
un film en noir et blanc/en couleurs
un long/court métrage
un film policier, historique, de science-fiction
une comédie – une comédie dramatique
un dessin animé.
• **Le tournage** – tourner un film – filmer
une caméra – une prise de vue – un gros plan – un plan d'ensemble – un panoramique
les décors – les effets spéciaux – les truquages (truquer).
• **L'exploitation**
obtenir le visa de sortie – censurer (la censure)
couper (une coupure)

• **Un scénariste** – un scénario
une scène – une séquence – un plan
adapter un roman à l'écran.
• **Un réalisateur** – un metteur en scène
réaliser – mettre en scène
un cadreur – un cameraman.
• **Un acteur** – une actrice – un(e) interprète
interpréter
jouer le rôle de – tenir le rôle de –
un grand rôle – un petit rôle – un figurant
un cascadeur – une cascade – une doublure.
• **Un producteur** – produire un film.
• **Un distributeur** – distribuer.

sortir sur les écrans – la première – projeter un film
« Qu'est-ce qu'on joue au cinéma Vox? – Cette semaine, on passe (on joue) un film de Bergman. »
une salle de cinéma – un ciné-club – une cinémathèque – un cinéphile
une séance – un billet – une réduction (pour étudiants, militaires, etc.)
un film en version originale (v.o.) – sous-titré – doublé.
• **La critique**
un succès – faire salle comble/un échec – un four (fam.) – un navet (fam.)
dire du bien/du mal de... – dire le plus grand bien de...
louer – chanter les louanges de... – exalter – faire l'éloge
vanter les mérites de... – encenser.
• **La photographie**
un photographe – un appareil photo – un cliché, une photo
un film – une pellicule – prendre une photo – régler la distance, l'objectif
développer un film – tirer sur papier – une épreuve – une diapositive
un album de photos – un projecteur – un écran.

CONVAINCRE

• **Le désaccord**
s'opposer
être en contradiction avec
s'élever contre
se refuser à
mettre des bâtons dans les roues.
• **Convaincre**
persuader (la persuasion)
faire admettre
insister.
• **Céder**
abandonner – renoncer à
faire des concessions – composer avec
un compromis – un arrangement
être arrangeant – accommodant.

discuter
opposer un argument
rétorquer
faire une objection.
• **Tomber d'accord**
accepter (l'acceptation)
approuver (l'approbation)
être du même avis
s'entendre

CONSEILLER/DÉCONSEILLER

• un conseil (conseiller/déconseiller)
une recommandation (recommander)
un avis (donner un avis)
un avertissement (avertir)
une exhortation (exhorter).

• Je vous conseille de...
Un bon conseil, faites comme moi!
Si j'étais à votre place...
Vous auriez (tout) intérêt à...
Vous devriez... Vous pourriez...

ACTIVITÉS

Découverte de la conversation entre Pierre Zaminof et Serge Backman

• Avant d'écouter le dialogue faites l'exercice 1.
• Relevez les arguments de P. Zaminof et de S. Backman. Montrez qu'ils se justifient par la profession des deux personnages.
• Relevez les adverbes et les expressions qui permettent d'opposer des idées (pourtant, etc.),

Découverte du dialogue entre P. Zaminof et Chantal Alexandre

• Imaginez ce qui s'est passé pendant les six mois qui séparent cette scène de la scène précédente.
• Relevez les expressions qui permettent de poser des conditions.

Mécanismes A

• Elle crie mais personne ne l'entend.
– Bien qu'elle crie, personne ne l'entend.
• Il ne fait pas beau mais nous sortons.
– Bien qu'il ne fasse pas beau, nous sortons.
• Il est fort mais il n'arrive pas à soulever la malle.
– Malgré sa force, il n'arrive pas à soulever la malle.
• L'artiste avait le trac mais elle a très bien joué.
– Malgré son trac, l'artiste a très bien joué.

1. Deux femmes hors du commun. Lisez leur biographie.

• En quoi ces deux femmes ont-elles eu pour leur époque un destin extraordinaire? Comparez ces deux destins.

Marie Mancini (École française du XVIIe s.).

Marie Mancini (1640-1715)

Quand le roi Louis XIII meurt en 1643, son fils hérite de la couronne (le futur Louis XIV n'a que cinq ans). La régence est assurée par Anne d'Autriche, femme de Louis XIII et par le cardinal de Mazarin. Ce dernier a une nièce, Marie Mancini, qui devient la compagne de jeu du jeune roi. Un amour réciproque naît entre les deux jeunes gens si bien que le roi songe à épouser la jeune Marie. Mais la raison d'État sera plus forte que cet amour. Sous la pression de sa mère et du cardinal, Louis XIV devra épouser en 1659 la fille du roi d'Espagne.

Marie va alors mener à travers les cours d'Europe une vie d'aventures. Mariée au grand connétable de Naples, elle s'aperçoit que celui-ci veut l'empoisonner et s'enfuit en France. On la trouvera successivement dans un couvent, à la cour du duc de Savoie, emprisonnée dans une forteresse à Anvers, capturée par des corsaires, agent politique de Louis XIV en Espagne. Cependant, toute sa vie, elle restera fidèle au souvenir de son premier amour.

George Sand (1804-1876)

Aurore Dupin naît au château de Nohant, dans le Berry, en pleine époque napoléonienne. Elle mène une enfance provinciale en contact avec la nature et les mystères du Berry. En 1821, elle épouse le fils d'un colonel et a deux enfants. Mais elle étouffe vite dans une province aux conventions sociales rigides. En 1831, elle quitte Nohan et sa famille, va s'installer à Paris, rencontre l'écrivain Jules Sandeau et commence à écrire sous le pseudonyme de George Sand. Elle mène alors une vie très indépendante et fréquente les milieux intellectuels parisiens. Elle

George Sand (caricature v. 1848).

ne tarde pas à devenir célèbre par ses écrits, son engagement politique et sa vie amoureuse extrêmement libre (elle sera en particulier la maîtresse de Musset et de Chopin). Sa vie, comme ses romans, la montrent courageuse, éprise de liberté et revendiquant pour les femmes le droit à la passion. Toute sa vie, elle luttera contre les conventions mondaines et les préjugés sociaux. Déçue par l'échec de la révolution de 1848, elle abandonne la politique, et s'oriente vers un idéal de calme, d'innocence et de rêverie qu'elle retrouve dans le cadre champêtre de Nohant.
Ses romans les plus connus sont : ***Indiana*** (1832) ; ***Lélia*** (1833) où l'amour se heurte aux préjugés sociaux ; ***Consuelo*** (1843), acte d'accusation contre la société ; ***La Mare au Diable*** (1846) où elle transpose l'idéal de la fin de sa vie.

• Connaissez-vous d'autres femmes qui ont eu dans l'histoire un destin extraordinaire ? Racontez.

Isabelle Adjani dans *Adèle H.*

Isabelle Adjani et Gérard Depardieu dans *Camille Claudel.*

Deux films français racontent des passions absolues conduisant à la folie.

Adèle H de F. Truffaut raconte l'histoire d'Adèle Hugo (fille du poète) qui poursuit partout dans le monde le militaire qu'elle aime et qui la rejette. Ayant perdu tout espoir, elle ne pourra exprimer son amour que par l'écriture et finira par sombrer dans la folie.

Camille Claudel de B. Nuytten, jouée par Isabelle Adjani qui a également interprété *Adèle H,* présente aussi une femme dominée par deux passions : la sculpture et l'amour qu'elle éprouve pour son maître Rodin. Ces deux passions se confondent dans une quête désespérée de l'absolu qui la mènera à la folie.

• Les femmes sont-elles, plus que les hommes, enclines à vivre des passions absolues ?
• Connaissez-vous des exemples de passions absolues ?

• **Lisez et commentez ces documents.**

Une jeune femme, Julia, raconte comment elle a vécu une brève et violente passion.

Julia : « À coups de "je te veux, je t'aurai", je l'ai assiégé, pendant trois mois, jour et nuit. Jusqu'à ce qu'il vienne frapper à ma porte, complètement défait, vaincu, en me disant : "Oui, oui, moi aussi." Il est entré, j'ai refermé la porte. Nous ne l'avons rouverte qu'un mois après. [...] La dernière semaine, nous n'avions même plus la force de nous laver. Nous avons commencé par manger les restes, le riz, les conserves, les biscuits, le sucre, puis plus rien. Nous ne répondions pas aux coups de sonnette. Nous avions débranché le téléphone. Nous étions devenus sourds et muets. Un matin, je me suis réveillée avec une fièvre démentielle. Il m'a traînée chez le médecin. Je ne voulais pas y aller, mais je n'avais plus la force de résister. Il m'a quittée deux jours après. » Aujourd'hui, l'amant de Julia explique : « Je ne voulais pas mourir et je ne voulais pas qu'elle meure. [...] Pour que cette histoire finisse bien, il fallait qu'elle se termine. »

« Ce que demande le passionné à l'autre, c'est de se mouler sur une image qui va le combler. Et il est dans l'attente permanente que l'autre réponde à sa demande. »

Jacques Hassoun, *Le Feu sacré.*

Le Nouvel Observateur, 15 février 1990.

• **Parmi ces choses, y en a-t-il que la passion amoureuse aurait pu (ou pourrait) vous faire faire ?**
Ensemble des interviewés vivant (ou ayant vécu) une passion amoureuse (73 % de l'échantillon)

Partir, changer de vie	30
Changer de métier	22
Rompre avec votre famille	12
Tuer	2
Vous suicider	1
Rien de tout cela	49
Sans opinion	2

Le total des pourcentages est supérieur à 100, les personnes interrogées ayant pu donner plusieurs réponses.

• **Selon vous, la vie moderne rend-elle la passion plus facile, plus difficile ou sans changement ?**

Plus facile	19
Plus difficile	52
Sans changement	25
Sans opinion	4

• **Selon vous, vivre une passion, est-ce bénéfique ou destructeur ?**

Bénéfique	79
Destructeur	8
Sans opinion	13

Sondage effectué le 6 février 1990.

2. Ils ont été trahis. Ils expriment leur déception.

• **Rédigez la lettre**

Le salaud !
Je l'avais sorti du chômage...
Je l'avais souvent aidé...
J'avais été compréhensif...

Son associé l'a quitté dans un moment difficile. Il lui écrit.

• **Imaginez le dialogue**

Son ami l'a quittée.

3. Exprimez la condition. Ils posent leurs conditions. Faites-les parler.

• **L'actrice et le metteur en scène.**

• **Marchandages. Faust vend son âme au diable.**

4. *Éléments pour un débat sur la censure.*

Principales dispositions prises dans la loi sur la censure de 1990.

▶ La modernisation des tranches d'âge : les barres de 13 et 18 ans sont remplacées par des interdictions aux moins de 12 et de 16 ans. C'est le changement le plus spectaculaire.

▶ L'éviction partielle de l'État au sein de la Commission : divisée en trois tiers (8 professionnels du cinéma, 8 experts – sociologues, magistrats, éducateurs ou médecins – et 8 représentants des ministères), la Commission plénière voit partir 4 fonctionnaires sur 8. Exit la Culture, la Défense, l'Intérieur et le Quai d'Orsay. Restent présents les Affaires sociales, l'Éducation nationale, la Justice et la Jeunesse. Les postes rendus libres seront occupés par des membres plus jeunes, entre 16 et 25 ans, pour baisser la moyenne d'âge de la Commission.

▶ Interdiction d'effectuer des coupes dans les films. Cette arme, très utilisée pendant et après la guerre d'Algérie, essentiellement à des fins politiques, était tombée en désuétude et inappliquée depuis près de vingt ans.

▶ Pas de changement pour le X. La classification reste en vigueur pour les films à caractère pornographique. Elle ne s'applique plus à la violence (« Warriors-Les guerriers de la nuit », avaient été classés X). Défait, le marché s'est effondré, pour se reporter entièrement sur la vidéo : aucun film X de cinéma n'a été tourné en France depuis deux ans. Et il reste moins de soixante salles spécialisées, qui tournent avec d'anciens longs métrages.

Opinion de Michel Pascal, journaliste

Échappera-t-on pour autant à un grand débat sur cette réforme de la censure? Rien n'est moins sûr. D'aucuns trouveront le texte de Jack Lang trop timoré ou trop frileux, d'autres crieront au scandale.

Même si l'Europe ne subit pas le même *come-back* du puritanisme qu'aux États-Unis, l'heure n'est pas à la permissivité. Sida oblige, les cinéastes américains se font rappeler à l'ordre dès qu'il y a, dans un scénario, relation sexuelle inutile, abusive ou sans préservatif (avertissement de la Guilde des réalisateurs en mai 1988).

En France, ce n'est pas vraiment le sexe qui est tabou. Il y a belle lurette qu'on laisse passer pour tous publics une nudité totale. Mais la censure se fait plus pernicieuse dès qu'il s'agit de morale ou de religion. C'est le maire de Versailles qui interdit « Je vous salue, Marie » en janvier 1985, ou Jacques Médecin qui ne veut pas du « Pull-over rouge » à Nice en 1979. Un arrêté municipal peut toujours aller à l'encontre d'un visa d'autorisation s'il prétexte des « *circonstances locales susceptibles de troubler l'ordre public* ».

Opinion de Margaret Menegoz, productrice

« On est sur la bonne voie, mais c'est encore insuffisant. Pour moi, tout organe de contrôle où l'État reste présent, même en minorité, est dangereux, la politique peut s'y engouffrer. C'est la porte ouverte à des abus possibles selon le pouvoir en place. En Allemagne, la profession du cinéma exerce son propre contrôle. Pour citer mes propres problèmes, j'en suis à mon troisième passage devant la Commission pour "De bruit et de fureur", toujours interdit aux moins de 18 ans, alors qu'il a eu le prix de la Jeunesse à Cannes! Et j'espère que "La Collectionneuse" d'Éric Rhomer sera enfin autorisé tous publics pour un passage TV à 20 h 30, alors que le film a été interdit aux moins de 18 ans en 1967... Il faut se méfier des formes plus pernicieuses de la censure actuelle, cachée sous des critères moraux qui me paraissent infiniment plus dangereux. »

Le Point, 23 janvier 1990.

- **Comparez avec la situation dans votre pays.**
- **Doit-on censurer certains films? Que faut-il censurer?**
- **La censure des films doit-elle être plus sévère quand ils passent à la télévision?**

5. *Reliez les deux phrases en utilisant* sans *et* sans que.

- Ils sont partis en montagne. Ils n'ont pas écouté la météo.
- Le dentiste l'a soigné. Il n'a senti aucune douleur.
- Nous avons préparé une fête pour son anniversaire. Il ne le savait pas.
- Le journaliste a pris la photo. Personne ne s'en est aperçu.
- Le directeur a pris la décision. Le conseil d'administration n'a pas été consulté.
- Je lui ai fait mal. Je ne l'ai pas fait exprès.

HUIT ŒUVRES DU SEPTIÈME ART

LA NOUVELLE VAGUE DES ANNÉES 60

Les 400 coups de François Truffaut (1959)
C'est l'histoire d'un enfant de douze ans incompris de ses parents et de ses professeurs et qui « fait les quatre cents coups » (fait des fugues, commet de petits vols, etc.). Une peinture réaliste d'un certain milieu social qui annonce les films de la « nouvelle vague ». (Groupe de cinéastes qui rejettent la tradition classique du cinéma américain pour faire un cinéma-vérité traitant de psychologie et de problèmes de société.)

Jean-Pierre Léaud dans *Les 400 coups*.

Jean-Paul Belmondo dans *Pierrot le fou*.

Pierrot le Fou de Jean-Luc Godard (1965)
Un truand en fuite avec une jeune fille. Le couple se lance dans une quête du bonheur et de la liberté en se moquant avec désinvolture des règles de la société.
Jean-Luc Godard a inventé un cinéma totalement libéré des conventions et des stéréotypes. Il pousse souvent très loin les recherches formelles.

Le Genou de Claire d'Éric Rohmer (1970)
L'histoire d'un homme de 35 ans troublé par une adolescente. Dans ses films pleins de fraîcheur et très littéraires, Rohmer mène une interrogation sur l'amour et le sens de la vie.

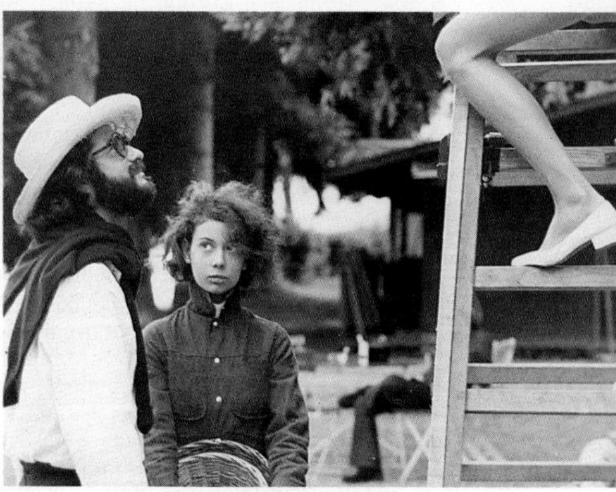

Jean-Claude Brialy dans *Le Genou de Claire*.

LE CINÉMA POLITIQUE ET CONTESTATAIRE DES ANNÉES 70

Z de Costa-Gavras (1969)
Dans un pays indéterminé, un député de l'opposition est victime d'un accident qui s'avère être un meurtre prémédité.
À partir de 1968, le cinéma français s'engage politiquement. Il s'applique à décrire les classes sociales (*Les Choses de la vie* de Claude Sautet) ou les marginaux (*Les Valseuses* de Bertrand Blier) et dénonce les dictatures (*L'Aveu* de Costa-Gavras) ou les corruptions (*L'Horloger de Saint-Paul* de Bertrand Tavernier).

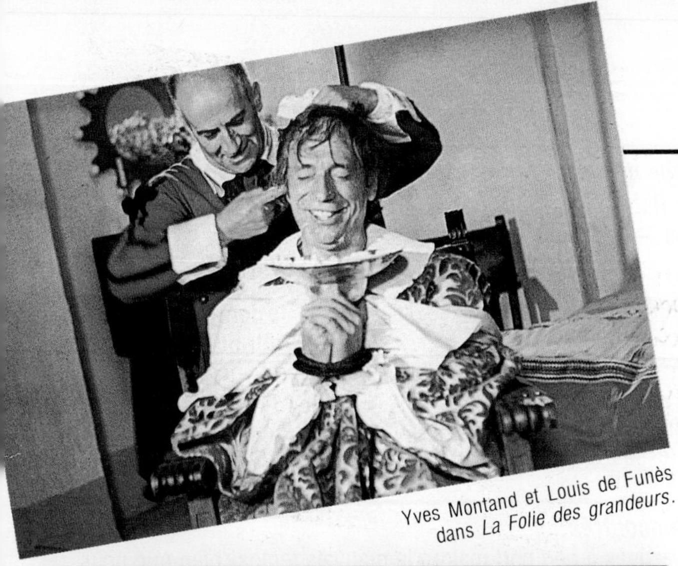

Yves Montand et Louis de Funès dans *La Folie des grandeurs*.

ET LE RIRE

La Folie des grandeurs de Gérard Oury (1971)
Une parodie de *Ruy Blas* de Victor Hugo. En s'apercevant que son valet est amoureux de la reine, un grand seigneur espagnol décide de se venger d'avoir été disgracié par le roi.
L'humour de Gérard Oury repose sur une technique très élaborée du gag et sur l'utilisation judicieuse de quelques grands acteurs comiques (Louis de Funès, Bourvil).

LES ANNÉES 80 : LE TRIOMPHE DE L'IMAGE

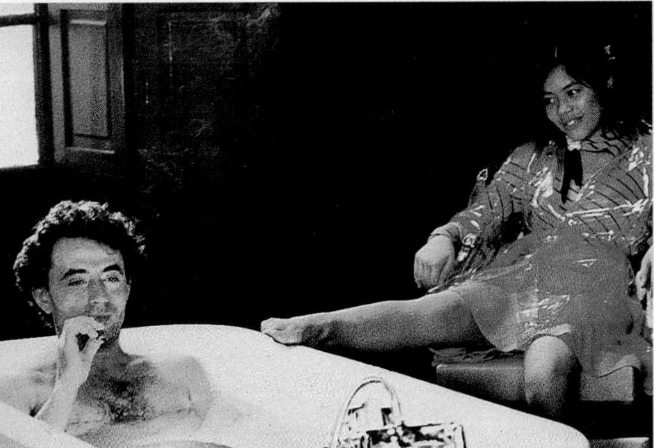

Diva de Jean-Jacques Beinex (1980)
Un employé des Postes amoureux de la voix d'une chanteuse d'opéra entre en possession d'une cassette contenant des révélations scandaleuses. Les polices secrètes et les truands sont à ses trousses. Avec ce film, peu apprécié par la critique mais qui obtint un immense succès auprès des jeunes, Jean-Jacques Beinex impose un style et une image inspirés de la pub et des vidéo-clips.

La Guerre du feu de Jean-Jacques Annaud (1981)
La conquête du feu par une horde préhistorique en guerre avec ses voisins.
Jean-Jacques Annaud fait preuve d'un grand souci d'authenticité. Chacun de ses films est longuement préparé. Pour *La Guerre du feu*, il a demandé au romancier Anthony Burgess d'inventer le langage de ses personnages et à l'anthropologue Desmond Morris d'imaginer leurs gestes et leurs attitudes.

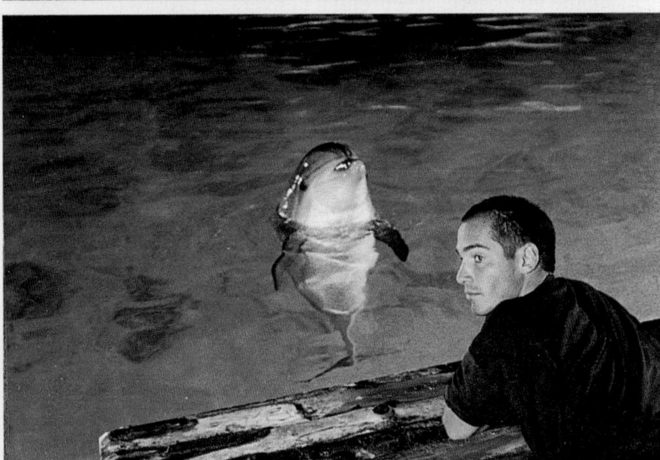

Le Grand Bleu de Luc Besson (1988)
Deux amis d'enfance se disputent le record du monde de plongée sous-marine. Un défi à la mort et des images somptueuses de fonds sous-marins.
Le succès du film de Besson prouve que la qualité esthétique peut sauver le cinéma concurrencé par la télévision.

6. *L'expression de l'opposition. À partir des notes ci-dessous, rédigez un commentaire du film en utilisant les expressions de la liste.*

quand même – par contre – en dépit de – bien que – avoir beau – bien que

Aspects positifs — **Aspects négatifs**

- Le film mérite d'être vu .... Il dure trois heures.
- Les images sont magnifiques .... L'intrigue est banale.
- Deux ou trois séquences sont des chefs-d'œuvre ...... Certaines séquences sont très longues.
- Les acteurs sont excellents .... Les acteurs ne sont pas des professionnels.
- Les dialogues ont été écrits par un grand scénariste ...... Les dialogues manquent de rythme.
- Le metteur en scène a réalisé des prouesses techniques ...... Le budget du film est réduit.

7. *Imaginez les obstacles qu'ils ont rencontrés.*

Exemple : **Le navigateur** : « Nous sommes arrivés à bon port malgré le mauvais temps, bien que nous ayons traversé une tempête, en dépit de...

- **Le producteur de cinéma** : « Nous avons réussi à faire le film... »
- **Une actrice jalouse** : « Josiane a finalement été sélectionnée pour le rôle de Marie Mancini... »
- **L'homme politique en période de crise** : « Il faut garder espoir... »
- **Le jeune couple** : « Nous avons finalement décidé d'avoir un enfant... »

8. *Exercice d'écoute. Conversation à la sortie d'un cinéma.*

- **À partir de ce que disent les trois jeunes gens, rédigez une critique du film.**

Titre – Sujet – Interprétation – Mise en scène – Scènes remarquables.

Découverte de la scène de tournage

- **La tirade de Marie Mancini. Marie s'adresse à sa sœur Hortense. À la lumière de ce que vous apprenez dans cette tirade et de ce que vous savez de Marie Mancini, imaginez la scène entre Marie et son oncle, le cardinal de Mazarin.**
- **Relevez les différentes formes négatives du texte.**

Mécanismes B

- **Ne la dérangez pas ! Je vous en prie.**
- **– Je vous prie de ne pas la déranger.**
- **Ne vous énervez pas ! Je vous le conseille.**
- **– Je vous conseille de ne pas vous énerver.**

- **Alain ne me plaît pas. Pierre non plus.**
- **– Ni Alain ni Pierre ne me plaisent.**
- **Je n'ai pas invité Alain. Je n'ai pas invité Pierre.**
- **– Je n'ai invité ni Alain ni Pierre.**

9. *Convaincre. Lisez cette présentation du roman* Le Bout du fleuve.

Plus belle encore, l'histoire racontée dans un autre roman devenu introuvable *Le Bout du fleuve*. Il y est question d'un homme qui ayant assassiné fuit sans trêve vers le nord. Il est poursuivi par un policier qui le suit à la trace. Bientôt l'obsession mutuelle qui unit ces deux hommes crée entre eux des liens étranges. Sans jamais se voir à visage découvert, ils vivent *ensemble* dans le grand désert blanc, comme sur une île déserte. Jusqu'au jour où le criminel acquiert la certitude qu'il n'est plus poursuivi. Un instinct l'avertit que le policier n'est plus là. Une inquiétude paradoxale l'arrête. Il revient même en arrière. Il reprend à l'envers sa propre piste que le policier a cessé de suivre. Enfin il le retrouve calfeutré sous sa tente réglementaire, malade, très malade, mourant. Ce qui frappe immédiatement les deux hommes en se voyant pour la première fois, c'est leur ressemblance. Est-ce l'effet de cette longue poursuite obsessionnelle? Ils sont devenus comme frères jumeaux. Malgré tous les soins du criminel, le policier meurt. Mais il a eu le temps d'apprendre à celui qu'il voulait arrêter tous les secrets, tous les souvenirs, bref la totalité de sa vie. Il lui a également, à l'aide du canon de son revolver rougi au feu, imprimé sur la joue une marque semblable à une cicatrice qu'il porte à cet endroit. Ensuite, eh bien le criminel change de peau. Vêtu de l'uniforme du policier, il se glisse aussi dans sa vie, et il revient dans sa ville apportant ses propres dépouilles comme preuves que sa mission de justicier a été accomplie. Tout va bien apparemment. Personne ne le reconnaît. Personne, sauf l'épicier chinois du quartier qui le salue quand il entre par son vrai nom...

Michel Tournier, *Le Vent Paraclet*, © Éd. Gallimard, 1977. →

Vous êtes metteur en scène et vous pensez que *Le Bout du fleuve* est un bon sujet de film.

- **Faites une première préparation du film : lieux de tournage, choix des acteurs, scènes principales, musique, etc.**
- **Persuadez un grand producteur de financer votre film. Jouez la scène.**

10. Exercice d'écoute. Écoutez ces bruitages de film.

- **Imaginez les images qu'ils accompagnent.**

À travers la littérature... ANTIGONE *de Jean Anouilh*

Étéocle (fils d'Œdipe) monte sur le trône de Thèbes. Son frère Polynice lui dispute le pouvoir et les deux frères s'entretuent. Leur oncle Créon devient alors roi de Thèbes et interdit, en accord avec les lois, que l'on donne une sépulture au traître Polynice. Mais Antigone, sœur de Polynice, s'obstine au péril de sa vie à vouloir accomplir les rites funéraires sacrés sur le cadavre de son frère. Créon essaie de l'en empêcher. Il lui montre qu'une vie heureuse vaut mieux qu'un acte d'héroïsme inutile. Il lui conseille d'aller retrouver son fiancé Hémon.

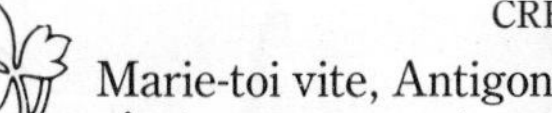

CRÉON

Marie-toi vite, Antigone, sois heureuse. La vie n'est pas ce que tu crois. C'est une eau que les jeunes gens laissent couler sans le savoir, entre leurs doigts ouverts. Ferme tes mains, ferme tes mains, vite. Retiens-la. Tu verras, cela deviendra une petite chose dure et simple qu'on grignote, assis au soleil. Ils te diront tous le contraire parce qu'ils ont besoin de ta force et de ton élan. Ne les écoute pas. Ne m'écoute pas quand je ferai mon prochain discours devant le tombeau d'Étéocle. Ce ne sera pas vrai. Rien n'est vrai que ce qu'on ne dit pas... Tu l'apprendras toi aussi, trop tard, la vie c'est un livre qu'on aime, c'est un enfant qui joue à vos pieds, un outil qu'on tient bien dans sa main, un banc pour se reposer le soir devant sa maison. Tu vas me mépriser encore, mais de découvrir cela, tu verras, c'est la consolation dérisoire de vieillir, la vie, ce n'est peut-être tout de même que le bonheur.

ANTIGONE *murmure, le regard perdu.*

Le bonheur...

CRÉON *a un peu honte soudain.*

Un pauvre mot, hein?

ANTIGONE *doucement.*

Quel sera-t-il, mon bonheur? Quelle femme heureuse deviendra-t-elle, la petite Antigone? Quelles pauvretés faudra-t-il qu'elle fasse elle aussi, jour par jour, pour arracher avec ses dents son petit lambeau de bonheur? Dites, à qui devra-t-elle mentir, à qui sourire, à qui se vendre? Qui devra-t-elle laisser mourir en détournant le regard?

CRÉON *hausse les épaules.*

Tu es folle, tais-toi.

ANTIGONE

Non, je ne me tairai pas! Je veux savoir comment je m'y prendrai, moi aussi, pour être heureuse. Tout de suite, puisque c'est tout de suite qu'il faut choisir. Vous dites que c'est si beau la vie. Je veux savoir comment je m'y prendrai pour vivre.

CRÉON

Tu aimes Hémon?

ANTIGONE

Oui, j'aime Hémon. J'aime un Hémon dur et jeune; un Hémon exigeant et fidèle, comme moi. Mais si votre vie, votre bonheur doivent passer sur lui avec leur usure, si Hémon ne doit plus pâlir quand je pâlis, s'il ne doit plus me croire morte quand je suis en retard de cinq minutes, s'il ne doit plus se sentir seul au monde et me détester quand je ris sans qu'il sache pourquoi, s'il doit devenir près de moi le monsieur Hémon, s'il doit apprendre à dire « oui », lui aussi, alors je n'aime plus Hémon!

J. Anouilh, *Antigone,* © Éd. La Table ronde 1946.

- **Dans cette scène s'affrontent deux conceptions de la vie, du bonheur et de l'amour. Précisez-les.**
- **La première représentation d'Antigone eut lieu pendant la guerre de 39-45. Les acteurs portaient des vêtements modernes. Que symbolisaient les deux personnages pour les spectateurs de l'époque?**

LEÇON 3

LES FABRICANTS DE RÊVES

Pierre-Hubert Lamballe travaille dans une agence de publicité. Dans une heure, il devra présenter à la maison Régine Lapierre un projet de campagne publicitaire pour le lancement d'un nouveau parfum. Pour l'instant, il s'habille, mais le flot de ses pensées témoigne de ses appréhensions.

« ... Tu dois paraître détendu mon petit Pierre-Hubert... Pas trop décontracté quand même. Il faut aussi montrer que tu as de l'énergie et du mordant... Que penses-tu de ce costume ?... Non, il rappelle trop celui de Didier. Pas question que tu fasses jeune cadre dynamique. Tu es un créateur. Ne l'oublie pas !... Voilà ! Ce pantalon de velours à pinces conviendra parfaitement... Bon ! La veste maintenant... Certainement pas celle-ci. Elle fait rétro que c'est triste à mourir. Ça ne se porte plus ça. De quoi tu aurais l'air avec ça sur le dos ? D'aller à un bal costumé ? Non, merci !... Ah ! ta veste en cachemire... C'est vrai, elle est assortie... mais non, ça ne va pas du tout. Pas d'épaules, manches trop larges, coupe trop floue. On dirait que tu as mis une de ces blouses qu'on passe chez le coiffeur... Essaie ton blazer ! Avec un foulard rouge ça devrait faire très classe... Mmouii !! Justement, c'est trop classique. Il faut quand même pas qu'ils croient que tu t'es habillé pour la circonstance. Toi, tu es le mec actif, toujours stressé par les rendez-vous accumulés dans son agenda, qui se fringue en catastrophe en avalant son café... Finalement, si tu mettais la veste que tu portais hier ? Tu te sens bien dedans, non ?... »

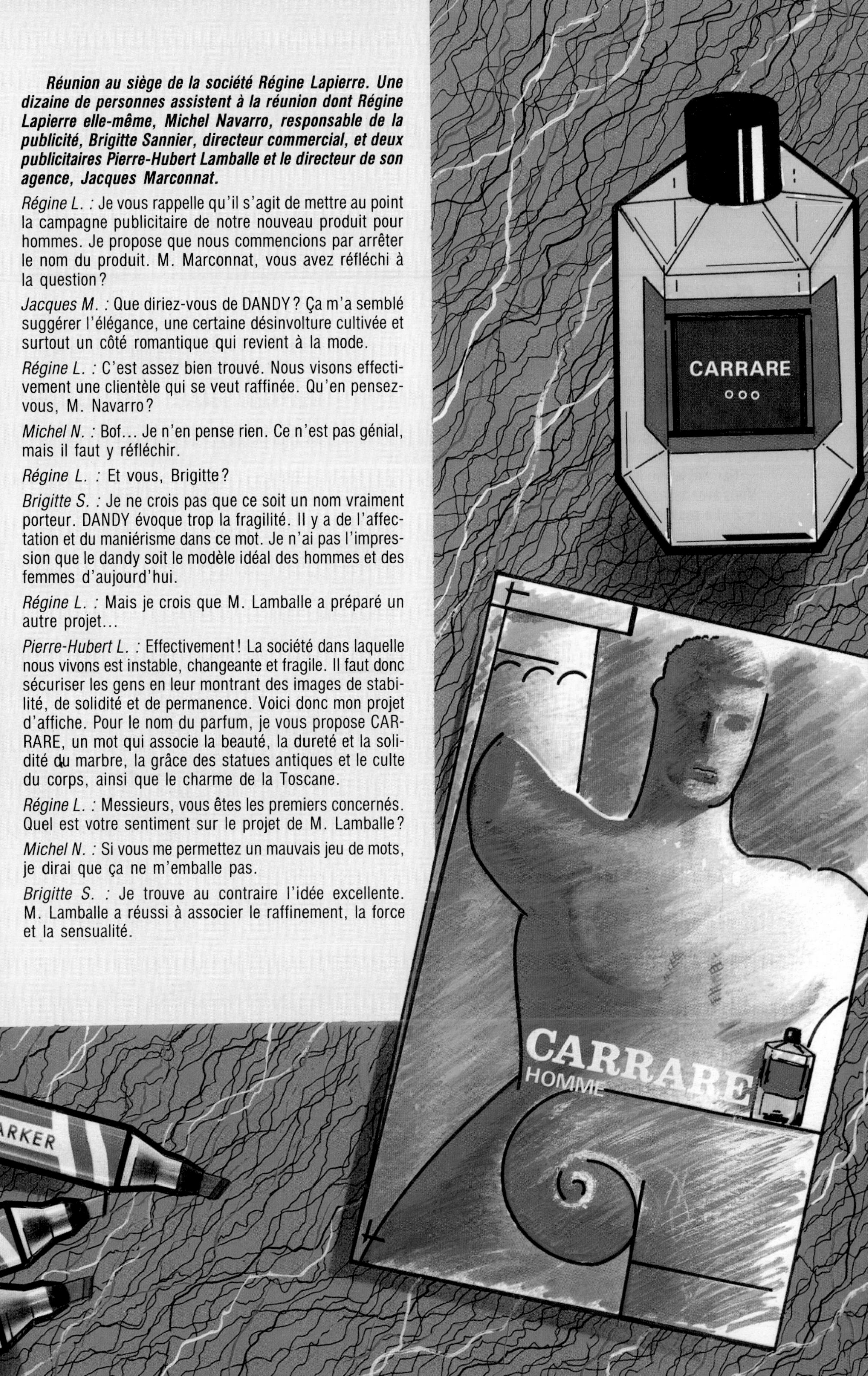

Réunion au siège de la société Régine Lapierre. Une dizaine de personnes assistent à la réunion dont Régine Lapierre elle-même, Michel Navarro, responsable de la publicité, Brigitte Sannier, directeur commercial, et deux publicitaires Pierre-Hubert Lamballe et le directeur de son agence, Jacques Marconnat.

Régine L. : Je vous rappelle qu'il s'agit de mettre au point la campagne publicitaire de notre nouveau produit pour hommes. Je propose que nous commencions par arrêter le nom du produit. M. Marconnat, vous avez réfléchi à la question?

Jacques M. : Que diriez-vous de DANDY? Ça m'a semblé suggérer l'élégance, une certaine désinvolture cultivée et surtout un côté romantique qui revient à la mode.

Régine L. : C'est assez bien trouvé. Nous visons effectivement une clientèle qui se veut raffinée. Qu'en pensez-vous, M. Navarro?

Michel N. : Bof... Je n'en pense rien. Ce n'est pas génial, mais il faut y réfléchir.

Régine L. : Et vous, Brigitte?

Brigitte S. : Je ne crois pas que ce soit un nom vraiment porteur. DANDY évoque trop la fragilité. Il y a de l'affectation et du maniérisme dans ce mot. Je n'ai pas l'impression que le dandy soit le modèle idéal des hommes et des femmes d'aujourd'hui.

Régine L. : Mais je crois que M. Lamballe a préparé un autre projet...

Pierre-Hubert L. : Effectivement! La société dans laquelle nous vivons est instable, changeante et fragile. Il faut donc sécuriser les gens en leur montrant des images de stabilité, de solidité et de permanence. Voici donc mon projet d'affiche. Pour le nom du parfum, je vous propose CARRARE, un mot qui associe la beauté, la dureté et la solidité du marbre, la grâce des statues antiques et le culte du corps, ainsi que le charme de la Toscane.

Régine L. : Messieurs, vous êtes les premiers concernés. Quel est votre sentiment sur le projet de M. Lamballe?

Michel N. : Si vous me permettez un mauvais jeu de mots, je dirai que ça ne m'emballe pas.

Brigitte S. : Je trouve au contraire l'idée excellente. M. Lamballe a réussi à associer le raffinement, la force et la sensualité.

GRAMMAIRE ET VOCABULAIRE

■ COMPARER

1. L'identité et la différence.

• **Même**
→ Nous avons acheté les mêmes chaussures.
Myriam a acheté les mêmes.
→ Même Brigitte a acheté les mêmes.

• **Autre**
→ Il habite dans un autre quartier (= différent).
Ce film n'est pas intéressant. Allons en voir un autre!
→ Garçon, je voudrais un autre café! (= un de plus).
Vous avez assez de biscuits. Vous en voulez d'autres.

• **Pareil**
Nos maisons sont pareilles.
Il est resté pareil à lui-même.
C'est toujours pareil.

être identique/différent.

• **2. La ressemblance et la différence.**

• **Comme – ainsi que – tel (telle – tels – telles)**

Tel / **Ainsi qu'** / **Comme** } un fauve, il bondit sur sa victime.

Je l'ai trouvé { **tel que** / **comme** / **ainsi que** } je l'imaginais.

semblable	dissemblable
analogue	différent
similaire	distinct
ressemblant	disparate
comparable	
conforme	
voisin	
proche	

• **Emplois spécifiques**
→ Myriam s'habille comme Brigitte.
→ Les difficultés sont telles qu'il a dû renoncer.

• **Suivant – selon – conformément à**
Il a agi selon mes instructions.

• **Verbes et expressions**
→ **sembler** – Il semble heureux/avoir réussi/qu'il a réussi.
paraître – Il paraît triste.
avoir l'air (de) – Il a l'air gentil/d'avoir du cœur.
on dirait (de) – On dirait qu'il est fatigué.
il fait – Il fait très jeune.
→ faire penser à – évoquer – rappeler
→ établir une ressemblance, une correspondance, une relation
une corrélation, un parallélisme... avec.../entre...

3. Les comparatifs et les superlatifs (voir éléments de grammaire p. 220).

• **plus/aussi/moins (que)**
• **plus (de)/autant (de)/moins (de) (que)**
• **d'autant plus (que)/d'autant moins (que)**

■ PROPOSER – SUGGÉRER

• Je vous propose de... / Je vous suggère de... } **+ infinitif**

Je propose que... / Je suggère que... } **+ subjonctif.**

• Si on changeait le titre du film.
On pourrait mettre...
Qu'est-ce que vous diriez si...
• Pourquoi ne pas changer le titre?

• Vous aimeriez que / Vous voudriez que } **+ subjonctif.**

L'EXPRESSION DE L'OPINION

• Je pense, je crois, j'estime, je trouve que + **indicatif ou conditionnel**
je ne pense pas, je ne crois pas, etc., que + **subjonctif**
penses-tu, crois-tu, etc., que + **subjonctif (ou indicatif).**

• À mon avis...
D'après moi...
Pour moi...
Selon moi...
De mon point de vue...

• Mon idée / Mon sentiment / Mon impression } c'est que...

LA MODE

• **Être à la mode**
en vogue
dans le vent (fam.)
in (fam.)
branché (fam.).

démodé
vieux – vieilli – vieillot
désuet – suranné
ringard (fam.)

Les vêtements se portent...
Ces tissus se font...
La salsa se danse
} beaucoup cette année.

• **Être bien/mal habillé**
être bien/mal mis
soigné – smart
bien/mal fringué – les fringues (fam.).

le goût – le chic – l'élégance
le style – l'allure – la façon
la ligne – la silhouette – la coupe (d'un vêtement).

• **L'affectation**
de manière : maniéré – emprunté – pincé – sophistiqué
de langage : recherché – raffiné – précieux
d'élégance : dandy – snob – minet.

un mondain – un snob (le snobisme)
imiter – copier – reproduire – caricaturer
singer – prendre pour modèle – s'inspirer de.

LA PUBLICITÉ

une affiche
un poster
un spot
un clip
un placard
un encart
un autocollant

• **Une campagne publicitaire**
faire un sondage – une étude de marché
l'image de marque – l'image d'un produit
trouver un sponsor – sponsoriser – parrainer – patronner
lancer une opération publicitaire – un slogan
l'impact – l'audience.

• **Une exposition – une foire**
un démonstrateur – faire un boniment – le baratin
distribuer des échantillons, une plaquette, une brochure
un dépliant, un prospectus, un catalogue.

LES ODEURS ET LES COULEURS

• **Une odeur** – un parfum – une senteur (plantes) – un arôme (agréable) – un effluve (souvent désagréable) – un fumet (préparation culinaire) – le bouquet (vin)
c'est parfumé – odorant
on sent une odeur de parfum, de pourri – un déodorant.

→ **Sentir (1)**
Cette fleur sent bon.
embaumer
dégager une odeur.

→ **Sentir (2)**
Je sens une odeur de brûlé.
respirer – flairer.

• **Une couleur** – une teinte – une nuance – un reflet
une couleur claire/foncée
vive/neutre – terne
chaude/froide
mate/brillante.

peindre – teinter – colorer
colorier (papier)
se décolorer – pâlir – ternir – faner – passer – virer au rouge.

ACTIVITÉS

Découverte du monologue de P.-H. Lamballe

- **Relevez tous les mots ou expressions qui signifient *être* ou *paraître*.**
- **Quelle image veut se donner P.-H. Lamballe?**

Que nous apprend ce monologue intérieur sur la personnalité de P.-H. Lamballe?

Mécanismes A

- **Il grossit. Il n'arrête pas de manger.**

– Il grossit d'autant plus qu'il n'arrête pas de manger.

- **Elle est fière. Elle a réussi à son bac.**

– Elle est d'autant plus fière qu'elle a réussi à son bac.

- **Pierre parle beaucoup. Moi aussi.**

– Je parle autant que Pierre.

- **Pierre travaille beaucoup. Moi, beaucoup moins.**

– Je travaille beaucoup moins que Pierre.

1. La comparaison. Complétez avec comme, tel/le (que), ainsi (que).

Myriam Folgado, danseuse au ballet de l'Opéra, vient d'apprendre qu'elle n'aura pas le premier rôle dans *le Lac des cygnes*. Deux de ses amis discutent de la mauvaise nouvelle.

– Alors, comment a-t-elle pris la chose?

– Ça a été très dur. C'est ... si elle avait été assommée. je viens de retourner dans sa loge. Je l'ai trouvée ... que je l'avais laissée il y a une heure, totalement abattue!

– Nous étions pourtant tous d'accord pour qu'elle ait ce rôle. Armelle, moi, ... toutes les filles du corps du ballet.

– Oui, mais Ricardo est têtu ... une mule. Et de plus, il dirige ce corps de ballet ... un général commande ses troupes.

– C'est dommage. Myriam danse ... personne. Tu te souviens d'elle dans le *Sacre du printemps* quand elle se déployait ... une fleur qui s'épanouit au soleil?

2. D'autant plus (que). D'autant moins (que). *Continuez les phrases.*

- Ils voyageaient peu. Mais depuis leur mariage ils voyagent d'autant moins que ....
- L'alcool lui est interdit. D'autant plus que ....
- On s'est d'autant moins intéressé à ce qu'il disait que ....
- Il faut que nous fassions d'autant plus d'économies que ....
- Je suis crevé. Je vais me coucher. D'autant plus que ....
- Quand vous ferez votre conférence, sachez que vous serez d'autant plus apprécié que ....

3. Imaginez des comparaisons poétiques.

a. Voici quelques images ou métaphores extraites de poèmes. Expliquez-les.

- *De Rimbaud parlant du suicide d'Ophélia :* « Sur l'onde calme et noire où dorment les étoiles,
La blanche Ophélia flotte comme un grand lys. »
- *D'Aragon parlant à sa femme Elsa :* « J'ai tout appris de toi comme on boit aux fontaines.
Comme on lit dans le ciel les étoiles lointaines.
Comme au passant qui chante on reprend sa chanson. »
- *De Victor Hugo parlant d'un vieillard :* « Sa barbe était d'argent comme un ruisseau d'avril...
- *D'Éluard parlant de la terre :* « La terre est bleue comme une orange. »

b. Inventez des comparaisons pour décrire : une ville la nuit – les cheveux d'une femme – le corps robuste d'un homme – la lune – un enfant qui grandit – un orage – votre maison – une forêt.

4. Dire l'apparence. Comparez. Utilisez les verbes et expressions de la rubrique « La ressemblance et la différence », p. 138.

a. Jouez la scène

Brigitte et Pascal viennent de faire la connaissance de deux nouveaux collègues. Ils échangent leurs premières impressions

b. Donnez votre opinion : « On dirait... ça fait... ça ressemble à... »

5. *Imitez le monologue de P.-H. Lamballe.*

a. Rédigez ou improvisez des monologues

• Thierry est invité à un bal costumé. Il s'est rendu dans un magasin de location de costumes pour choisir son déguisement. Mais il hésite...

• Hermine de Saint-Preux vient d'acheter un objet d'art moderne. Mais où placer l'objet dans son vaste appartement de 250 m² déjà très encombré?

b. Rédigez les lettres

• Une de vos amies s'est totalement transformée en l'espace de quelques semaines : elle a subi une opération de chirurgie esthétique, elle a rencontré le grand amour, elle a trouvé un poste intéressant, etc. Vous écrivez à une amie commune pour lui faire part de ces changements.

• Depuis qu'il fréquente la bande de Pierre-Hubert, Alexandre est devenu snob. Vous écrivez à un(e) ami(e) pour lui raconter sa transformation.

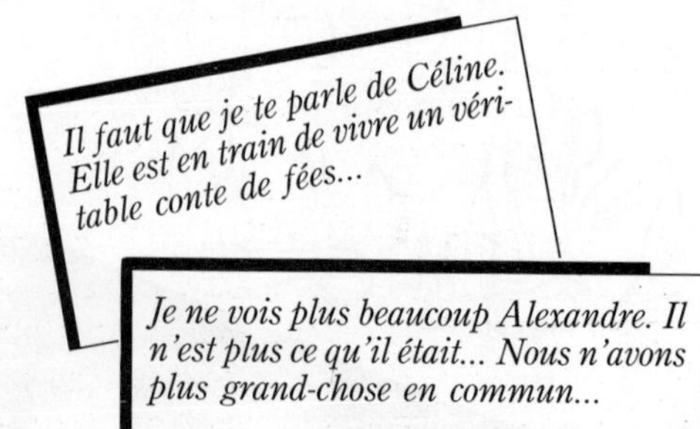

6. *Expliquez les expressions suivantes.*

une faim de loup – un appétit d'oiseau – un froid de canard – une fièvre de cheval – un canard boîteux – un rat de bibliothèque – un caractère de cochon – un bouc émissaire – une brebis galeuse.

7. *Le vocabulaire familier et argotique. Traduisez dans un français plus académique les mots et expressions soulignés.*

José était un modeste employé d'hôtel à qui on donnait les tâches les plus ingrates. Il vient d'être renvoyé et se retrouve dans la rue avec son salaire mensuel.
L'auteur fait se succéder le récit et le monologue intérieur du personnage.

Dans la rue, il recompte les billets. Il n'a jamais été aussi riche. Pourvu que je les perde pas... les foutre dans la poche du jean, c'est pas une solution, ils sont déjà froissés. Si je les repassais avec le fer électrique de ma mère? J'ai des idées comme personne, ils crameraient. D'abord à ma mère, je les lui montrerai pas, parce que ça la ferait baver et je serais obligé de lui en filer deux ou trois. Du fric je lui en ai assez donné, chaque fois que j'ai une rentrée, je l'oublie pas. Faut que je vive pour moi, à vingt ans faut pas faire de cadeaux. Plus tard, quand on a un super job comme Jacques, on peut dépenser ce qu'on veut, payer un pull au premier petit con qui se pointe mais moi, mon fric il me servira qu'à moi, les autres je m'en tape. Bon, alors, je m'offre quoi?

Il se répète la question. Cet argent, il a travaillé à mort pour le posséder et maintenant qu'il est là, plié au fond de sa poche, José reste planté sur le trottoir – des gens le bousculent pressés de descendre dans la bouche du métro tout proche –, planté comme un étranger ou un idiot au milieu de la foule indifférente. Bon, alors, je m'offre quoi?

Il transpire, il a soif. Ça, pas de raison de se le refuser. Il s'assied à la terrasse d'un café qu'il ne fréquente pas, bien qu'il soit à quelques mètres de l'hôtel. D'une voix forte – du moins l'imagine-t-il – il commande un scotch, un quart Perrier et des olives pour aller avec. On met du temps à les lui apporter. Il se retient d'engueuler le garçon : pourtant quand on banque on a tous les droits. C'est lui à présent le client : s'agit pas qu'on me traite comme une merde.

C. Giudicelli, *Station balnéaire*, © Éd. Gallimard, 1988.

Pour traduire utilisez : argent – debout – rendre jaloux – payer – arriver – donner – s'en moquer – quelqu'un sans importance – beaucoup – ne pas être généreux – mettre – réprimander – brûler – imbécile – un bon métier.

8. *Exercice d'écoute. Le portrait de Sylvianne d'après les objets dont elle s'entoure.*

Écoutez la conversation et notez :

Les objets	Les caractéristiques de ces objets	La personnalité qu'ils révèlent
....	....	....

Découverte de la conversation au siège de la société Régine Lapierre

- **Quelles sont les images et les idées que les deux publicitaires associent au mot DANDY et au mot CARRARE?**
- **Quelles sont les expressions qui permettent :**

a. de suggérer?
b. de demander un avis ou de donner un avis?

Mécanismes B

- **Si on allait au cinéma? Je le propose.**
- **Je propose qu'on aille au cinéma.**
- **Si nous faisions la cuisine? Je le suggère.**
- **Je suggère que nous fassions la cuisine.**
- **Tu crois qu'il serait malade?**
- **Non, je ne crois pas qu'il soit malade.**
- **Tu crois qu'elle viendrait avec nous?**
- **Non, je ne crois pas qu'elle vienne avec nous.**

9. Mettez les verbes entre parenthèses à la forme qui convient.

- Tout le monde était présent : Mireille est la seule qui **(ne pas venir)**.
- Ils ont suggéré que nous **(garder)** leurs enfants pendant leur absence.
- New York est vraiment une grande ville. C'est la plus grande que nous **(visiter)** jamais.
- Les Martin ont suggéré que nous **(partir)** en vacances avec eux. Crois-tu que ce **(être)** une bonne idée?
- Je suis sorti de l'hôpital ce matin à 10 h. À midi Michel m'**(appeler)**. C'est la première personne qui m'**(téléphoner)**.
- La soirée chez les Lacroix est décontractée. Je pense que tu **(pouvoir)** y aller en « jean ». Par contre, samedi prochain, au cocktail de Florence, je ne crois pas qu'on **(pouvoir)** s'habiller n'importe comment.

L'industrie du luxe

Jadis symbole de la futilité réservé à une élite, le luxe est devenu une industrie qui pèse de tout son poids dans la richesse de la France et dont les produits sont désormais acquis dans pratiquement toutes les couches de la société et dans tous les pays. Reines de ce secteur, les entreprises françaises placent au-dessus de tout le maintien de la qualité.

Luxe... Ce seul mot suffit à évoquer un univers peuplé de noms mythiques, magiques : Chanel, Saint-Laurent, Dior, Vuitton, Hermès... autant de « maisons » et de noms d'entreprises célébrant en commun le culte du beau, du rare, de la perfection de la création humaine. Épris de tradition, de secret et de savoir-faire transmis de génération en génération, le luxe n'en est pas moins une industrie, sacrifiant, elle aussi, aux impératifs d'efficacité, de rentabilité et de progrès.

Les performances de ces entreprises comptent autant, voire plus, que celles de l'industrie lourde, des télécommunications ou de la chimie. D'ailleurs, c'est un signe chaque jour plus répandu : toute branche de l'activité économique se forge « son » propre luxe, sa façon d'aborder dans sa spécialité le sens de l'unique, du cher, de l'inaccessible. On parle alors volontiers du « haut de gamme », ou plus prosaïquement du « service plus ». (...)
Le luxe ne se décrète pas : il est avant tout héritage, même s'il ne s'interdit pas, cette année encore, quelques pionniers. Le dénominateur commun de ces entreprises est le créateur, l'artisan, l'orfèvre. (...)
Alors qu'il se contentait, jusque dans un passé récent, de satisfaire une clientèle élitiste recrutée dans la *jet set* ou les cours d'Europe, le luxe a fait son entrée dans pratiquement toutes les classes de la société. De nouveaux comportements d'achat, exploités par le marketing, ont progressivement classé les articles de luxe en produits d'agrément ou de « paraître ». Évolution qu'ont parfaitement assimilée les professionnels. Les selles d'Hermès ou les tailleurs haute couture, qui restent l'apanage de rares privilégiés, suffisent à entretenir le mythe. Mais désormais se multiplient à leurs côtés des gammes d'articles classés « luxe » allant du prêt-à-porter à la maroquinerie; une panoplie de produits qui, s'ils sont coûteux relativement à d'autres, se réfèrent cependant bien plus à la « petite folie » qu'à la dépense d'apparat.

L'Action économique. Le Quotidien, n° 3126, 7 décembre 1989.

- **Quelles sont les différences et les similitudes entre l'industrie de luxe et les autres industries?**
- **L'existence de produits de luxe que seuls quelques privilégiés peuvent acquérir est-elle** : scandaleuse – normale – économiquement utile?
- **Les produits les plus chers sont-ils toujours les plus beaux?**

LANGAGE ET MODES

Le langage a ses modes. Il suit l'évolution de la société. Dans les années 40, pour désigner une femme on disait familièrement *une pépée* ou *une souris*. Puis est venue l'époque des *gonzesses*. Depuis deux décennies, c'est le terme *nana* qui prévaut. La terminologie pour homme a suivi la même évolution avec *gars, type* et aujourd'hui *mec*.

Certaines modes de langage persistent. C'est le cas des expressions valorisantes *c'est super, il est génial, c'est super (génial)* qui peuvent s'appliquer à n'importe quoi et à n'importe qui. D'autres disparaissent. On ne dit plus beaucoup *c'est dément* (= c'est super) et il est probable que *c'est canon* ou *c'est giga* utilisés en 1990 disparaissent vite.

Les expressions à la mode détournent le sens de mots courants. Ainsi le mot *caisse* a désigné une vieille voiture, puis une voiture quelconque et enfin une mobylette (en remplacement de *mob*).
Le verbe craindre, utilisé dans l'expression *ça craint,* exprime une vague idée négative.

Certaines modes ne concernent que des groupes réduits. C'est le cas du *verlan,* où l'on inverse l'ordre des syllabes dans le mot. *Laisse béton* = laisse tomber, *chébran* = branché, *une meuf* = une femme.

À côté de ces créations verbales, il existe aussi des tics de langage dont les gens sont moins conscients. Les années 80 ont vu l'inflation de l'expression *au niveau de* qui établit (improprement) une idée de relation : *« J'ai des problèmes au niveau de mon budget. »* Certaines personnes ne disent jamais *oui* mais *absolument.* Enfin, à une certaine époque, la plupart des hommes politiques commençaient leurs phrases par *« Écoutez ».* Leurs conseillers en communication les ont depuis corrigés.

Les slogans publicitaires inspirent souvent le langage quotidien. Ainsi le *« Ça, c'est ben vrai! »* dit par une vieille villageoise à l'accent rocailleux dans une publicité pour machine à laver a eu un succès énorme. L'expression est encore utilisée pour exprimer une banale évidence. De même le slogan *« Un verre, ça va. Trois verres, bonjour les dégâts! »* d'une publicité contre l'alcool au volant, a été décliné à toutes les sauces : « Un jour de pluie ça va. Trois jours, bonjour les dégâts. »

10. Exercice d'écoute. Une journaliste commente la présentation des collections d'automne d'un grand couturier.

Défilé de mode chez Yves Saint-Laurent.

• Notez les remarques sur la composition des vêtements, la forme, la matière, la couleur.

• Faites correspondre les commentaires et les photos.

11. *Comparez et jugez ces publicités.*

• **Analysez l'image** (choix du sujet, des personnages, du décor – cadrages – éclairages – autres détails).

• **Commentez le texte.**

• **A quel public s'adresse chacune de ces publicités. Les trouvez-vous réussies ?**

12. Imaginez des publicités originales.

• Recherchez le vocabulaire des parties de la voiture.
• Qu'est-ce qui fait l'originalité de cette publicité ?
• Imaginez une publicité semblable pour une montre, un constructeur de maisons, une chaîne hi-fi, etc.

LÉGENDE DE LA PREMIÈRE CIGARETTE

Autrefois, les hommes ne connaissaient pas le feu. Ils vivaient dans l'ombre, et ils ressemblaient à des chauves-souris. En ce temps-là, il y avait une femme très belle qui s'appelait Pal Mal. Elle avait peur, parce que tout était noir, qu'il n'y avait même pas d'étoiles. Alors un jour elle a pris une feuille de journal, elle a mis dedans de la poussière, et elle l'a fumée. Mais ce n'était pas bon. Alors elle a essayé avec des poils de chien, mais ce n'était pas bon. Et puis un jour, elle a eu l'idée d'y mettre ses cheveux, et elle a commencé à fumer. Et la fumée était si suave, si douce, il y avait tellement de chaleur et de lumière, que les autres hommes ont voulu faire comme elle. Mais, comme toutes les femmes n'avaient pas des cheveux couleur d'or, comme Pal Mal, il y a eu toutes sortes de cigarettes. Il y en avait avec des cheveux noirs, d'autres avec des cheveux rouges, d'autres avec des cheveux gris. C'est depuis ce temps-là que les hommes n'ont plus peur la nuit et qu'ils aiment respirer la fumée des cigarettes où brûlent les cheveux de leurs femmes.

J.-M.G. Le Clézio, *La Guerre*, © Éd. Gallimard, 1970.

• À la manière de Le Clézio, rédigez une légende publicitaire portant l'un des titres suivants :
• légende de la première voiture ; • légende de la première cravate ;
• légende du premier cachet d'aspirine ; • légende de la première friteuse électrique ; etc.

13. *Ils font des suggestions. Ils donnent leur avis.*

a. Jouez les scènes :

- Alain est un peu naïf. Ses amis se concertent pour lui faire une farce. Chacun apporte ses suggestions.
- Pascal et Mélanie ont un énorme chien auquel ils tiennent beaucoup. Ils viennent de gagner une croisière d'un mois en Méditerranée. Les animaux sont interdits. Que faire du berger allemand? Pascal et Mélanie se concertent. Chacun fait des suggestions.

b. Donnez-lui des conseils par écrit.

J'avais bien dit qu'à Paris je pourrais me passer de voiture mais finalement, j'en ai assez du métro et des bus. J'hésite entre acheter une moto ou une voiture. Qu'en penses-tu? Et si j'opte pour la voiture, quelle marque choisir? Je sais que tu t'y connais. Que me conseilles-tu?

À travers la littérature... LE SOUVENIR

La madeleine[1] de Proust

Et tout d'un coup le souvenir m'est apparu. Ce goût, c'était celui du petit morceau de madeleine que le dimanche matin à Combray[2] (parce que ce jour-là je ne sortais pas avant l'heure de la messe), quand j'allais lui dire bonjour dans sa chambre, ma tante Léonie m'offrait après l'avoir trempé dans son infusion de thé ou de tilleul. La vue de la petite madeleine ne n'avait rien rappelé avant que je n'y eusse goûté; peut-être parce que, en ayant souvent aperçu depuis, sans en manger, sur les tablettes des pâtissiers, leur image avait quitté ces jours de Combray pour se lier à d'autres plus récents; peut-être parce que, de ces souvenirs abandonnés si longtemps hors de la mémoire, rien ne survivait, tout s'était désagrégé. [...] Mais, quand d'un passé ancien rien ne subsiste, après la mort des êtres, après la destruction des choses, seules, plus frêles mais plus vivaces, plus immatérielles, plus persistantes, plus fidèles, l'odeur et la saveur restent encore longtemps, comme des âmes, à se rappeler, à attendre, à espérer, sur la ruine de tout le reste à porter sans fléchir, sur leur gouttelette presque impalpable, l'édifice immense du souvenir.

Proust, *Du côté de chez Swann* 1913.

(1) petit gâteau de forme arrondie.
(2) lieu où l'auteur passait ses vacances quand il était enfant.

- **Quels sont les sens qui, d'après Proust, suscitent le mieux les souvenirs?**
- **En est-il de même pour vous?**

La pervenche[1] de Rousseau

Je donnerai de ces souvenirs un seul exemple qui pourra faire juger de leur force et de leur vérité. Le premier jour que nous allâmes coucher aux Charmettes, Maman[2] était en chaise à porteurs, et je la suivais à pied. Le chemin monte : elle était assez pesante, et craignant de trop fatiguer ses porteurs, elle voulut descendre à peu près à moitié chemin pour faire le reste à pied. En marchant elle vit quelque chose de bleu dans la haie, et me dit : Voilà de la pervenche encore en fleur. Je n'avais jamais vu de la pervenche, je ne me baissai pas pour l'examiner, et j'ai la vue trop courte pour distinguer à terre les plantes de ma hauteur. Je jetai seulement en passant un coup d'œil sur celle-là, et près de trente ans se sont passés sans que j'aie revu de la pervenche ou que j'y aie fait attention. En 1764, étant à Cressier avec mon ami M. Du Peyrou, nous montions une petite montagne au sommet de laquelle il a un joli salon qu'il appelle avec raison Belle-Vue. Je commençais alors d'herboriser un peu. En montant et regardant parmi les buissons, je pousse un crie de joie : Ah! voilà de la pervenche! et c'en était en effet. Du Peyrou s'aperçut du transport[3], mais il en ignorait la cause...

J.-J. Rousseau, *Les Confessions* 1782-89.

(1) petite fleur bleue. (2) non que l'auteur donne à la femme qui l'a recueilli à 16 ans. (3) joie.

- **Qu'y a-t-il de surprenant dans l'expérience vécue par Rousseau?**
- **Avez-vous vécu une expérience semblable?**

LEÇON 4 LES PASSIONNÉS DE LA NATURE

Le professeur Jean Bourdon fait une conférence devant les membres de l'association de défense de l'environnement SOS-TERRE.

« Mesdames et Messieurs, je remercie l'association SOS-TERRE de m'avoir invité à venir parler de mes recherches et je tiens à féliciter votre mouvement de l'immense travail qu'il a accompli depuis une dizaine d'années pour la défense de l'environnement. Sachez que je suis avec vous et que je rends hommage à votre action. Toutefois, et je vous prie d'excuser mes propos s'ils dérangent quelques-uns d'entre vous dans leurs certitudes, je ne vais pas, une fois de plus, énumérer les lieux communs du combat écologiste. Je voudrais, en m'appuyant sur de récentes découvertes scientifiques, montrer qu'il existe une hiérarchie dans les causes que vous défendez. Ce qui signifie donc que certains phénomènes dont la presse dénonce les conséquences dramatiques ne constituent pas de réelles menaces. Par contre, de vraies menaces existent sur lesquelles on ne se mobilise pas suffisamment.

Au cours de cet exposé, je traiterai de trois questions. Dans une première partie, je développerai les problèmes concernant l'effet de serre et les trous dans la couche d'ozone. Un deuxième point sera consacré aux conséquences de la pollution. Enfin, troisième et dernier point, la destruction de l'environnement végétal, qu'il soit terrestre ou maritime.

Pour ce qui est de l'effet de serre, que nous disent les médias ? La pollution industrielle provoque l'augmentation du taux de gaz carbonique dans l'atmosphère. Cette augmentation aurait pour conséquence un réchauffement de la terre au point que dans 50 ans la température s'élèverait en moyenne de 2 à 5 degrés avec des poussées locales de 10 degrés. Dans cette hypothèse dramatique, la calotte glaciaire fondrait de sorte que le niveau des mers et des océans s'élèverait, recouvrant des villes comme New York ou Marseille. La carte agricole et politique du monde serait par conséquent bouleversée. Ces craintes sont-elles justifiées ? Selon moi, non !

D'abord je voudrais vous faire remarquer que depuis le début des temps, la température du globe n'a que très peu varié. Même ce qu'on a appelé l'ère glaciaire n'a concerné que 30 % de la surface de la terre. Et pourtant, la température du soleil, elle, a souvent changé. En somme, la Terre semblerait avoir la capacité de se maintenir à une température constante. Par quels moyens y arrive-t-elle ? Je donnerai un exemple. Depuis une dizaine d'années, c'est-à-dire depuis que notre société industrielle rejette autant de gaz carbonique, la densité des algues dans les océans a doublé. Or, ces algues absorbent du gaz carbonique et rejettent des gaz sulfureux qui provoquent la formation de nuages, les nuages empêchent les rayons du soleil de pénétrer, et c'est la raison pour laquelle la température de notre planète reste stable. Venons-en à la couche d'ozone... »

Interview de Bernadette Lievreau.

Quand Bernadette Lievreau m'introduisit dans son bureau, je m'attendais à trouver des murs couverts de planches piquées de papillons multicolores, des tables encombrées d'insectes emprisonnés dans des cubes translucides et des bocaux de formol contenant d'effrayants reptiles. Déception. La pièce n'avait rien du cabinet de travail d'un naturaliste. Bernadette me montra des étagères bourrées de livres et de dossiers, son ordinateur et une grande caisse remplie de jouets pour enfants.

« *Mes animaux, vous les verrez dans le parc. Je travaille sur du vivant. Ce qui m'intéresse c'est leur intelligence.* »

Nous étions dans le vif du sujet. La passion de Bernadette, c'est la capacité d'adaptation et d'invention dont font preuve certains animaux. Pour elle, l'intelligence n'est pas le domaine réservé de l'homme. De nombreuses observations tendent à prouver que les animaux ne sont pas que des mécaniques parfaitement conditionnées et que leur comportement n'est pas seulement guidé par l'instinct.

J'allais poser ma première question quand une femelle chimpanzé entra, apportant le café. Bernadette se précipita pour saisir le plateau. « *Je voulais vous impressionner. Ça a réussi. Mais c'était très risqué. Betty ne peut pas se concentrer longtemps. Mais savez-vous qu'elle se reconnaît dans un miroir?*

– Comment avez-vous pu vous en rendre compte?

– Par un moyen très simple. Je l'ai anesthésiée et je lui ai fait une marque rouge sur le front. A son réveil, je l'ai mise devant une glace. Elle a essayé de gratter la tache. Un autre animal n'aurait pas fait ça.

– Dans le livre que vous venez de publier, vous dites que les chimpanzés sont capables d'acquérir un langage. Est-ce que ça signifie que Betty peut parler?

– Non, mais nous arrivons à communiquer à l'aide de petits jetons qui représentent des mots : un rond rouge signifie "banane", un triangle vert veut dire "prendre", un carré blanc "oui", etc. Grâce à ces jetons Betty peut demander quelque chose, répondre oui ou non à une question simple, comprendre une interdiction et même décrire des actions... Je vous donne un exemple. Je dépose sur la table une pomme et une banane. Par l'intermédiaire des jetons je lui donne une consigne : "si tu prends la banane tu n'auras pas de chocolat". Betty prend la pomme. Elle a compris la relation conditionnelle et elle a pu penser le mot "chocolat" bien que l'objet ne soit pas présent. Ça, c'est bien de l'intelligence. Ça prouve que certains animaux sont capables de se représenter des choses qui ne sont pas sous leurs yeux. »

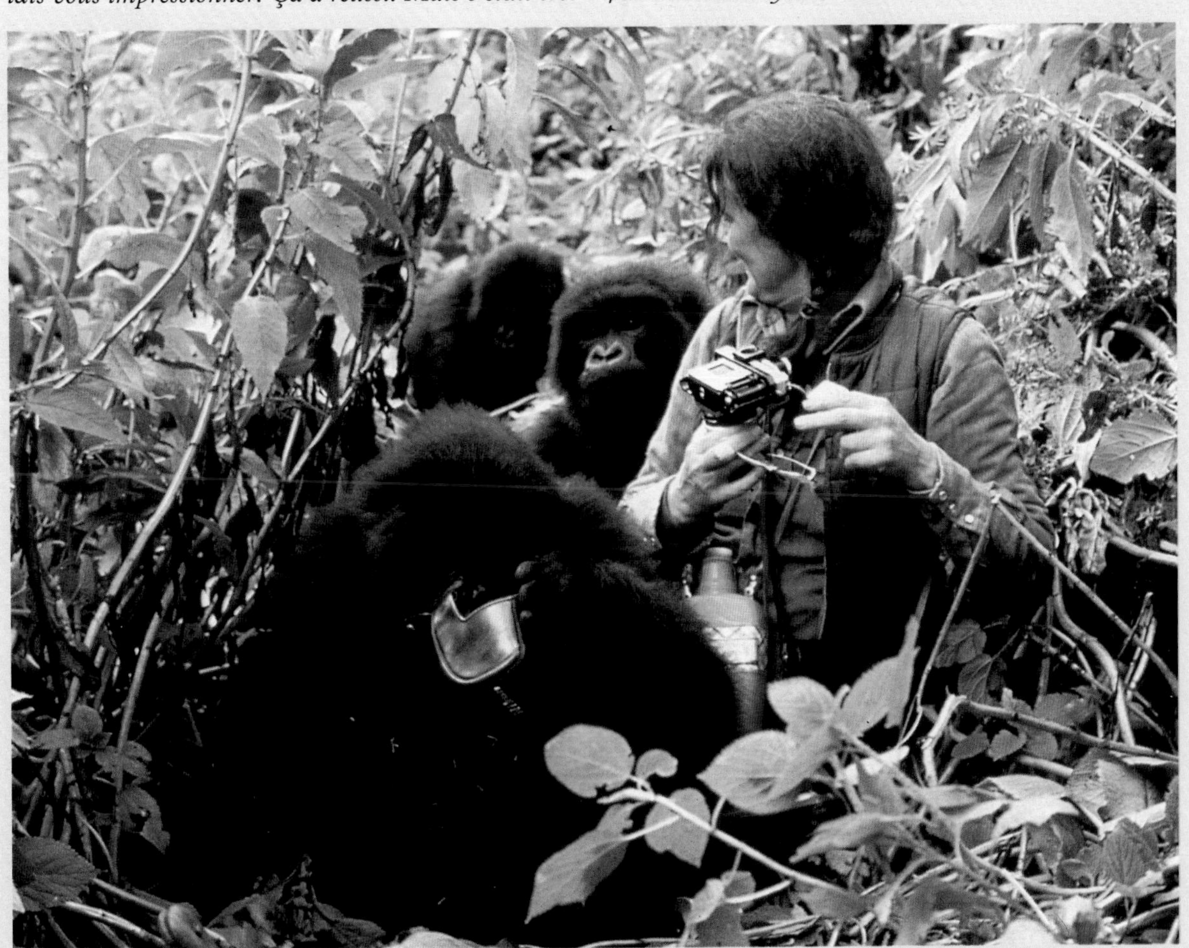

Diane Fossey et les gorilles au Rwanda.

GRAMMAIRE ET VOCABULAIRE

L'EXPRESSION DE LA CONSÉQUENCE

• **Coordination entre la cause et la conséquence**

donc – par conséquent – c'est pourquoi – aussi (avec pronom sujet après le verbe)
c'est la raison pour laquelle – en conséquence – alors

Il y a trop de gaz carbonique dans l'atmosphère { **par conséquent** le climat se réchauffe. / **donc** le climat se réchauffe. / **aussi** le climat se réchauffe-t-il. }

• **Relation grammaticalisée entre la cause et la conséquence**

{ **de manière à** / **de façon à** / **au point de** } + infinitif

{ **de sorte que** / **de façon que** / **au point que** / **(tant et) si bien que** / **à tel point que** } + indicatif.

Le climat risque de se réchauffer **à tel point que** la calotte glaciaire fondra.

• **Nuance de comparaison**

→ Elle est { **si** / **tellement** } travailleuse **que**...

→ Elle travaille { **tant** / **tellement** } **que**...

→ Il y a { **tant** / **tellement** } de gaz carbonique **que**...

L'IDÉE DE MOYEN

Par quel moyen y êtes-vous arrivé ?

• Par quel moyen... ?	au moyen de
comment... ?	à l'aide de
grâce à qui/à quoi... ?	grâce à
de quelle manière... ?	par l'intermédiaire de

• un moyen – un procédé – une méthode – une façon – une manière
un moyen provisoire : un palliatif
un moyen adroit : une astuce – un truc – un stratagème – une ruse – une ficelle – un subterfuge – une manœuvre
un moyen malhonnête : un piège – une machination – un mauvais tour.

L'ENCHAÎNEMENT DES IDÉES DANS UN DISCOURS

Je traiterai de...
Je parlerai de... Je présenterai...
D'abord... Ensuite...
Première partie... Deuxième partie...
Premier point... Deuxième point...

Introduire un sujet.

Passons au point suivant... Venons-en à...
En ce qui concerne...
Pour ce qui est de...
Quant à...
Reste à parler de...

Passer au point suivant – enchaîner.

J'étudierai davantage.
Je développerai/je ne développerai pas.
Je m'étendrai/je ne m'étendrai pas sur...
Je m'en tiendrai à...
Je passerai rapidement sur...

Insister/passer rapidement sur un point.

Prenons un exemple...
Par exemple... Ainsi...
J'illustrerai ce point par une anecdote.
Entre parenthèses.
Cela fait penser à... cela rappelle...

Donner un exemple – illustrer.

Résumer un point.

En somme... En gros... Pour tout dire...
Ce qu'il faut retenir... L'essentiel c'est...
Pour me résumer... En résumé...

Conclure.

En conclusion... Pour conclure...
Pour finir...
Au terme de cet exposé, je dirai que...

■ LA POLLUTION

• **Polluer** – un agent de pollution – un déchet chimique, nucléaire, radioactif – les poussières – les scories – les résidus – contaminer – infester – une bactérie – un microbe – un virus – abuser de... – un abus.
• **Salir**
être sale – la saleté – une tache – être crasseux – la crasse – souiller – tacher – c'est répugnant – dégoûtant – les ordures – une poubelle.
• **Nettoyer** (le nettoyage)
laver – épousseter (la poussière) – essuyer – récurer – épurer (l'épuration) – filtrer (le filtrage – un filtre) – assainir (l'assainissement) – c'est propre (la propreté) – net (la netteté) – pur (la pureté).

■ CLASSER

Espèce d'idiot !
On n'a pas idée de freiner de la sorte !

• **classer** – le classement
trier – le tri
ranger – le rangement
répartir – la répartition
ordonner – mettre de l'ordre
cataloguer – un catalogue
répertorier – un répertoire – une liste – un index

appartenir à	un genre – une classe
faire partie de	une catégorie – une espèce
être inclus dans	un ordre – un groupe.

• **un collectionneur**
collectionner – accumuler – amasser – réunir – échanger (contre...) – étiqueter – une étiquette.
• Dans ce zoo, il y a toutes **sortes** d'animaux.
Il a habité dans **une sorte de** grande cabane en bois.

■ LES ANIMAUX

• un animal domestique/sauvage – apprivoiser un animal – un mâle – une femelle – un animal herbivore – carnivore – omnivore.
• **les mamifères et les poissons** (Voir *Le Nouveau Sans Frontières II*, pp. 27 et 130.)
• **Les insectes**
une mouche – un moustique – une fourmi – une cigale – une chenille – un papillon – une libellule – une sauterelle – un grillon – une araignée – la toile – une puce – un pou – une abeille – une guêpe – un essaim – une ruche – le miel – la cire – piquer – une piqûre.
• **Les oiseaux**
un moineau – une hirondelle – une alouette – un corbeau – un canari – un aigle – un perroquet – une pie – un hibou – une autruche – une mouette – un pingouin
l'aile – les plumes – les pattes – les griffes – un nid – un œuf – couver – pondre.
• **Les reptiles**
un ver (de terre, etc.) – un serpent (une vipère – une couleuvre – un serpent à sonnettes) – mordre – une morsure – le venin – un lézard – une tortue – un crocodile – une grenouille – un crapaud.

■ L'INTELLIGENCE – LA FOLIE

• **Le cerveau**
un neurone – un nerf – l'activité cérébrale – le quotient intellectuel (le QI) – un test d'aptitude, d'intelligence.
• **Un intellectuel** – un cérébral
– faire preuve de discernement – de réflexion – de jugement – de perspicacité – de pénétration
→ un raisonnement intelligible/inintelligible – clair/obscur – limpide/confus – compréhensible/incompréhensible.
• **La folie**
un fou – un dément (la démence) – un déséquilibré – un détraqué – un désaxé – un psychopathe – un obsédé – un schizophrène – devenir fou – perdre la raison – une maladie mentale – un hôpital psychiatrique – un asile d'aliénés
→ vocabulaire familier et populaire :
cinglé – dingue – timbré – toqué – piqué – marteau – sonné.

ACTIVITÉS

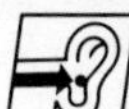

Découverte du discours de Jean Bourdon

- Quel est le plan de la conférence de J. Bourdon ?
- Analysez son développement sur « l'effet de serre ». Comment est-il argumenté ? Observez le temps des verbes.

Mécanismes A

- La région est très polluée, à tel point que l'atmosphère est irrespirable.
  – La région est si polluée que l'atmosphère est irrespirable.
- L'eau est contaminée, à tel point qu'il est défendu d'en boire.
  – L'eau est si contaminée qu'il est défendu d'en boire.
- Le taux de gaz carbonique augmente beaucoup. Donc, l'air se réchauffe.
  – Le taux de gaz carbonique augmente tellement que l'air se réchauffe.
- Elle travaille beaucoup. Donc, elle réussira.
  – Elle travaille tellement qu'elle réussira.

1. La conséquence. Reliez la cause et la conséquence en utilisant une seule fois les expressions de la liste.

de façon à – à tel point que – aussi – au point de – donc – au point que – c'est pourquoi – c'est la raison pour laquelle.

- Jean est le meilleur. Il a été sélectionné.
- Il parle fort. Il est entendu par tout le monde.
- Il fait une chaleur épouvantable. On ne peut pas travailler.
- Valérie est claustrophobe. Elle ne prend jamais le métro.
- La discussion a été violente. Jacqueline a éclaté en sanglots.
- Les freins du camion étaient usés. Ils ont cédé.
- Nous avons beaucoup dépensé cette année. Nous ne partirons pas en vacances.
- J'ai sonné. Personne n'a répondu. Je suis reparti.

2. D'après les notes suivantes, rédigez un article sur la crise de la sidérurgie en Lorraine.

- **Avant 1980** : région prospère, afflux de main-d'œuvre étrangère.
- **Début des années 1980** : crise importante.

Complexe sidérurgique de Longwy.

Causes
- minerai lorrain pas assez riche ;
- concurrence du minerai suédois et mauritanien (importation) ;
- usines trop vétustes. Rentabilité réduite ;
- mesures nationales de restructuration ; de la sidérurgie française : l'État privilégie la zone de Fos (Marseille) et de Dunkerque (Nord).

Conséquences
- fermeture de nombreuses installations ;
- nombreux emplois supprimés ;
- désertification du bassin sidérurgique ;
- atteinte des secteurs non directement concernés ; industries liées à la sidérurgie, banques, collectivités locales, commerces, services, etc. ;
- tissu économique régional détruit.

3. *Lisez cette présentation de l'ouvrage de Claire Granier,* Passion extrême *(Éd. Robert Laffont, 1988).*

Qu'est-ce que le bout du monde, et comment y vit-on? C'est pour répondre à cette double question qu'un jour de 1986, Claire Granier a quitté le confort de de Paris, un travail qu'elle aimait, notre vie à tous, et s'est envolée pour le Groenland.

C'était un rêve, celui du monde blanc. Mais à Angmagssalik, petit port de la côte est, pourtant la plus sauvage, la réalité est plus sombre. Le Groenland aujourd'hui fait partie intégrante du Danemark, et la société eskimo a mal résisté à la confrontation avec les impératifs d'un monde technologiquement avancé qui annihile ses véritables valeurs et ses traditions. Chômage, suicides, alcoolisme, c'est sur ce fond de désespoir que dérivent lentement les grands icebergs bleus.

Cette société menacée, malade, va pourtant bouleverser Claire Granier, et, grâce à la rencontre de Peter, un jeune Groenlandais dont elle deviendra la compagne, elle va en appréhender toutes les réalités, les pires et les meilleures.

L'alcool et la perte d'identité, d'une part – mais aussi la mer, libre ou glacée, les grandes courses en traîneau, l'amour difficile des chiens, la chasse au phoque, à l'ours, la pêche et le silence, l'éblouissement toujours nouveau des aurores boréales.

Et cette histoire impossible, douloureuse, d'un homme et d'une femme que rapproche la passion de ces grandes échappées, mais que leurs cultures, leurs conceptions du monde et des rapports entre les êtres séparent.

- **Quelles sont les conséquences de la confrontation de deux sociétés culturellement et technologiquement différentes. Recherchez dans le texte les conséquences négatives. Imaginez les conséquences positives.**
- **Les mariages entre personnes de nationalités différentes. Quelles en sont les conséquences? Quelles sont les conditions de réussite?**

4. Continuez la conférence de Jean Bourdon (p. 148) en développant les problèmes écologiques illustrés par les photos suivantes.

Abattage des arbres en Amazonie.

Conséquences de la marée noire.

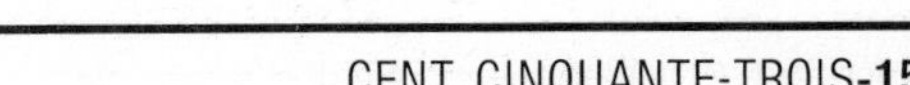

Sécheresse au Sahel.

5. *Imaginez les répercussions des événements suivants.*

• Une surtension d'origine mystérieuse fait fondre tous les fils électriques de France. Pendant six mois, le pays sera privé d'électricité.
• Un biologiste de génie met au point un vaccin contre le vieillissement.
• Depuis 10 ans, la température de la planète baisse de deux degrés chaque année.
• Un peuple venu de l'espace colonise la terre.

6. *Lisez cet article sur les risques de l'exploitation de l'énergie atomique.*

En 1975, on calculait que, pour mille réacteurs en activité, un accident mortel surviendrait tous les mille ans. Optimisme aussitôt contredit : dans les quatre cent vingt-deux installations en service, sept accidents majeurs ont eu lieu. Personne ne nie plus le péril. Les désaccords entre experts ne concernent que la dose de radioactivité estimée dangereuse. Les doses maximales admissibles (DMA) – variables selon les pays – déterminent les niveaux officiels d'intervention. Elles impliquent un nombre moyen de décès acceptés comme le prix de l'énergie nucléaire.

Problèmes : les faibles doses sont officiellement considérées comme inoffensives, alors que ce sont leurs effets à long terme qui sont catastrophiques. Les « faibles doses » provoquent des cancers qui se déclarent après des dizaines d'années. Les mutations génétiques peuvent concerner plusieurs générations. « Il faut définitivement oublier la notion de dose sans danger, affirme John Gofman, médecin et physicien à Berkeley. Il n'y a pas de seuil. Chaque fois qu'une cellule est frappée par le rayon, elle est soit détruite, soit gravement endommagée. » L'organisme est d'autant plus sensible que des défenses sont diminuées. Stress, pollutions diverses, détérioration de la qualité nutritionnelle des aliments, âge, prédispositions héréditaires, sont autant de facteurs d'affaiblissement. De plus, les organes accumulent la radioactivité, se détériorent à la mesure de ce « stockage ». Une légère irradiation suffit, selon les individus, à programmer la maladie. Accident majeur ou non, l'industrie nucléaire libère constamment des particules radioactives qui se répandent incognito au gré des vents ou des courants et contaminent toute la chaîne biologique. La menace pèse sur tout le monde, d'autant plus lourde que les sources radioactives sont proches et multiples.

La France, troisième puissance par le nombre de ses réacteurs (soixante en 1990), détient le record mondial de densité d'installations par rapport à sa superficie et au nombre de ses habitants. En 1974, au nom de l'indépendance nationale, Valéry Giscard d'Estaing misait sur la chaîne nucléaire : production du combustible; retraitement de l'uranium en plutonium; développement de la technologie du surgénérateur au plutonium en vue de la vente à l'étranger. La crise du pétrole se calma, rendant le choix du nucléaire moins évident. Le plutonium, lui, s'avère extrêmement dangereux. Comme Concorde, Superphénix, notre autre poule de luxe, n'a pas trouvé d'amateur. Le pari grandiose commence à coûter cher. Trop cher?

Dans notre pays suréquipé, les résidus radioactifs s'accumulent : restes de combustible, équipements, produits d'entretien, vêtements et emballages, représentent environ trente tonnes par an et par réacteur. Aujourd'hui, ces reliefs sont encore assez peu nombreux pour être stockés à l'intérieur des centrales ou retraités à l'usine de La Hague qui reçoit, en outre, 80 % du volume mondial des déchets radioactifs. Mais en l'an 2000 se seront accumulées deux cent mille tonnes de déchets de combustile – sans compter le matériel provenant des installations. L'encombrante radioactivité ne mourant que de sa belle mort, laquelle vient parfois très tard, les résidus doivent être isolés pour une durée indéterminée. La plupart des produits de fission auront disparu dans un délai de trois cents à mille ans. Le plutonium, lui, demandera plus de cent mille ans!

L'Événement du Jeudi, 16 mars 1989.

• Relevez les arguments de l'auteur.
• Vous devez faire une conférence sur ce sujet.
Rédigez : a. votre introduction – b. l'annonce de votre plan.

7. *L'idée de moyen. Comment résoudre les problèmes suivants ?*

a. Imaginez des moyens, des procédés, des astuces, des stratégies, pour :

- vaincre le trac quand vous parlez en public ;
- voyager à prix réduit ;
- bronzer sans attraper de coups de soleil ;
- soigner une blessure quand vous êtes au milieu de la forêt et sans trousse de secours ;
- réussir une mayonnaise ;
- vous faire passer le hoquet ;
- vous arrêter de fumer ;
- aborder un jeune homme ou une jeune femme sans vous faire rabrouer.

Dans ses Dingodossiers, *le dessinateur humoristique Gotlib a imaginé des solutions aux petits mystères de notre vie quotidienne.*

R. Goscinny et M. Gotlib, *Les Dingodossiers (2)*, © Éd. Dargaud.

b. Trouvez d'autres petits mystères et imaginez des solutions originales.

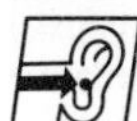

8. *Exercice d'écoute. Conversation entre le représentant d'un mouvement écologiste et le maire d'une petite ville.*

- **Relevez : a. les faits qui soulèvent des problèmes ; b. les arguments de chaque interlocuteur.**

Découverte de l'article « Intelligence animale »

- **Pourquoi le journaliste est-il surpris en entrant dans le bureau de la naturaliste ?**
- **Relevez les preuves de l'intelligence animale.**

Mécanismes B

- **Vous aviez donné des instructions à Patrick ?**
- **– Non, je ne lui en avais pas donné.**
- **Il vous avait demandé des précisions ?**
- **– Non, il ne m'en avait pas demandé.**
- **Vous aviez montré cette lettre à Patricia ?**
- **– Non, je ne la lui avais pas montrée.**
- **Elle vous avait dit qu'elle partait pour New York ?**
- **– Non, elle ne me l'avait pas dit.**

9. *Ordre et désordre.*

a. Jouez la scène

La compagnie d'assurances vient de déménager. La directrice donne des instructions. L'employé demande des précisions.

b. Rédigez la lettre

Jean-François a 28 ans. Jusqu'à présent il a mené une vie peu conforme aux habitudes, rencontrant toutes sortes de gens, fréquentant toutes sortes de lieux, vivant selon son bon plaisir... Ses parents, inquiets pour son avenir, lui écrivent.

Cher Jean-François,
Nous espérons que cette lettre te parviendra car nous ne sommes pas sûrs de ton adresse.
Tu viens d'avoir 28 ans. Il serait peut-être temps que tu mettes un peu d'ordre dans ta vie.

10. *L'intelligence.*

a. Remettez dans l'ordre les morceaux de l'article.
b. Énumérez les différentes définitions de l'intelligence. Montrez que chacune d'elle est insuffisante.
c. Que signifie pour vous être intelligent ?

a

L'intelligence c'est quoi ?
L'organe de l'intelligence, c'est le cerveau. Pour l'instant, la science n'en sait guère plus et, dans tous les cerveaux qu'ils ont disséqués, les chercheurs n'ont pas trouvé ce qui fait la différence entre les personnes remarquables et les gens ordinaires.

b

C'est parce qu'il se montra capable de remettre en cause certains principes de la physique traditionnelle en inventant la théorie de la relativité.

c

L'intelligence n'est pas non plus un état. Elle n'existe et ne se mesure qu'en action, confrontée à des problèmes à résoudre.

d

Or la créativité semble encore plus difficile à mesurer que l'intelligence !

e

Par exemple, si Albert Einstein fut un génie, ce n'est pas parce qu'il maîtrisait remarquablement les théories de la physique.

f

D'ailleurs le langage hésite aussi autour de ce concept flou : capacité à comprendre et manier des idées ; aptitude à s'adapter à des situations nouvelles ; la définition de l'intelligence a évolué au fil des siècles sans que l'on parvienne à décortiquer très précisément ses mystérieux mécanismes.

g

Car contrairement à la taille ou au poids, l'intelligence n'est pas une caractéristique aisément mesurable.

h

D'où la difficulté de l'évaluer en faisant la part des apprentissages et du contexte culturel. Sans parler de l'imagination et de la créativité : les grands hommes, sans être stupides, bien sûr, sont généralement plus remarquables par leur créativité que par leur QI.

Sciences et Vie Junior, janvier 1990.

LA PROTECTION DE L'ENVIRONNEMENT

Les systèmes de protection. La France a créé :

• ***des parcs nationaux*** qui sont de vastes zones où les activités pastorales, agricoles et forestières sont réglementées. Ces zones sont ouvertes au public mais la chasse y est souvent interdite. Les espèces rares sont surveillées et protégées. C'est le cas du *Parc National des Pyrénées* où l'on trouve encore des ours bruns, de nombreux rapaces (vautours, aigles), des marmottes, des hermines, des martres, des loutres, etc. ;

• ***des parcs régionaux.*** Ce sont des territoires habités dont l'équilibre écologique est fragile. Ils sont ouverts au tourisme mais surveillés.

Le *Marais poitevin* (entre La Rochelle et la Loire) est un paysage étonnant traversé de nombreux canaux bordés de peupliers, de saules et de frênes qui entourent des pièces de terre très fertiles. Les agriculteurs vivent dans de petites maisons blanches au bord des canaux et se déplacent en barque. La faune y est riche en poissons (carpes, perches, anguilles) et en oiseaux (canards, bécasses, hérons) ;

• ***des réserves naturelles.*** Bien qu'elles ne soient pas entourées de clôtures (pour que les animaux puissent s'y réfugier), elles sont interdites au public. C'est le cas de la *Camargue* où l'on trouve des taureaux et des chevaux à l'état demi-sauvage et qui sert de refuge à des milliers d'oiseaux (canards venant du Nord de l'Europe, hérons, flamants roses).

Le parti des écologistes (appelé « Les Verts »). Les écologistes ne sont plus ces marginaux qui, dans les années 70, rêvaient d'un retour à la nature. Leur parti est en progression constante. Aux élections municipales de 1989, il a réussi un score de 24 % dans certaines villes. Pour les Verts, les problèmes que connaît le monde actuel ne peuvent être résolus qu'à l'échelle planétaire dans un respect constant des grands équilibres de l'environnement.

L'usine de retraitement des déchets nucléaires de La Hague (Normandie) est le premier champ de bataille des Verts. Elle traite en effet des déchets venus du monde entier.

Certains lieux doivent-ils être protégés ? La plaine caillouteuse de *la Crau* (près d'Arles) a été transformée petit à petit en champs cultivés grâce à l'irrigation. Pourtant, depuis l'Antiquité cette vaste étendue plate et déserte, véritable mer de cailloux, a frappé l'imagination des hommes. D'après une légende grecque, Jupiter aurait provoqué une pluie de cailloux pour sauver Hercule combattant les peuples ligures. Certains écrivains (comme Frédéric Mistral) se sont inspirés de ce décor insolite. Doit-on le laisser disparaître ?

Paysage des Hautes-Pyrénées.

Manifestation antinucléaire à Paris.

Marais poitevin.

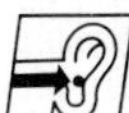

11. *Exercice d'écoute. Une naturaliste raconte ses observations sur les manchots de l'Antarctique. Dites si les affirmations suivantes sont vraies ou fausses.*

a. Les paléontologues ont établi avec certitude l'origine des manchots.
b. En cas de nécessité, les manchots peuvent voler.
c. Certains manchots peuvent nager à 350 mètres de profondeur.
d. Le manchot est fidèle à sa compagne toute sa vie.
e. Pour se déclarer, le mâle offre un cadeau à la femelle qu'il a choisie.
f. Les manchots ont une vie sociale très organisée.
g. Les manchots se regroupent quelquefois en colonnes.
h. Les manchots sont dociles et faciles à apprivoiser.

Manchot et son petit.

12. Connaissez-vous des exemples d'intelligence animale?

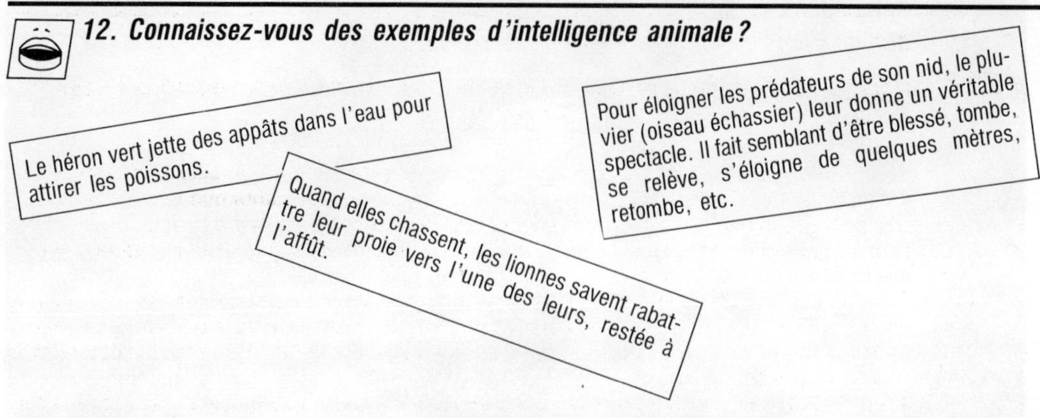

13. Un ennemi des abus de la chasse. Lisez cet article.

Comme chaque année en cette saison, les tourterelles nous reviennent. En les observant par petits vols successifs, on est toujours surpris de constater leur énergie constante après un voyage de quelque 5 000 km. Il leur a fallu traverser le Sahara, survoler la Méditerranée puis franchir les Pyrénées avant d'arriver vers le Médoc, dans le Sud-Ouest. Les lois de la migration ont, en effet, rassemblé les oiseaux dans cette région, sorte d'entonnoir naturel, qu'ils traversent avant de rejoindre les contrées plus au nord. C'est ici que réside le véritable danger du prodigieux voyage. Par centaines, des chasseurs attendent les petites tourterelles pour les tuer, avant même qu'elles n'aient eu le temps de donner naissance aux futures générations.

Cette démarche inadmissible est naturellement condamnée par la loi. Mais les chasseurs braconniers méprisent les textes avec un sacré culot ! Peu importe les quelques amendes qui sont distribuées çà et là, du moment que l'on s'amuse à massacrer. Car il s'agit bien de divertissement, puisque les oiseaux tués illégalement sont à peine comestibles après leur éprouvante migration.

L'année dernière, au nom de la Ligue pour la Protection des Oiseaux (LPO), je me suis rendu sur place, afin de demander aux chasseurs de baisser les armes. Peine perdue, ils m'ont opposé violence et insultes.

[...]

Voici plus de dix ans que les Associations de protection de la nature se battent pour que cesse ce massacre illégal. D'année en année, les chasseurs sont moins nombreux. Mais, il en reste près d'un millier, soutenus activement par des dizaines de milliers d'autres porteurs de fusils. Dans le même temps, les chasseurs se plaignent d'avoir une « mauvaise image de marque », d'être incompris. Comment peut-on leur accorder le moindre crédit, dès lors qu'ils cautionnent le braconnage ! Le jour où les responsables cynégétiques condamneront sur le terrain cette scandaleuse habitude, nous pourrons croire qu'ils veulent être respectueux de la faune comme ils le prétendent si souvent.

En attendant, ils nous offrent l'image de la haine qu'ils portent à la vie.

Sans le bruit des pétarades répétées dans le Sud-Ouest, ce mois de mai pourrait être si joli...

Allain Bougrain-Dubourg,
Sciences et Nature, n° 67, mai 1989.

- **Quelles critiques A. Bougrain-Dubourg adresse-t-il aux chasseurs?**
- **Relevez tout ce qui prouve que l'auteur, passionné de la nature, ne présente pas les faits d'une manière objective** (choix du vocabulaire, manière de présenter les arguments, etc.).
- **Selon votre humeur :**

→ répondez à A. Bougrain-Dubourg pour prendre la défense des chasseurs ;
→ écrivez-lui pour le féliciter de son article et apportez-lui des arguments supplémentaires.

14. Les collectionneurs.

Recherchez toutes les actions que doivent faire les collectionneurs suivants :

- Il fait la collection des papillons.
- Elle est philatéliste.
- Elle constitue un herbier.
- Il rassemble tous les articles de presse sur les phénomènes étranges.

***Exemple :* « Il se promène dans la campagne avec son filet à papillon. Dès qu'il aperçoit... »**

15. *L'humour de Pierre Desproges (humoriste contemporain).*

Dans le *Dictionnaire superflu,* Pierre Desproges présente de courts articles, classés par ordre alphabétique, où il laisse libre cours à son délire verbal.

Insecte n. m., du latin *insectus,* sous le tabouret. Ainsi le mot insecte désigne-t-il un animal si petit qu'il peut (à l'aise) passer sous un tabouret sans ramper, alors que le python, si. Les insectes sont des invertébrés de l'embranchement des articulés. Il n'y a pas de quoi se vanter. Leur corps, généralement peu sensible à la caresse, est entouré d'une peau à chitine d'aspect volontiers dégueulasse. Il se compose de trois parties :

1. La tête, avec deux antennes que l'enfant aime à couper au ciseau pour tromper son ennui à la fin des vacances, deux gros yeux composés à facettes et peu expressifs au-delà du raisonnable, et une bouche très dure garnie d'un faisceau redoutable de sécateurs baveux dont la vue n'appelle pas le baiser.

2. Le thorax, lisse et brillant, affublé d'un nombre invraisemblable de pattes et le plus souvent garni de deux paires d'ailes dont la finesse des nervures ne manque pas de surprendre, chez un être aussi fruste. C'est grâce à ses ailes que l'insecte peut vombrir, signalant ainsi sa présence au creux de l'oreille interne de l'employé de banque assoupi.

3. L'abdomen, divisé en gros anneaux mous et veloutés et percé sur les côtés de maints trous faisant également office de trachées pulmonaires.

Il existe plusieurs millions d'espèces d'insectes. Certains vivent en Seine-et-Marne, au Kenya, ou sur un grand pied, tel le cafard landais qui, comme le berger du même nom[1], vit juché sur des échasses pour dominer fièrement les ordures ménagères dont il est friand.

Certains insectes, comme la mouche des plafonds, possèdent des ventouses sous les pattes qui leur permettent de se coller aux ptères.

P. Desproges, *Dictionnaire superflu à l'usage de l'élite et des bien nantis,* © Éd. Seuil coll. Point-virgule, 1985.

(1) La forêt des Landes était autrefois une région désolée et marécageuse. Les bergers se déplaçaient montés sur des échasses.

- **Recherchez dans ce texte : a.** les imitations du style scientifique ; **b.** les glissements vers un style non scientifique.
- **Relevez** : une approximation, une familiarité, une remarque juste mais inhabituelle dans un texte scientifique, un jeu de mot, une incongruité, un exemple de délire verbal.
- **Imaginez la présentation amusante d'un autre animal.**

À travers la littérature... UN POÈME DE RIMBAUD

AUBE

J'ai embrassé l'aube d'été.

Rien ne bougeait encore au front des palais. L'eau était morte. Les camps d'ombres ne quittaient pas la route du bois. J'ai marché, réveillant les haleines vives et tièdes, et les pierreries regardèrent, et les ailes se levèrent sans bruit.

La première entreprise fut, dans le sentier déjà empli de frais et blême éclat, une fleur qui me dit son nom.

Je ris au wasserfall[1] blond qui s'échevela à travers les sapins : à la cime argentée je reconnus la déesse.

Alors je levai un à un les voiles. Dans l'allée, en agitant les bras. Par la plaine où je l'ai dénoncée au coq. A la grand-ville elle fuyait parmi les clochers et les dômes et courant comme un mendiant sur les quais de marbre, je la chassais.

En haut de la route, près d'un bois de lauriers, je l'ai entourée avec ses voiles amassés, et j'ai senti un peu son immense corps. L'aube et l'enfant tombèrent au bas du bois.

Au réveil il était midi.

Illuminations.

(1) cascade (mot allemand).

- **Montrez que l'aube est considérée comme une femme.**
- **Montrez que le poème se déroule selon les étapes d'un rituel amoureux.**

1. *L'expression de la cause. Imaginez des explications en utilisant les expressions de causes entre parenthèses.*

• **L'équipe nationale a perdu le match. Quelles sont les raisons de cette défaite ?** (étant donné (que)... à cause de... provoquer).
• **Il y a eu des grèves, des manifestations, des barricades, des émeutes, ... Quelle est l'origine de cette flambée de violence ?** (en raison de... déclencher... car... être à l'origine de...).
• **Pourquoi est-il si riche ?** (grâce à... à force de... du fait de...).

2. *L'expression du but.*

En 1985, le comédien Coluche a créé les *restaurants du cœur* qui offrent pendant tout l'hiver des repas à très bas prix à n'importe quelle personne qui se présente. Les restaurants sont alimentés par des dons. L'opération a connu un très grand succès et se poursuit chaque hiver.

Rédigez une présentation des buts de l'opération « Les restaurants du cœur ».
• les pauvres doivent pouvoir manger à leur faim ;
• les démunis et les sans-abri ne doivent pas sombrer dans le désespoir ;
• déclencher un élan de solidarité ;
• impliquer l'ensemble de la population et lui faire prendre conscience que la pauvreté existe toujours en France ;
• les malheureux passeront plus facilement les trois mois d'hiver.

3. *L'expression de l'opposition. Imaginez des obstacles et des problèmes. Utilisez les expressions d'opposition entre parenthèses.*

• **Il est finalement parvenu au sommet du mont Blanc** ...... (bien que... pourtant... en dépit de...).
• **Elle n'est pas arrivée à l'heure** ...... (avoir beau... cependant... quand même...).
• **Certains problèmes écologiques ne sont pas aussi graves qu'on pourrait le penser** ...... (par contre... toutefois... tout de même...).

4. *L'expression de la condition. Chacun pose ses conditions. Imaginez un court dialogue.*

• **le fils voudrait que son père lui donne l'autorisation de partir un mois faire du camping avec des copains.**
• **le père voudrait que son fils l'aide à refaire les peintures et à changer les papiers peints de l'appartement.**

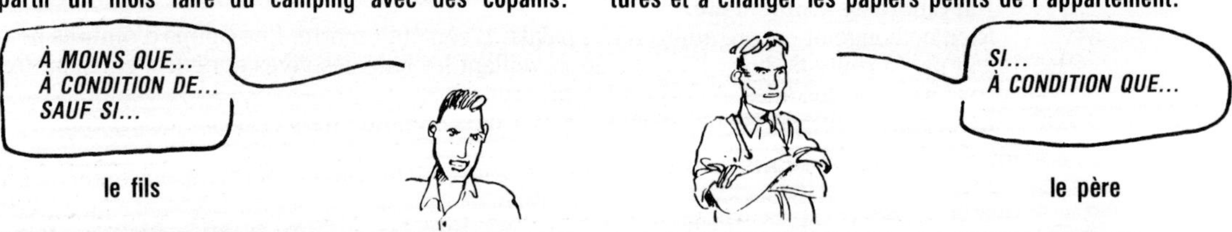

5. *L'expression de la conséquence. Reliez les causes et les conséquences en variant le verbe ou l'expression de conséquence.*

• Il a attrapé une angine
  → mal à la gorge
  → fièvre
  → il est resté au lit deux jours.
• Le prix du pétrole a augmenté
  → augmentation de la plupart des produits
  → inflation
  → instabilité sociale.
• La soirée chez les Lacroix était ennuyeuse
  → j'ai failli m'endormir
  → j'ai été désagréable avec Didier
  → je suis partie à 11 h.

■ 6. *Dire la ressemblance. Complétez avec l'un des mots de la liste.*

• Entre les goûts de Jacqueline et ceux de Patrick il n'y a aucun ....
• Il y a une grande ...... entre le père et le fils.
• Au cours de leur vie ces deux femmes ont fait les mêmes choses. Elles ont suivi un itinéraire ....
• C'est un fabulateur. Le récit qu'il a fait de son accident n'est pas du tout ...... à la réalité.
• On ne peut pas établir de ...... entre le meurtre et la présence du suspect dans le quartier de la victime.
• Le raisonnement logique permet de déduire, alors que le raisonnement par ...... permet d'inventer.

corrélation
correspondance
analogie
point commun
ressemblance
parallélisme
conforme
semblable
voisin
similaire

■ 7. *Comparez. Imaginez ses pensées.*

Karine est une admiratrice d'un artiste de cinéma. Elle ne manque pas un de ses films, collectionne tous les articles de presse qui parlent de lui, tapisse les murs de sa chambre des photos du beau comédien et... rêve de lui nuit et jour.
Le hasard fait bien les choses. Un jour qu'elle est assise à la terrasse d'un café, son idole s'installe à côté d'elle... Entre l'image réelle qu'elle avait de lui et la réalité, il y a des ressemblances et des différences...

■ 8. *Proposer. Suggérer. Faites-leur des suggestions.*

■ 9. *Défis – risques – tentatives – réussites – échecs.*

Voici le carnet de route de la course automobile. Rédigez le récit de la course en imaginant de nombreux incidents.
Rallye d'Afrique du Nord
Km 0 au km 40 : piste rectiligne, dure, en bon état.
Km 40 : 2 virages à 90°.
Km 45 au km 100 : dunes de sable.
Km 100 au km 125 : pente à 15 %. Piste étroite qui surplombe une falaise à pic. Succession de lacets.
Km 125 au km 130 : verglas puis neige.
Km 130 : passage du col.
Km 130 au km 170 : descente face sud. Pente à 10 %. Rochers au milieu de la piste. Risque d'éboulement.

■ 10. *Test culturel.*

1. Quels sont en France les deux massifs montagneux les plus élevés ?
2. Pour quelles raisons géographiques et historiques la ville de Marseille a-t-elle été jusqu'à une époque récente, la deuxième ville de France ?
3. Citez trois sportifs français célèbres et le nom de leur discipline.
4. Qu'est-ce que la « Nouvelle vague » ?
5. Quel est le film qui vous paraît le plus représentatif du cinéma français ? Justifiez votre choix.
6. Quels sont les secteurs de l'industrie française les plus connus à l'étranger ?
7. Qu'est-ce qu'un « parc national » ?
8. À qui fait-on allusion quand on parle des « Verts » ?
9. Caractérisez par trois adjectifs la poésie de Rimbaud.
10. Citez deux pièces du théâtre français qui sont une réflexion sur les événements tragiques des années 35 à 45.

DESTINS

LEÇON 1 - PROFESSION ESCROC -

LEÇON 2 - LE SECRET DE LA VIEILLE DAME DU SQUARE -

LEÇON 3 - SUR LES TRACES DES ORIGINES -

LEÇON 4 - HOMO EUROPEANUS -

GRAMMAIRE

Gérondif, participe présent et adjectif verbal – Adjectifs et pronoms indéfinis – Formes impersonnelles – Subjonctif imparfait et plus-que-parfait.

COMMUNICATION

Exprimer la probabilité et la possibilité – Dire sa surprise ou son indifférence – Actes relatifs à la prise de parole.

VOCABULAIRE

Délinquance et justice – Argent, banque, épargne – Vieillesse et mort – Jeux et hasard – Rire et humour – Attitudes et comportements.

CIVILISATION

La presse – La protection sociale – Les vestiges de l'histoire – L'humour des Français – La bande dessinée.

PROFESSION ESCROC

LE PETIT JOURNAL

22 Novembre 1925. - N° 1822
PRIX : 30 CENTIMES

22 NOVEMBRE 1925

VA-T-ON DÉMOLIR LA TOUR EIFFEL?

En effectuant leur inspection annuelle, les ingénieurs chargés de l'entretien de la tour Eiffel ont remarqué que l'état de la construction était particulièrement inquiétant. La rouille recouvre une grande partie de la charpente métallique et, de nombreux rivets de fixation ayant sauté, certaines poutrelles risquent de se détacher, menaçant les visiteurs qui se pressent toujours aussi nombreux aux pieds du célèbre monument.

Ces constatations ne surprendront pas les Parisiens. Depuis longtemps, dans ces colonnes même, des voix s'élèvent contre une administration négligente qui laisse pourrir une des merveilles de Paris.

Toutefois, négligeant superbement les amoureux de la tour Eiffel, le porte-parole de la ville de Paris, qui présentait hier à la presse le rapport des ingénieurs, n'a pas caché que la destruction pure et simple de l'édifice était à l'étude : « Il faut considérer d'une part, un coût de rénovation dépassant largement les recettes d'exploitation et d'autre part, la récupération de 7 000 tonnes de fer permettant la construction de plusieurs usines... »

3 JANVIER 1926

Richard Bouguerot, gros industriel lyonnais spécialisé dans la récupération des vieux métaux se trouve dans le cabinet de Christian Filochard, détective privé.

C.F. : Bon. Reprenons votre histoire depuis le début... Donc, en avril, vous recevez une lettre du ministère des Postes vous proposant un rendez-vous au Ritz pour discuter d'un marché important...

R.B. : Oui, la lettre précisait que l'affaire devait être tenue secrète. Au Ritz, j'ai été accueilli par deux messieurs : un certain Pierre-Alexandre de la Condamine et un autre dont j'ai oublié le nom.

C.F. : Aucune importance. Il est probable que c'étaient des noms d'emprunt. Continuez !

R.B. : Ces messieurs m'ont dit que la tour Eiffel allait être démolie et qu'ils lançaient un appel d'offre pour l'achat et la récupération des 7 000 tonnes de fer. Si j'étais intéressé, je devais faire une proposition écrite. Je leur ai demandé s'ils appartenaient au ministère. Ils m'ont répondu qu'ils représentaient la SLP, une société accréditée par le ministère pour conduire l'affaire et dont le siège se trouvait 28 boulevard de Sébastopol.

C.F. : Cette SLP sera sans doute une société fictive.

R.B. : C'est très probable ; par la suite, je me suis rendu à cette adresse. Il n'y avait ni bureau ni boîte aux lettres à ce nom.

C.F. : Reprenons. Vous avez donc fait une offre...

R.B. : Oui, et le lendemain, j'ai reçu un télégramme me fixant un nouveau rendez-vous au Ritz. Mon offre avait été retenue.

C.F. : Que s'est-il passé alors ?

R.B. : Ils m'ont demandé de leur faire un virement correspondant au tiers de la somme que j'avais proposée pour l'achat de la ferraille. Voici le nom de la banque et le numéro du compte.

C.F. : Donnez toujours, mais je crains que ça ne serve pas à grand-chose. Il y a de fortes chances pour que le compte ait été vidé. Quant aux deux lascars, ils n'ont plus donné signe de vie, n'est-ce pas ? Il est peu vraisemblable que vous les revoyiez un jour... Je crois, cher Monsieur, que vous vous êtes fait avoir par des escrocs particulièrement malins et ça me rappelle deux ou trois affaires récentes... Mais une question tout de même, pourquoi n'êtes-vous pas allé trouver la police ?

10 SEPTEMBRE 1926

Un imposteur démasqué

Il s'apprêtait à empocher l'héritage d'Edmonde Roustan en se faisant passer pour son fils.

En 1906, Xavier, fils unique d'Auguste Roustan, quitte la maison familiale à la suite d'un chagrin d'amour et s'embarque pour l'Amérique. Ses parents ne recevront jamais de nouvelles. La guerre éclate. Auguste Roustan est tué laissant à sa femme Edmonde une fortune colossale. Edmonde ne se remarie pas et, persuadée qu'elle ne reverra plus jamais son fils, elle rédige son testament en faveur de Juliette Michaud, une petite-nièce. C'est alors que Xavier réapparaît. Certes, il a beaucoup changé mais Edmonde, déjà gravement malade et tout à la joie de retrouver son fils, ne doute pas une seconde de son identité. Elle modifie aussitôt son testament et fait de Xavier son principal héritier. Un mois après, elle meurt et Xavier s'apprête à bénéficier de la succession. Mais Juliette Michaud dénonce le nouveau testament et intente un procès contre le présumé Xavier. Celui-ci ne serait qu'un imposteur. Plusieurs détails le prouvent...

2 AVRIL 1927

Victor de La Ferrière le PDG de la S.A.F.R.A. était un escroc

Les actionnaires de la S.A.F.R.A. viennent de porter plainte contre leur PDG aujourd'hui introuvable. Rappelons les faits. Il y a un an, Victor de La Ferrière déclarait que sa société avait décuplé son chiffre d'affaires. Les acheteurs se ruaient alors sur les actions S.A.F.R.A. dont le cours en bourse atteignait rapidement des sommets. Six mois après, ces mêmes actions chutaient d'une manière vertigineuse. Mais un certain Robert Portal proposait de les racheter à bas prix pour relancer la société. Il s'avère aujourd'hui que de La Ferrière et Portal étaient complices et que la S.A.F.R.A. n'était qu'une société fictive destinée...

GRAMMAIRE ET VOCABULAIRE

■ LE GÉRONDIF ET LE PARTICIPE PRÉSENT

1. Formation : radical du verbe à la 1re personne du pluriel du présent + ant.
donner → nous donnons → **donnant** – finir → nous finissons → **finissant**
venir → nous venons → **venant** – faire → nous faisons → **faisant**
Attention! savoir → **sachant** – être → **étant** – avoir → **ayant.**

2. Le gérondif
La forme verbale en **-ant** est précédée de **en.** Le gérondif peut exprimer :
- **la simultanéité** : Elle prend son bain en écoutant la radio.
- **la cause** : En jouant au Loto, il a gagné dix mille francs.
- **la condition** : En entretenant régulièrement votre voiture, vous ne tomberez pas en panne.
- **la manière** : Vous réussirez à ouvrir cette porte en poussant très fort.
- **l'opposition** : Tout en sachant que j'allais refuser, il m'a demandé de lui prêter de l'argent.

3. Le participe présent
- **peut se rattacher à un nom dans la phrase**

J'ai reçu un paquet contenant trois livres.

C'est en forgeant qu'on devient forgeron.

- **peut constituer une proposition ayant un sujet propre**

Nos invités s'étant excusés, nous avons annulé la soirée.
Les rivets de fixation ayant sauté, la construction menace de s'écrouler.
- **formes du participe présent** : cas du verbe *construire.*

SENS ACTIF	**présent**	construisant	L'entreprise construisant cet immeuble a fait faillite.
	passé	ayant construit (antériorité)	L'architecte ayant construit ce bâtiment est devenu célèbre.
SENS PASSIF	**présent**	étant construit (état présent)	Notre immeuble étant construit, nous pouvons emménager.
	passé	ayant été construit (antériorité)	Cet immeuble ayant été construit par la municipalité, les locataires bénéficient de loyers modérés.

■ LES AUTRES FORMES EN -ANT

- **les noms** : un étudiant (< étudier) – un passant (< passer) – un ayant-droit (< avoir droit).
- **les adjectifs verbaux** : un film plaisant (< plaire) – un produit adoucissant (< adoucir).

L'adjectif verbal s'accorde avec le nom qu'il qualifie.
des paroles menaçantes – des propos inquiétants.
***Attention!* L'adjectif verbal et le participe présent peuvent avoir des orthographes différentes.**
Vous avez des activités trop **fatigantes.** (adjectif verbal)
En vous **fatiguant** trop, vous risquez de tomber malade. (gérondif et participe présent)
convaincre : convainquant (p.p.) – convaincant (adj.).
provoquer : provoquant (p.p.) – provocant (adj.) négliger : négligeant (p.p.) – négligent (adj.)

■ L'EXPRESSION DE LA PROBABILITÉ OU DE L'IMPROBABILITÉ

Il est peu probable que vous puissiez participer au slalom géant demain.

- **À l'indicatif** C'est probablement un escroc.

C'est sans doute un escroc.
Il est probable que c'est un escroc.
Ce doit être un escroc.
Ce n'est probablement pas quelqu'un d'honnête.
- **Au subjonctif**

Il semble bien qu'il vous ait trompé.
Il y a de fortes chances pour qu'il vous ait volé.

Il est improbable / Il est peu probable / Il ne semble pas } que ce soit un financier honnête.

- **Au futur** Ce sera un escroc. Vous vous serez fait avoir.

→ c'est probable/improbable – vraisemblable/invraisemblable – plausible, possible/aléatoire – impossible, envisageable.

DÉGRADATION ET AMÉLIORATION

• être en bon, en parfait état/être en mauvais état – dans un état défectueux.
• **objets** → (s')abîmer – (se) détériorer (une détérioration)
endommager (un dommage) – démolir (une démolition) – détruire (une destruction) – (se) casser – (se) briser – (se) rompre.
• **mécanismes** → (se) dérégler – (se) détraquer – (se) déglinguer (fam.).
• **constructions** → être en ruine – se délabrer.
• **vêtements** → (se) déchirer – (se) froisser – (se) friper.

• **se dégrader**
empirer
s'aggraver
tourner mal

• **réparer (une réparation)**
arranger
refaire (une réfection)
remettre en état
entretenir (l'entretien)

• **(s')améliorer (une amélioration)**
(s')amender – (se) perfectionner – (se) corriger – bonifier
retoucher – corriger – revoir – rectifier

LA DÉLINQUANCE

• **Les délinquants et les délits**
→ un délinquant – un malfaiteur – un truand – un gangster (le gangstérisme) – le milieu
un bandit (le banditisme) – un brigand (le brigandage)
un criminel – un crime – un meurtrier – un meurtre
un assassin – un assassinat
un homicide volontaire/involontaire
un empoisonnement (empoisonner)
→ un voleur (voler) – un cambrioleur (cambrioler)
attaquer une banque à main armée – faire un hold-up
→ commettre une agression – un viol –
un rapt – un enlèvement – un kidnapping –
une prise d'otage – un attentat.

commettre une infraction – un délit.
→ un escroc – escroquer –
une escroquerie – une arnaque
un faussaire – faire un faux
un maître chanteur – faire chanter –
exercer un chantage sur...
un racketteur – extorquer de l'argent
→ un terroriste – le terrorisme
un tueur à gages
→ un trafiquant de drogue.

• **La prison**
arrêter (une arrestation) – capturer – appréhender – passer les menottes
mettre en prison – emprisonner – incarcérer – mettre sous les verrous
un prisonnier – un détenu – un surveillant – un gardien – une cellule – un cachot
s'évader – une évasion
libérer, relâcher un prisonnier – laisser en liberté provisoire.

L'ARGENT

• **Payer quelqu'un** – rémunérer (une rémunération)
défrayer (les frais) – dédommager
un salaire – un traitement – la paye
→ prêter de l'argent (un prêt)
emprunter (un emprunt)
→ gagner de l'argent (un gain)
toucher une somme de...
• **Payer quelque chose** – régler (le règlement)
acquitter une facture – verser une somme
payer en nature, en liquide, par chèque, par carte bancaire – par mandat postal, par virement bancaire
un acompte – une provision – une avance
faire un chèque à l'ordre de...
un compte (bancaire) à découvert... être solvable.
• **L'argent** – un billet – une pièce de monnaie
rendre la monnaie – faire l'appoint – faire de la monnaie
Mots familiers : le fric – le pognon – l'oseille – le blé.

• **Épargner** – placer son argent (un placement)
la bourse – une valeur – une action (un actionnaire) – la côte
une hausse – un boom/une baisse – un krach
spéculer – un spéculateur – la spéculation
toucher des intérêts – un dividende.

ACTIVITÉS

Découverte de l'extrait de presse

• Relevez :

a. tout ce que l'on apprend sur l'état de la tour Eiffel;

b. les mesures que la ville de Paris, propriétaire de l'édifice, compte prendre.

• Relevez et classez les verbes au participe présent ou au gérondif.

Mécanismes A

• Si vous poussez fort, vous réussirez à ouvrir la porte.

– En poussant fort, vous réussirez à ouvrir la porte.

• Quand il est entré dans le salon, il a remarqué un magnifique buffet.

– En entrant dans le salon, il a remarqué un magnifique buffet.

• La porte qui donne sur la cour est ouverte.

– La porte donnant sur la cour est ouverte.

• La façade qui a subi des dégradations doit être restaurée.

– La façade ayant subi des dégradations doit être restaurée.

1. Le sens du gérondif. Reformulez les phrases suivantes en utilisant l'un des mots de liaison de la liste et en supprimant le gérondif.

bien que – si – par – au moment où – parce que

- Il a trébuché en descendant l'escalier quatre à quatre.
- En ouvrant la porte, elle aperçut un inconnu dans le jardin.
- Tout en étant alité pour cause de grippe, M. Dupuis continue à diriger son entreprise.
- En économisant sou par sou, vous finirez par pouvoir vous offrir le voyage au Canada dont vous rêvez.
- C'est en lui racontant des histoires drôles qu'il est parvenu à la faire sourire.
- Tout en étant poli et gentil avec moi, il m'a tout de même trompé.

2. Trouvez des solutions. Utilisez le plus grand nombre possible de verbes au gérondif.

Comment faire pour :

- gagner bien sa vie;
- devenir célèbre;
- résoudre le problème de la délinquance;
- rendre les villes propres.

« Vous gagnerez bien votre vie en ne choisissant pas n'importe quelle profession, en devenant ......, en faisant de bonnes études, en .... »

3. Le participe présent. Remplacez les groupes de mots soulignés par une proposition participe ou un gérondif.

Jo la Carcasse, <u>qui sortait de prison,</u> respira avec indifférence l'air de ses premières secondes de liberté. <u>Il ignorait où il allait passer la nuit mais</u> il se dirigea vers le bas de la ville. <u>Quand il eut traversé le quartier résidentiel,</u> il prit la rue qui conduisait au port. Il marchait lentement, <u>regardait à droite et à gauche et se retournait de temps en temps.</u> <u>Ses années dans le milieu marseillais l'avaient habitué à vivre dans l'insécurité</u> et il se méfiait. Il remarqua vite l'homme <u>qui faisait semblant de chercher une adresse introuvable et</u> qui le suivait à distance.

4. Reliez les deux phrases en utilisant l'une des quatre formes du participe présent (voir p. 166).

- Le repas est terminé. Passons au salon!
- Il a de grosses difficultés d'argent. Il a dû vendre son magasin.
- Elle volait un livre dans une librairie. On l'a surprise.
- On a démoli le vieux quartier de la gare. On va aménager l'espace en jardin public.
- Ma veste s'est déchirée dans la bousculade. Je dois aller me changer.
- Un grand artiste a peint cette toile. Il est mort dans la pauvreté.

5. *Participe présent ou adjectif verbal. Complétez avec l'une des deux formes.*

• Une pluie mêlée de neige s'est mise à tomber ...... des accidents. **provocant/provoquant**
• Ses arguments ne sont pas très .... **convaincant/convainquant**
• En ...... d'effectuer l'entretien de ta voiture, tu risques d'avoir des surprises. **négligent/négligeant**
• Les recettes ...... les dépenses, le budget de la société est en ..... **excédent/excédant**
• Les cartes de ...... peuvent être accordées à des étrangers ...... en France si des membres de leur famille y sont installés. **résident/résidant**

6. *Dégradation et amélioration. Chefs-d'œuvre en péril.*

Une association mondiale pour la sauvegarde du patrimoine culturel international lance un appel dans la presse et à la télévision.

a. rédigez le texte de presse ; b. imaginez le scénario de l'émission de télévision.

Le Parthénon et l'Acropole menacés par le cancer de la pierre.

Statue de pierre endommagée, en Bretagne.

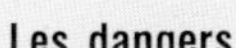

Les dangers

• pierres oxydées par la pollution,
• façades encrassées,
• sculpture et reliefs mutilés,
• sous-sol fragile,
• menace de disparition due à la construction d'un barrage, d'une ville, etc.,
• négligences dues à la pauvreté économique des pays, à l'invasion touristique,
• etc.

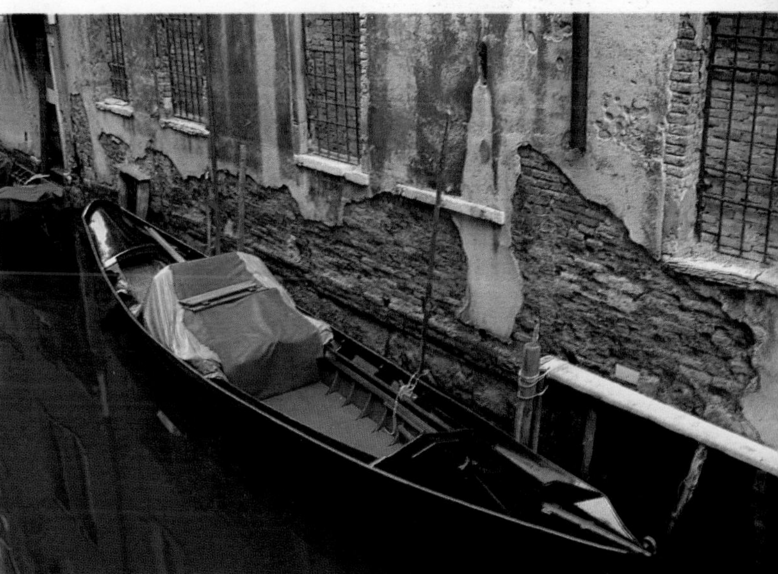

Venise touchée par la pollution.

Découverte du dialogue

• Reconstituez la chronologie de l'aventure de Richard Bouguerot « avril : réception d'une lettre du ministère des Postes ...... ».
• Imaginez la conversation au Ritz.
• Étudiez les constructions de phrases qui permettent de rapporter les paroles de quelqu'un.

Mécanismes B

• Il m'a dit : « Viens me voir. »
– Il m'a dit d'aller le voir.
• Elle m'a dit : « Demain nous irons au théâtre. »
– Elle m'a dit que demain nous irions au théâtre.

• Vous croyez qu'il viendra?
– Non, il est peu probable qu'il vienne.
• Vous croyez que j'aurai fini?
– Non, il est peu probable que vous ayez fini.

7. Le discours rapporté. Rapportez cette conversation entre un commissaire de police et son adjoint.

14 h. Le commissaire Leblanc entre dans le bureau de son adjoint, l'inspecteur Richard.

Le commissaire : Vous avez les résultats de l'autopsie?

L'inspecteur : Pas encore. Mais ça ne saurait tarder. J'ai téléphoné au médecin légiste il y a cinq minutes. Il m'a répondu : « Je vous promets les résultats pour 15 h. » Et de votre côté, il y a du nouveau?

Le commissaire : J'ai interrogé Bousquet. Son comportement m'a paru bizarre. Je veux tout savoir sur lui. Prenez l'inspecteur Martin avec vous. Perquisitionnez chez Bousquet. Renseignez-vous auprès de sa banque. Je veux connaître toutes ses rentrées d'argent depuis un an.

L'inspecteur : Vous savez, nous ne devrions pas abandonner la piste Marie Lenoir.

Le commissaire : Ne vous inquiétez pas! L'inspecteur Paulet s'en occupe.

• Quelques minutes après, Richard appelle l'inspecteur Martin et lui raconte sa conversation avec le commissaire (varier les verbes qui introduisent le discours rapporté : dire – demander – faire remarquer – suggérer – rassurer, etc.).

« Je viens de voir Leblanc, il m'a demandé... »

8. L'expression de la probabilité et de l'improbabilité. Lisez cette présentation de film.

SIX CRIMES SANS ASSASSIN

Film TV de Bernard Stora, d'après l'œuvre de Pierre Boileau. Musique : Alain Jomy.

Par un paisible dimanche après-midi du mois de mai, Philippe Vigneray est retrouvé assassiné et sa femme, Christine, grièvement blessée dans leur appartement du XVIe arrondissement à Paris. L'arme du crime a disparu, et l'assassin semble s'être volatilisé.

Or le couple vivait en bons termes et on ne lui connaissait pas d'ennemis. C'est ce que confirme maître Charasse, le cousin de Philippe, arrivé sur les lieux. L'affaire est confiée au commissaire Bastien Darnoncourt, figure légendaire de la police, grand amateur des suites pour violoncelle de J.-S. Bach et secondé par un certain Simon Loupias, un jeune écrivain désargenté chargé d'écrire les mémoires du célèbre policier. Successivement, le couple de domestiques haïtiens des Vigneray, puis un maître chanteur du nom de Ruppart, puis maître Charasse lui-même sont assassinés dans des conditions mystérieuses.

Midi Libre, supplément *TV Magazine,* n° 16235.

• Faites la liste des personnages du film.
• Sachant que le (ou les) meurtrier(s) se trouve(nt) parmi ces personnages, faites des hypothèses sur son (leur) identité.

« Il est peu probable que .... » « On pourrait envisager .... »

9. Exercice d'écoute.

Sophie est journaliste pour un quotidien parisien. Son correspondant de Clermont-Ferrand lui communique par téléphone les détails de deux faits divers qui se sont produits dans sa région. Sophie prend des notes afin de pouvoir rédiger deux courts articles dans la rubrique « Nouvelles brèves » de son journal.

• Faites le travail de Sophie, prenez des notes et rédigez les articles.

10. *Les escrocs au quotidien. Lisez cet article.*

Ceci est une histoire drôle. Un homme lit dans son journal une petite annonce très alléchante : « Devenez très riche sans qualification. Je vous envoie ma méthode contre 50 F et un timbre. »

Le type envoie 50 F à l'adresse indiquée et attend la fameuse méthode qui fera de lui l'égal de Bernard Tapie ou de Bouygues[1] sans se fatiguer. Quelques jours plus tard, il reçoit une enveloppe dans laquelle il trouve un petit bout de papier où il est écrit : « Faites comme moi ! » Bof...

Il y a des petits malins qui ont dû quand même la trouver excellente et qui ont tenté le coup. Bien sûr, ils ont raffiné ce stratagème un peu trop grossier. Nul besoin d'une bague magique parrainée par une quelconque star de la télé[2]. Ce type de commerce est beaucoup trop fatigant. Il faut acheter les talismans à Hong-Kong, tenir une comptabilité, trouver la star idoine, alors qu'on peut faire bien mieux à peu de frais. Il suffit de vendre du vent, c'est-à-dire du rêve, en utilisant les mots qui font tilt dans la tête des gens les plus démunis : « fortune », « réussite », « efficace », « importé des U.S.A. », « contrôlé par huissier », « témoignages à l'appui », « aucune qualification », etc. L'astuce, c'est de bien emballer ce vide, cette absence de marchandise ou de service, d'en faire un concept apparemment complexe mais surtout très fumeux. C'est parfaitement illégal, mais ça marche depuis des années.

Tout commence en effet par une petite annonce dans la rubrique « travaux d'appoint » ou « divers » d'un journal gratuit. « Investissez peu, gagnez 312 fois la mise. Documentation contre enveloppe timbrée » ou « Du beurre dans les épinards à domicile facilement » ou encore, dans le genre plus sérieux, « Recherche collaborateurs à domicile pour vente par correspondance. » Même scénario que dans l'histoire drôle : le gogo potentiel envoie son enveloppe timbrée. Ensuite, deux types de cas se présentent : soit on tente de lui vendre une « méthode » qui lui révélera les secrets de la fortune, soit on lui propose de devenir diffuseur d'ouvrages, d'un produit génial à partir de chez lui, sans faire de porte-à-porte et sans aucune formation commerciale.

L'Événement du Jeudi, 16 novembre 1989.

(1) Célèbres hommes d'affaires. (2) Allusion a une bague magique pour laquelle une célèbre ex-présentatrice de la télévision avait fait de la publicité.

• Les types d'« escroqueries » dont on parle dans l'article sont-elles tolérées dans votre pays ? En connaissez-vous ? Devrait-on en interdire la publicité ?

• Imaginez le texte d'une proposition de produit miraculeux ou de méthode infaillible destinée à tromper les gens naïfs.

LA PRESSE ÉCRITE

Les quotidiens d'information

La presse parisienne

Elle donne des informations d'intérêt national ou international. Elle est plus engagée politiquement que la presse régionale sans être toutefois une presse de parti (sauf *L'Humanité*, quotidien du parti communiste). Elle est également lue en province.

Principaux titres (avec tirage quotidien en milliers d'exemplaires).

• plutôt à droite : *Le Figaro* (394) – *Le Parisien* (350) – *France-Soir* (317).

• plutôt à gauche : *Le Monde* (363) qui revendique une certaine neutralité – *Libération* (150).

La presse régionale

Elle donne les principales informations d'intérêt général mais comporte de nombreuses pages consacrées aux informations régionales et locales. Le tirage global de la presse régionale est trois fois supérieur à celui de la presse parisienne.

Quelques titres : Ouest-France (735) – *La Voix du Nord* (374) – *Le Dauphiné libéré* (365) – *Sud-Ouest* (364) – *La Nouvelle République du Centre-Ouest* (273) – *Le Progrès de Lyon* (271) – *La Montagne* (255).

Les périodiques (hebdomadaires et mensuels).

Les titres sont nombreux. On retiendra :

Les magazines de télévision : *Télé 7 jours* (3 063) – *Télé Poche* (1 827) – *Télé Star* (1 500) – *Télérama* (500).

La presse féminine et familiale : *Prima* (1 300) – *Modes et Travaux* (1 300) – *F Magazine* (1 082) – *Nous Deux* (785) – *Marie-Claire* (601) – *Intimité* (420) – *Elle* (383).

Les magazines d'opinion : *L'Express – Le Nouvel Observateur – L'Événement du Jeudi – Le Point*. (Les tirages oscillent entre 300 et 500 000. Ils dépendent du dossier principal traité dans le numéro.)

Les magazines d'information : *Paris-Match* (900) – *Le Figaro Magazine* (460) – *VSD* (280).

a. Pouvez-vous expliquer pourquoi :

• les quotidiens connaissent en France un déclin régulier (250 titres en 1885 – 88 titres en 1990) ;

• la presse régionale résiste mieux au déclin que la presse parisienne ;

• les magazines sont en plein développement.

b. Comparez ces journaux parus le même jour.

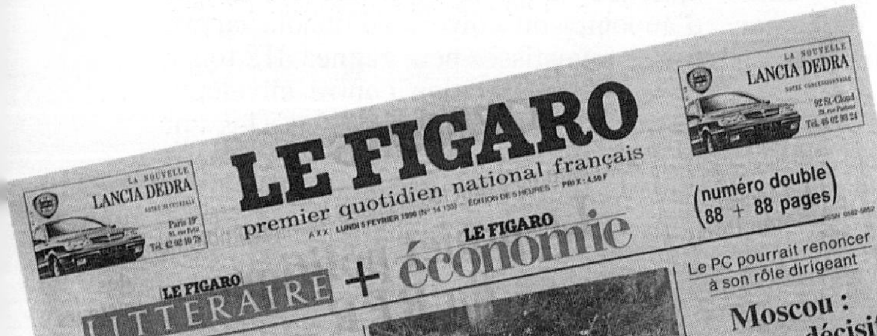

LE FIGARO
premier quotidien national français
(numéro double 88 + 88 pages)
LE FIGARO LITTÉRAIRE + LE FIGARO économie
Nouvelle initiative unitaire
Chirac propose un contre-gouvernement
Le vrai débat
Le PC pourrait renoncer à son rôle dirigeant
Moscou : plénum décisif aujourd'hui
23 morts dans la tempête

Le Figaro (5-2-90)

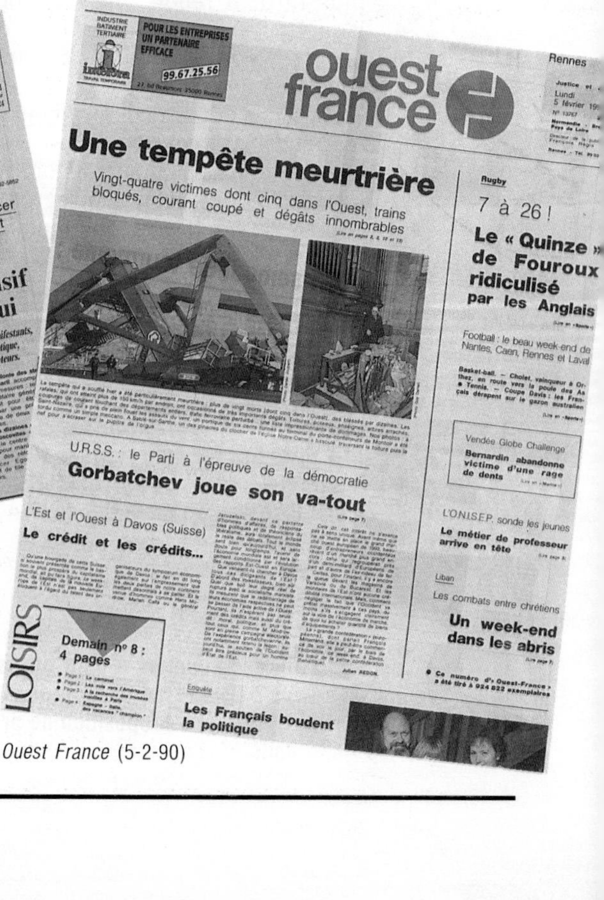

ouest france
Une tempête meurtrière
Vingt-quatre victimes dont cinq dans l'Ouest, trains bloqués, courant coupé et dégâts innombrables
Rugby
7 à 26 !
Le « Quinze » de Fouroux ridiculisé par les Anglais
U.R.S.S. : le Parti à l'épreuve de la démocratie
Gorbatchev joue son va-tout
L'Est et l'Ouest à Davos (Suisse)
Le crédit et les crédits...
LOISIRS
Demain n° 8 : 4 pages
Vendée Globe Challenge
L'ONISEP sonde les jeunes
Le métier de professeur arrive en tête
Liban
Les combats entre chrétiens
Un week-end dans les abris
Enquête
Les Français boudent la politique

Ouest France (5-2-90)

Les coquilles.
Un journal se fabrique en quelques heures. Les correcteurs laissent souvent passer des erreurs ou des incongruités. Recherchez l'erreur qui s'est glissée dans chacun de ces extraits.

L'ORCHESTRE DU LICEO DE BARCELONE a fait les frais de ce climat chaleureusement libre du nombreux public. Son chef a été tué pour ses interprétations imprécises et l'épaisseur sonore de l'orchestre. *(Sud-Ouest, 9-1975.)*

MÉTÉO : ciel passagèrement nuageux l'après-midi, généralement bien ensoleillé la nuit. *(Le Soir, 8-1969.)*

L'INSPECTEUR ACADÉMIQUE dévore, annuellement, douze tonnes de papier. *(Le Dauphiné libéré, 10-1980.)*

PAR AILLEURS, l'accès du stade municipal est formellement interdit aux chiens. M. le maire est persuadé que ceux-ci comprendront ces plus élémentaires notions d'hygiène. *(L'Est-Éclair, 9-1972.)*

LE DOCTEUR HIRAYAMA affirme que le taux de moralité pour les fumeurs est deux fois plus élevé que pour les non-fumeurs. *(Le Méridional, mai 1972.)*

RECETTE : égouttez la morue sur un linge, mettez-la dans un bol. Effeuillez-la. Passez-la au mixer afin d'obtenir une purée de pommes de terre. *(La Dépêche du Midi, 4-1986.)*

UN AUTOMOBILISTE de Varrains renversé par un piéton. *(Le Petit Courrier de l'Ouest, 4-1979.)*

CE MARDI à Garmich, dernier contrôle pour les descendeurs français qui cherchent désespérément à remonter la pente. *(La Croix, 1-1984.)*

IL EST VRAI que le coup de pied qu'il avait reçu à la tête n'avait pas été donné de main morte. *(Sud-Ouest, 5-1975.)*

A. Grall, *Petit Bêtisier de la presse,* © Éd. Ramsay 1987.

Découverte des articles du 2 avril et du 10 septembre
- **En quoi consiste l'escroquerie de Victor de la Ferrière?**
- **Imaginez les détails qui ont permis à Juliette Michaud de découvrir que Xavier était un imposteur. Jouez la scène du procès.**

11. Le magazine* Madame Figaro *a posé à diverses personnalités la question suivante :
« On vous donne cent briques, vous faites quoi? » (« une brique » = 10 000 F dans le langage familier.
Voici deux des réponses.

DANIELE THOMPSON scénariste.
« Je m'offrirais tout de suite un ou plusieurs tableaux ou une sculpture de Jeff Koons. Je pourrais racheter en tout cas un dessin au crayon de Matisse que j'ai vendu l'année dernière pour payer mes impôts. Je sais gagner de l'argent, mais je ne sais pas le faire fructifier. Comme j'ai toujours vécu au-dessus de mes moyens il m'a servi à payer mes dettes, pas à investir. De toute façon j'ai adopté la devise de ma grand-mère : ce qui compte dans la vie, ce n'est pas le vison, c'est le saumon. Pouvoir ne pas hésiter pour les petites choses de la vie est un luxe énorme. »

CLAUDINE AUGER comédienne.
« Je ne l'investirais pas dans des actions. La Bourse me paraît beaucoup trop dangereuse et je n'y comprends rien. Mon côté raisonnable prendrait le dessus. J'achèterais de la pierre ou, si c'est encore possible, un terrain au bord de la mer. Avec la perspective de l'Europe, je crois que les Français ont intérêt à acquérir le plus possible de terres pour garder leur pays. J'aimerais aussi acheter les droits d'un livre et faire de la coproduction. Je donnerais de l'argent à une œuvre humanitaire pour l'enfance et, en bonne fourmi, j'en mettrais à la Caisse d'Épargne. »

Madame Figaro, 14 octobre 1989.

- **Analysez ces deux réponses. Quels traits de personnalité révèlent-elles?**
- **Rédigez la réponse que vous auriez faite à la même question.**

→

• Rédigez un commentaire du sondage suivant effectué à deux reprises, à 10 ans d'intervalle. Quelle évolution met-il en valeur ?

L'ARGENT ET LE COUPLE		
Dans votre couple, comment se fait la répartition de l'argent ?		
Rappel enquête SOFRES	***Décembre 1979***	***Septembre 1989***
Chacun dispose de son propre budget en dehors d'une somme commune qui sert à régler les dépenses du ménage	**7**	**15**
Mon mari (ou mon compagnon) me donne régulièrement une somme fixe et il s'occupe seul des autres dépenses	**10**	**3**
Je m'occupe de toutes les dépenses et je donne à mon mari (ou mon compagnon) ce dont il a besoin	**27**	**13**
Nous avons un seul compte sur lequel nous retirons l'un et l'autre l'argent au fur et à mesure de nos besoins et des dépenses à faire	**54**	**69**
Sans opinion	**2**	**–**
	100 %	**100 %**

12. Exercice d'écoute. Un faux mendiant demande aux passants non pas 1 F (ou 10 F pour les plus téméraires) mais 500 F. Écoutez les réactions des huit personnes sollicitées.

Dans le même type de situation (celle de l'émission de télévision « La caméra invisible »), imaginez huit réponses possibles aux questions suivantes :

• un beau garçon de 20 ans demande à des jeunes filles de son âge :
« Accepteriez-vous de déjeuner avec moi ? » ;
• un homme déguisé en agent de police demande aux passants :
« Je dois arrêter un voleur qui est en train de cambrioler cette maison, pouvez-vous m'aider ? »

À travers la littérature

LA SOUS-CONVERSATION DE NATHALIE SARRAUTE

Nathalie Sarraute est une romancière contemporaine appartenant au courant littéraire appelé *nouveau roman.* Dans ses œuvres on ne retrouve pas les éléments du roman classique (les personnages – les lieux – le récit). La réalité est décrite à travers la conscience des personnes. Ce que N. Sarraute donne à lire, c'est un flot de pensées. Or, dans les pensées d'une personne il y a beaucoup de choses : le monde qui l'entoure, des souvenirs, des personnes qui lui parlent ou qui parlent à d'autres personnes, etc.

• **Essayez de démêler les pensées de Gisèle.** La scène se passe lors d'un repas chez ses parents. Alain, son mari, est présent.
• **Pour chaque phrase précisez : qui agit** ou **qui pense** ou **qui parle (à qui ?)**

Mon gendre aime les carottes râpées. Monsieur Alain adore ça. Surtout n'oubliez pas de faire des carottes râpées pour Monsieur Alain. Bien tendres... des carottes nouvelles... Les carottes sont-elles assez tendres pour Monsieur Alain ? Il est si gâté, vous savez, il est si délicat. Finement hachées... le plus finement possible... avec le nouveau petit instrument... Tiens... c'est tentant... Voyez, Mesdames, vous obtenez avec cela les plus exquises carottes râpées. Il faut l'acheter. Alain sera content, il adore ça. Bien assaisonnées... de l'huile d'olive... « la Niçoise » pour lui, il n'aime que celle-là, je ne prends que ça... Les justes proportions, ah, pour ça il s'y connaît... un peu d'oignon, un peu d'ail, et persillées, salées, poivrées... les plus délicieuses carottes râpées... Elle tend le ravier... « Oh, Alain, on les a faites exprès pour vous, vous m'aviez dit que vous adoriez ça... »

→

Un jour il a eu le malheur, dans un moment de laisser-aller, un moment où il se sentait détendu, content, de lui lancer cela négligemment, cette confidence, cette révélation, et telle une graine tombée sur une terre fertile cela a germé et cela pousse maintenant : quelque chose d'énorme, une énorme plante grasse au feuillage luisant : vous aimez les carottes râpées, Alain.
Alain m'a dit qu'il aimait les carottes râpées. Elle est à l'affût. Toujours prête à bondir. Elle a sauté là-dessus, elle tient cela entre ses dents serrées. Elle l'a accroché. Elle le tire... Le ravier en main, elle le fixe d'un œil luisant. Mais d'un geste il s'est dégagé – un bref geste souple de sa main levée, un mouvement de la tête... « Non, merci... » il est parti, il n'y a plus personne, c'est une enveloppe vide, le vieux vêtement qu'il a abandonné dont elle serre un morceau entre ses dents.

Mais il ne fera pas cela, il ne comprend pas ce qu'il fait... Tout occupé à parler, il n'a pas compris ce qui s'est passé, il a de ces moments, quand il parle, quand il est préoccupé, où il ne remarque rien. Il jette sur son assiette un regard distrait, il trace dans l'air avec sa main un geste désinvolte, insouciant : « Non, merci... » Elle a envie de le rappeler à l'ordre, de le supplier, comment a-t-il osé... « Oh, écoute, Alain... » Il a bafoué sa mère, il l'a humiliée, cela lui fait honte à elle, cela lui fait mal de voir ce petit sourire préfabriqué que sa mère – comme elle sait se dominer – pose sur son visage et retire aussitôt, tandis que marquant que le désastre est consommé, qu'il faut savoir courber la tête devant son destin, elle remet à sa place le ravier.

« Mais qu'est-ce qui te prend, Alain, voyons... tu adores ça... Maman les a fait faire exprès pour toi... Tiens... » Elle est prête à tout braver pour voler au secours de sa mère, tous les interdits. Il a horreur de cela, mais tant pis : « Tiens, Alain, je te sers... » Voilà. Ce n'était qu'un caprice. Ce n'était qu'un de ses moments d'inattention... le voilà rattrapé, ramené... il faut les prendre ainsi... elle rend le ravier à sa mère. Sa mère, fière d'elle, repose le ravier, sa mère lui caresse le visage de son regard tendre, reconnaissant... les hommes sont tous de grands enfants.

N. Sarraute, *Le Planétarium,* © Éd. Gallimard 1959.

Exemple : Mon gendre aime les carottes râpées → c'est la mère de Gisèle qui pense ou qui parle à une amie.

L'AVARE DE MOLIÈRE

Harpagon est un avare. Il vient de s'apercevoir qu'on lui a dérobé la cassette où il range son argent. Il est seul en scène.

SCÈNE VII. – HARPAGON

(Il crie au voleur dès le jardin et vient sans chapeau.)

Au voleur! au voleur! à l'assassin! au meurtrier! Justice, juste Ciel! je suis perdu, je suis assassiné, on m'a coupé la gorge, on m'a dérobé mon argent. Qui peut-ce être? Qu'est-il advenu? Où est-il? Où se cache-t-il? Que ferai-je pour le trouver? Où courir? Où ne pas courir? N'est-il point là? N'est-il point ici? Qui est-ce? Arrête. Rends-moi mon argent, coquin...

Ah! c'est moi. Mon esprit est troublé, et j'ignore où je suis, qui je suis, et ce que je fais. Hélas! mon pauvre argent, mon pauvre argent, mon cher ami! on m'a privé de toi; et puisque tu m'es enlevé, j'ai perdu mon support, ma consolation, ma joie; tout est fini pour moi, et je n'ai plus que faire au monde : sans toi, il m'est impossible de vivre. C'en est fait, je n'en puis plus; je me meurs, je suis mort, je suis enterré. N'y a-t-il personne qui veuille me ressusciter, en me rendant mon cher argent, ou en m'apprenant qui l'a pris? Euh! que dites-vous? Ce n'est personne. (...)

Je veux aller quérir[(1)] la justice, et faire donner la question[(2)] à toute la maison : à servantes, à valets, à fils, à fille, et à moi aussi. Que de gens assemblés! Je ne jette mes regards sur personne qui ne me donne des soupçons, et tout me semble mon voleur. Eh! de quoi est-ce qu'on parle là? De celui qui m'a dérobé? Quel bruit fait-on là-haut? Est-ce mon voleur qui y est? De grâce, si l'on sait des nouvelles de mon voleur, je supplie que l'on m'en dise. N'est-il point caché là parmi vous? Ils me regardent tous, et se mettent à rire. Vous verrez qu'ils ont part sans doute au vol que l'on m'a fait. Allons vite, des commissaires, des archers[(3)], des juges, des potences[(4)] et des bourreaux[(5)]! Je veux faire pendre tout le monde; et si je ne retrouve mon argent, je me pendrai moi-même après.

(1) chercher. (2) interroger par la torture. (3) gendarme armé d'un arc et de flèches. (4) pour pendre les condamnés. (5) ceux qui exécutent les sentences.

- **Imaginez les gestes et les déplacements de l'acteur sur scène.**
- **Montrez que le comportement d'Harpagon est celui d'un fou.**

LEÇON 2

LE SECRET DE LA VIEILLE DAME DU SQUARE

Lettre de Jacques Clavel, écrivain, à une amie romancière.

Chère Élodie,

Tu te souviens du conseil que tu m'as donné pour le sujet de mon prochain ouvrage? « Le monde est plein de personnages de roman. Regarde autour de toi! Choisis quelqu'un qui fasse partie de ton paysage quotidien mais dont tu ignores tout : un voisin par exemple. N'importe qui fera l'affaire... »

Eh bien, elle est là, sous mes fenêtres, assise sur un banc du jardin public, toute fragile et ratatinée dans son manteau sombre, ses cheveux blancs ramassés en chignon. Ça doit faire cinq ans que je la vois sans que je me sois une seule fois demandé qui elle était et ce qu'elle faisait. Pourtant, parmi les habitués du square, nul ne semble l'ignorer. Elle fait partie des objets familiers. Chacun la gratifie d'un sourire mais personne ne s'assied jamais à côté d'elle. J'imagine que certains ont dû, un jour, essayer d'engager la conversation en lui disant une banalité quelconque qui ne signifiait rien d'autre que « J'ai envie de bavarder avec vous ». Je pressens qu'aucun n'a eu envie de persévérer, qu'ils ont été rebutés par quelque chose, un rien mystérieux qui fait que le courant ne passe pas. Peut-être une certaine attitude hautaine ou trop secrète. Peut-être aussi ont-ils senti que la vie de cette vieille dame avait été si ordinaire, si droite, si simple, qu'elle n'avait, tout compte fait, rien à raconter...

Qu'importe. J'entrevois quelque secret dans cette solitude. La vieille dame du square m'intéresse. Qui que ce soit, je le saurai. Quoi qu'elle fasse, où qu'elle aille, je la suivrai...

Carnet de notes de Jacques Clavel.

Mercredi 9 h. *Depuis deux jours, je l'observe. Je me sens un peu honteux et mal à l'aise dans ce rôle d'espion. Émilie vient de sortir. Elle habite l'immeuble d'en face. Elle est entrée dans les bureaux de la Sécurité sociale. Sa silhouette menue trottine pour prendre un numéro d'appel. Ses yeux cherchent une place assise dans la salle d'attente. On dirait qu'elle sait d'avance qu'elle n'en trouvera pas... Je devine une existence d'application et d'abnégation avec un mari employé des Postes dont elle va fleurir la tombe de temps en temps au cimetière et un fils qui a réussi mais qui habite maintenant très loin... Heureusement, il y a la succession ininterrompue des choses de la vie qui vous force à agir : courses, ménage, médecin, pharmacien, cabinet d'analyses médicales, Sécurité sociale...*

11 h. *Elle est passée à la boulangerie pour une demi-baguette, puis à l'épicerie, et s'est arrêtée au bureau de tabac où elle a déposé un formulaire du Loto.*

14 h. *Elle a repris sa place sur le banc du square. Si tout se passe comme les deux jours précédents, elle y restera jusqu'à 16 h, puis se dirigera vers l'arrêt d'autobus.*

16 h. *Pour la troisième fois en trois jours, à la même heure, elle prend le 78.*

18 h. *Dans un café du boulevard de Clichy... Émilie bavarde avec un jeune homme. Je me suis assis tout près et leur tourne le dos, plongé dans France-Soir.* J'ai noté ces bribes de conversations :

Elle : *Tu me fais de la peine, tu sais... Pense au moins à tes parents. Crois-tu qu'ils seraient fiers de toi?*

Lui : *Mes parents s'en fichent et de toute façon ils sont si loin.*

Elle : *Promets-moi quand même de ne plus faire ça, de ne plus revoir ces gens-là!*

Lui : *C'est difficile de faire autrement.*

Elle : *Je te plains, mon petit. Mais il faut que tu te prennes en charge. Que tu te sentes responsable de ce que tu fais. Tiens, prends ça. J'espère que ça t'aidera...*

Extrait du roman de Jacques Clavel.

Émilie venait de s'asseoir sur le banc du square quand elle aperçut, à demi caché par le gravier, un billet de Tac-O-Tac. C'était un de ces jeux de loterie qui permettait de gagner deux fois. En grattant avec l'ongle la pellicule grise qui recouvrait l'un des deux volets du billet, on pouvait avoir la chance de voir apparaître une première somme. L'autre volet comportait un numéro qui donnait une deuxième chance.

Parce que le choix d'un billet et l'annonce des résultats lui procuraient toujours une petite émotion, Émilie jouait trois fois par semaine. Pour le prix d'une place de cinéma, elle pouvait acheter un billet de la Loterie nationale, une grille de Loto et faire son tiercé du dimanche. Sur un cahier d'écolier, elle notait scrupuleusement ses gains et ses dépenses, se promettant d'arrêter si le déséquilibre devenait trop grand.

Mon pauvre petit! Si vous vous imaginez qu'à l'âge que j'ai, je vais me laisser intimider par un feu rouge!...

Machinalement, elle saisit le petit rectangle de papier taché de boue. La partie droite avait été grattée et on pouvait y lire la mention « zéro franc ». L'autre volet indiquait que le tirage au sort avait eu lieu la veille. Les résultats étaient donc dans le journal qu'elle avait dans son sac. Avec un léger pincement au cœur, la vieille dame confronta le chiffre porté sur le billet et la liste des numéros gagnants...

GRAMMAIRE ET VOCABULAIRE

■ LES ADJECTIFS ET LES PRONOMS INDÉFINIS

1. Idée de nature indéterminée.

• **n'importe quel** [quelle, quels, quelles] (Adj.)
n'importe lequel [laquelle, lesquels, lesquelles] (Pron.)
n'importe qui – n'importe quoi – n'importe où
n'importe quand – n'importe comment
N'importe quelle infirmière peut faire une piqûre.
Elle ne parle pas à n'importe qui.

• **qui que... quoi que... où que...**
Qui que ce soit, je l'aiderai.
Quoi qu'il fasse, je le saurai.
Où qu'il aille, je le suivrai.

• **quelconque** [quelconques] (Adj.)
quiconque (Pron. de personne).
Elle est repartie pour une raison quelconque.
Quiconque sonnera, ne répondez pas !

• **tout** [toute, tous, toutes] (Adj.)
Tout homme est mortel.
Il mangeait à toute heure.

• **aucun** [aucune] (Adj.)
Quelqu'un est-il entré à aucun moment ?

2. Idée de qualité indéfinie.

• **quelque** [quelques]
Elle a quelque difficulté à mener à bien son projet (quelque : adj.).
Ça s'est passé il y a quelque soixante ans (quelque : adv.).

• **quelqu'un – quelque chose**

• **certain** [certaine, certains, certaines] (Adj. et pron.)
Certains invités ne sont pas venus.
Je n'ai pas parlé à certains.
(à certains d'entre eux).

• **autrui** (Pron.)
Ne fais pas à autrui ce que tu ne voudrais pas qu'on te fasse à toi-même.

3. Idée de quantité indéfinie.

• **quelques** (Adj.)
quelques-uns [quelques-unes] (Pron.)
Prenez quelques jours de vacances.
Invitez quelques-uns de vos amis.

• **tout** [toute] (Adj. et pron.) = en entier
tous [toutes] (Adj. et pron.) = l'ensemble des...
Il a mangé tout le gâteau – Il a tout mangé.
Tous ne sont pas venus.

• **la plupart (de)**

• **plusieurs** (Adj. et pron.)
J'ai plusieurs disques de Pavarotti.
On m'en a offert plusieurs.

• **maint** (mainte – maints – maintes] (Adj.)
Elle est venue maintes fois.

• **chaque** (Adj.)
chacun [chacune] (Pron.)

4. Idée négative.

• **nul** [nulle, nuls, nulles] (Adj.)
nul (Pron.)
Je ne vais nulle part.
Nul n'est censé ignorer la loi.

• **pas un** [pas une] (Adj.)
Pas une feuille ne bouge.
Pas un n'a reculé.

• **aucun** [aucune – aucuns – aucunes] (Adj. et pron.)
Aucune étoile ne brille ce soir.
Aucun n'a appelé.

• **personne**
Personne n'est venu.
Il n'est venu personne.

• **rien**
Rien n'a changé.
Il ne s'est rien passé.

*N.B. : **Personne** et **rien** s'emploient sans « **ne** » après **avant (que)** et **sans (que)***
Il est sorti du magasin sans rien acheter.

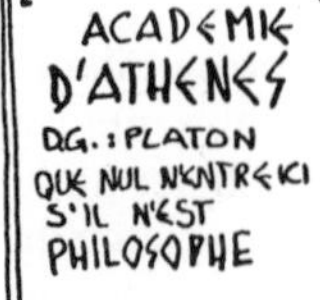

LA CONNAISSANCE ET L'IGNORANCE

• Je sais que...
je n'ignore pas que...
je suis informé de...
je suis au courant de...
j'ai eu connaissance de...

• Je ne sais pas que.../si...
j'ignore que.../si...
je n'en sais rien
je ne suis pas au courant
je n'y connais rien

• Apprendre... (que...)
s'informer de...
prendre connaissance de...
se mettre au courant...

• J'ai oublié
je ne me rappelle plus...
je ne me souviens plus de...
Ça ne me revient plus.
J'ai son nom sur le bout de la langue.
Je n'ai pas son nom présent à l'esprit.

• demander/obtenir une information, un renseignement
acquérir des connaissances, des notions, des rudiments
posséder une grande culture, un bagage, un vernis de culture – être cultivé
un savant – un érudit
Il s'y entend – Il a réponse à tout.

LA VIEILLESSE ET LA MORT

• Une personne âgée – le troisième âge
un vieux – un petit vieux – une petite vieille – un octogénaire – un centenaire – un vieillard – un croulant (pop.)

• Les handicapés – un handicap
un infirme – une infirmité
être myope – aveugle – la cécité
être sourd – sourd-muet – la surdité
être paralysé – un infirme – une infirmité
un impotent – un grabataire.

• Les prestations sociales
La Sécurité sociale – le remboursement des soins
une feuille de maladie
une assurance complémentaire
un hôpital – un hospice – une maison de retraite – une maison de repos.

• être courbé – voûté – cassé par l'âge
radoter – dérailler (fam.) – débloquer (pop.) – être gâteux (fam.).

• Les funérailles
un corps – un cadavre – enterrer (un enterrement – des funérailles – des obsèques)
un cercueil – une bière – une tombe – un tombeau – une sépulture – un cimetière
incinérer – une incinération – un crématorium.

• La mort
être mourant – agoniser (l'agonie) – mourir – expirer
décéder (un décès) – succomber à la suite d'une maladie – être emporté par une fièvre
périr dans une catastrophe
se suicider (un suicide).

LE JEU ET LA CHANCE

• Les jeux
→ un jeu de cartes
un as, un roi, une dame, un valet, un dix, etc. – trèfle – carreau – cœur – pique
distribuer les cartes – abattre ses cartes – un atout – couper
à votre tour
→ un jeu de dames – un pion
avancer/reculer
→ une loterie – un lot – le gros lot
le jeu de la roulette
→ un jeu d'échecs
→ un jeu d'adresse – le billard – le bowling
→ un jeu intellectuel – les mots croisés – le scrabble.

• Jouer
miser sur – parier – un pari
gagner/perdre – prendre sa revanche
être bon/mauvais joueur
jouer le jeu/tricher.

• Le hasard – le sort
tirer au sort – jouer quelque chose à pile ou face
Je l'ai rencontré par hasard, accidentellement.
Il va au hasard (n'importe où).
À tout hasard, je lui téléphonerai.

ACTIVITÉS

Découverte de la lettre de Jacques Clavel

- **Quel est l'objet de cette lettre ? Pourquoi Jacques Clavel fait-il la description d'une vieille dame ?**
- **Relevez les détails qui caractérisent le physique et le comportement de cette vieille dame.**
- **Relevez tous les mots qui donnent une idée d'indéfini.**
- **Faites le portrait de quelqu'un que vous connaissez de vue depuis longtemps et dont vous ignorez tout.**

Mécanismes A

- **Vous lui avez demandé quelque chose ?**
- **– Non, je ne lui ai rien demandé.**
- **Quelque chose est arrivé ?**
- **– Non, rien n'est arrivé.**

- **Vous avez vu quelqu'un ?**
- **– Non, je n'ai vu personne.**
- **Quelqu'un est venu ?**
- **– Non, personne n'est venu.**

1. Les indéfinis (idée de nature indéterminée).

- **Complétez avec *quelconque, quiconque* ou un composé de *n'importe.***

Sylvie et Robert sont au café. Robert est un jeune homme insouciant, désinvolte, « je-m'en-fichiste ».

Sylvie : Tu veux manger quelque chose ?
Robert : Bof, oui, ... Un sandwich ...... fera l'affaire.
Sylvie : Avec ce temps magnifique on va aller se promener. Où préfères-tu aller ? Au bois de Vincennes ? Au bois de Boulogne ?
Robert : Ça m'est égal....... Mais après, j'aimerais bien qu'on aille au cinéma.
Sylvie : Quel film tu veux voir ?
Robert : Bof....... Ils sont tous nuls. Aujourd'hui, si tu lis les critiques, ... use deux kilomètres de pellicule fait un film génial. Le résultat, c'est que ...... peut se dire réalisateur et tourner un film ...... sans avoir aucune expérience.

2. Les indéfinis (idée de quantité).

- Rédigez un commentaire de ce sondage en utilisant les indéfinis de quantité.

Quelle est la meilleure façon de ne pas vieillir ?	**Pourcentage de réponses positives.**
Avoir une activité après la retraite. Sortir.	80 %
Faire du sport.	60 %
Surveiller son alimentation.	50 %
Prendre des médicaments antivieillesse.	10 %
Vivre comme à 20 ans, sans faire attention à quoi que ce soit.	0 %

***3. Les indéfinis (idée négative). Employez* nul, aucun, pas un.**

Claude a décidé de passer un mois seul au bord de la plage et de « bronzer idiot ».

- **Rédigez les décisions qu'il a prises en vous aidant du tableau ci-contre.**

Utilisez les indéfinis tantôt comme sujet tantôt comme complément.

Exemple : « **Aucun** bruit ne doit me déranger. Je ne veux avoir **aucun** souci... »

	Sujet	**Complément**
aucun	pas de bruit pas de visites d'amis	pas de soucis pas de lecture
nul	pas de dérangement par qui que ce soit	pas de sorties ou d'excursions
pas un	pas de téléphone	pas de cartes postales

***4. Complétez en utilisant les formes qui commencent par* qui que..., quoi que..., où que..., quel/quelle que...**

Nathalie demande à Philippe d'héberger un individu anticonformiste.

Nathalie : Attention ! Tu verras. Il est plutôt bizarre ce type.
Philippe : Pas de problème ...... je l'hébergerai.
Nathalie : Il a des opinions politiques surprenantes.
Philippe : ...... ses opinions, je les respecterai.
Nathalie : Il peut dire des choses choquantes.
Philippe : ...... je me garderai de lui répondre.
Nathalie : Et il a des habitudes étranges.
Philippe : ...... ses habitudes, j'essaierai de m'y faire.
Nathalie : Il peut faire des choses complètement folles.
Philippe : ...... je fermerai les yeux.
Nathalie : Il peut t'amener dans des endroits plutôt insolites.
Philippe : Ça, ça m'intéresse. ......, je l'accompagnerai. Je suis prêt à tout.

5. Solitaires et marginaux.

Imaginez quelle est leur vie. Pensez-vous qu'ils soient heureux ? Seriez-vous tenté(e) par une vie en marge de la société ?

us : *Katia lisant.*

6. ***Donnez le sens de* tout *et de* quelque *dans le texte suivant.***

Élection de Miss France.

Toutes les candidates défilent une dernière fois sur la scène. **Toutes** ont la gorge serrée par le trac. Elles sont **tout émues. Toute** faute, **tout** faux pas peut leur être fatal. Dans la salle, **quelque** deux mille personnes les observent. Comment ce public peut-il **toutes** les juger? Elles sont si nombreuses! **Quelques-unes** sont moins applaudies. Elles savent déjà que, pour elles, **tout** est perdu. Il faudrait **quelque** miracle, **quelque** événement inattendu pour que le public change d'opinion. Dans **quelques** instants, Miss France sera élue. Pour elle, l'avenir sera **tout** grand ouvert. **Toute** la salle se lèvera et lui fera une ovation.

Découverte de l'extrait du carnet de Jacques Clavel

- **Pourquoi Jacques Clavel est-il « honteux et mal à l'aise »?**
- **Montrez que la vie de la vieille dame est à la fois banale et mystérieuse.**
- **Faites des hypothèses sur la scène au café. Qui est le jeune homme? Pourquoi Émilie le rencontre-t-elle?**

Mécanismes B

- **Vous avez invité quelques amis?**
- **– J'en ai invité quelques-uns.**
- **Quelques personnes sont venues?**
- **– Quelques-unes sont venues.**
- **Vous avez lu ces livres?**
- **– Oui, je les ai tous lus.**
- **Elle a bu son jus d'orange?**
- **– Oui, elle l'a tout bu.**

7. ***Connaissance et ignorance.***

a. Vous êtes libraire et vous vantez les mérites du *Quid* à un client. Jouez la scène!

b. Vous êtes un fervent utilisateur du *Quid* mais vous y avez relevé une erreur. Écrivez à l'éditeur pour le lui dire et le féliciter de la qualité de l'ouvrage.

L'encyclopédie de tous les jours et de tous les âges

quid est une encyclopédie de l'actualité, entièrement remise à jour et enrichie chaque année.

quid s'intéresse à tout : histoire, religions, arts, sciences, politique, économie, finances, salaires, sports, spectacles, enseignement, transports, armée...

quid répond immédiatement aux questions que l'on se pose grâce à un index de 90 000 mots.

quid permet de faire rapidement le tour d'un sujet grâce à sa présentation synthétique.

quid sert en toutes circonstances : en famille, au bureau, en classe... pour répondre aux questions des enfants, trouver un renseignement professionnel, préparer un exposé, participer à une discussion, à un rallye ou à un jeu télévisé ou radiodiffusé, faire des mots croisés...

quid est à la fois un instrument de travail et de distraction, un ouvrage de référence et de culture, une mémoire de secours.

8. ***Plaignez-les.***

a. Répondez-lui.

b. Jouez la scène. Il a joué toute sa fortune et il a tout perdu.

 **9. Lisez et commentez ces textes qui parlent de la vieillesse.**

LES VIEUX NE SERVENT-ILS PLUS À RIEN?

C'est paradoxalement dans les sociétés et dans les périodes de l'histoire où elles étaient les moins nombreuses (en proportion de la population totale) que les personnes âgées jouaient le plus grand rôle. La plupart des civilisations ont accordé aux anciens une place prépondérante, soit en leur confiant la direction des affaires, soit en écoutant leurs conseils de sages. Ce fut le cas chez les Grecs, les Incas, les Indiens d'Amérique, etc. Ce l'est encore aujourd'hui dans certaines tribus d'Afrique ou d'Amérique du Sud.

Certaines sociétés contemporaines industrialisées semblent vouloir se passer de la contribution des anciens, en avançant l'âge de la retraite, en leur refusant d'exercer une activité, en les isolant de leurs enfants et petits-enfants. L'exemple du Japon, dans lequel ils ont traditionnellement joué un rôle important, est significatif autant qu'inquiétant. Les pouvoirs publics vont jusqu'à inciter les retraités à aller s'installer à l'étranger. Des négociations avec certains pays comme l'Espagne sont en cours. En France, le phénomène de « décohabitation » entre les générations fait que les petits-enfants profitent moins que par le passé de l'expérience de leurs grands-parents. Ainsi disparaît sans aucun doute une forme essentielle de la transmission de la culture, que ne pourra pas remplacer la télévision.

R. Louvet et C. Tournis, *Séniorscopie. Les Nouveaux Jeunes*, Notre Temps, © Éd. Larousse, 1987.

- **Quels rôles jouaient les personnes âgées dans les anciennes sociétés?**
- **Dans votre pays, les personnes âgées sont-elles marginalisées? Quel devrait être leur sort?**
- **Donnez des exemples.**

Christian Combaz

ELOGE de l'âge dans un monde jeune et bronzé

ROBERT LAFFONT

Comme il convient, voici un livre paradoxal, provocant.

Il va contre l'opinion aujourd'hui commune – dont les intentions commerciales sont évidentes – qui prône que les vieillards sont encore assez jeunes pour profiter de la vie, faire du sport, consommer, voyager... Belle affaire!

Les jeunes gens, ou les gens encore jeunes, attendent autre chose de leurs parents âgés ou de leurs grands-parents que ce simulacre de jeunesse prolongée. Ils en attendent ce que toutes les civilisations ont attendu des vieillards : un enseignement (fût-il muet), une leçon de vie dans l'acceptation sereine de l'âge et de sa fin ultime.

Christian Combaz – qui a trente-deux ans – s'insurge contre cette société qui interdit à nos vieux d'être vieux. Qui les prive du droit de tirer des leçons de leur vie. Qui les distrait, leur épargne la solitude sans laquelle nous ne sommes rien, les préfère bronzés, insouciants, insignifiants, et les pousse dans des maisons de retraite, remplaçant l'amour et l'admiration qu'on leur doit par les soins qu'on leur donne...

Tout cela est mensonge. Il est moins important d'être en forme que d'être en paix. Il faut accepter de vieillir, accepter la solitude, tendre vers le détachement. La vieillesse n'est pas une maladie, c'est un âge de la vie. On peut le vivre consciemment, sans tricher. « Être vieux, c'est être bien partout », dit Victor, le vieil homme (si vrai) de ce livre.

Contrairement à ce que l'on prétend, les vieux ne sont pas comme nous : ils sont meilleurs.

Christian Combaz, *Éloge de l'âge dans un monde jeune et bronzé*, © Éd. Robert Laffont, 1987.

- **Faites la liste des reproches que l'auteur fait à la société française actuelle.**
- **Expliquez sa vision de la vieillesse. Donnez votre avis.**

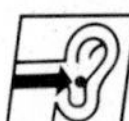

10. *Exercice d'écoute. Voici les noms de quelques médecines spéciales. Pour en connaître le sens, écoutez les explications du spécialiste. Complétez le tableau.*
Acupuncture – Auriculothérapie – Chirologie – Iridologie – Mésothérapie – Ostéopathie – Phytothérapie – Radiesthésie médicale.

Principe ou théorie	Mode de traitement	Maladies traitées
....	....	....

LA SANTÉ

La Sécurité sociale
C'est un organisme d'État fondé sur le principe de la solidarité nationale. Il prend en charge les dépenses de santé de la plupart des Français.

Financement :
La Sécurité sociale prélève une partie des salaires des travailleurs (environ 8 %). Les employeurs sont également obligés de verser une cotisation pour chacun de leurs employés.

Prestations :
• *Remboursement des soins de santé.* Le malade a le choix de son médecin ou de son hôpital. Généralement, il paie le médecin et les médicaments. Ces sommes lui sont remboursées par la Sécurité sociale sur présentation d'un justificatif (feuille de maladie) et selon un taux fixé par cet organisme. Pour obtenir un remboursement intégral le malade peut souscrire une assurance complémentaire auprès d'un autre organisme. Les interventions chirurgicales coûteuses et les soins des maladies graves sont généralement pris en charge à 100 % par la Sécurité sociale.
• *Autres prestations.* Indemnités journalières en cas de congé de maladie non rémunéré par l'employeur, prestations en cas de maternité, invalidité, décès, veuvage, retraite, etc. (N.B. : les principes généraux ci-dessus sont modulés selon la catégorie professionnelle et les revenus du bénéficiaire.)

Ce système est loin d'être parfait. L'inflation de consultations médicales et d'achat de médicaments est difficile à contrôler. Par ailleurs, dans les années soixante-dix, l'État et l'Université ont délivré un nombre important de diplômes de docteur en médecine. Dans les grandes villes et dans le Midi, la concurrence entre médecins est rude. Ceux-ci sont donc tentés, pour survivre, de pousser les patients à la consommation.

• **Comparez l'organisation du système de la santé en France et dans les pays suivants :**

Grande-Bretagne
Le NHS (National Health Service) répartit les médecins sur des zones précises et les paie. Les soins sont gratuits mais les patients ne peuvent pas choisir leur médecin.
À côté de cette médecine nationalisée, il existe une médecine libérale. Le patient a alors le libre choix de son médecin mais n'est pas remboursé.

Espagne
Les malades peuvent consulter dans les hôpitaux ou les centres de santé qui dépendent de l'Insalud (sorte de Sécurité sociale). Tous les soins sont gratuits. La majorité des médecins ont donc un emploi garanti mais des revenus modestes. Beaucoup ont gardé une activité libérale en complément.

Le SAMU *(Service d'aide médicale urgente).*

Que dire dans des circonstances douloureuses ?

Une maladie grave
J'espère vivement que vous serez bientôt rétabli(e).
Je vous souhaite un rapide rétablissement.
Tous mes vœux de prompt rétablissement.

Toutes mes condoléances.

Mes condoléances.

Un décès
• À quelqu'un qu'on connaît mal :
Très peiné(e) par le décès qui vous touche, je vous présente mes sincères condoléances.
• À quelqu'un qu'on connaît mieux :
Je vous souhaite beaucoup de courage pour surmonter ces moments douloureux (cette épreuve douloureuse).
Je partage votre peine et vous assure de toute ma sympathie.

Découverte de l'extrait du roman de J. Clavel
- **Quels sont les jeux mentionnés dans le texte?**
- **Imaginez la suite de l'histoire.**

11. Le vocabulaire du jeu et de la santé employé dans un sens figuré.

a. Donnez le sens des mots ou expressions soulignées
- À 18 ans, il a misé sur une carrière dans l'informatique et il a eu raison.
- Les entreprises françaises doivent mieux se placer sur l'échiquier international.
- Depuis quinze jours, Didier fait une cour assidue à Sophie et petit à petit il avance ses pions.
- Le P.-D.G. de la société Dumont a maintenant toutes les cartes en main pour racheter la société Proservices.
- La réunion est commencée depuis une heure. Je vais y faire un tour pour prendre la température.
- Aller voir un film de Beinex? Non, merci! J'en ai vu un. Je suis vacciné.

b. Reformulez les éléments soulignés. Utilisez les mots de la liste.
- A. Prost est un champion du volant.
- Bernard a un gros avantage, il est naturellement séduisant.
- Je ne suis pas d'accord avec la stratégie que tu proposes mais je vais m'y plier.
- Le gouvernement ne va pas tarder à tomber.
- Dans ce service les rapports humains manquent totalement de chaleur.
- Grande agitation dans les milieux boursiers.

– jouer le jeu
– atout
– aseptisé
– fièvre
– as
– mettre en échec

12. *Croyez-vous à la chance?*

24 % des Français attendent la chance. Le même nombre dit avoir eu une fois dans sa vie un vrai « coup de chance ». C'est dans le domaine professionnel et dans celui de la santé que les Français espèrent avoir de la chance.

La même aventure(1) survint en 1972 à une hôtesse de l'air yougoslave qui, après l'explosion de son appareil, survécut à une chute de plus de 10 000 mètres. Vingt-sept jours de coma, seize mois d'hôpital : où commence et où s'arrête pour elle la chance? On pourrait multiplier les exemples : tout le monde connaît au moins quelqu'un qui a échappé « par miracle » à l'accident de voiture, à l'avalanche ou au naufrage. Il en ressort seulement que les catastrophes sont fertiles en coups de chance, ce qui n'est qu'à moitié rassurant.

Curieusement, la chance fait souvent peur : on craint que le destin ne se venge, qu'il reprenne d'une main ce qu'il a donné de l'autre, et il s'est développé toute une mythologie autour des malheurs des gagnants. Eh bien! c'est de la superstition. Sur les 2 000 plus gros gagnants à des jeux de hasard, on ne connaît que deux cas de ce genre, de chanceux qui se retrouvent ruinés au bout d'un ou deux ans.

Autre « loi » de la chance, elle répugne à frapper deux fois. Le seul exemple connu date de 1983, dans le Midi, où un même joueur a gagné successivement 1,2 million et 800 000 F. Mais dans l'ensemble, la chance corrobore la loi des grands nombres qui est ennemie du merveilleux. Ou alors, il faut aller chercher au loin, au Canada par exemple, où un certain Pierre Casault a gagné deux fois de suite un million de dollars, ce qui lui vaut en plus de figurer au livre des records.

Figaro Magazine, 21 octobre 1989.

(1) L'auteur vient de parler du coup de chance d'un pilote anglais.

- **Racontez vos coups de chances ou ceux de gens que vous connaissez.**
- **Certaines personnes disent : « je n'ai jamais de chance ». Croyez-vous que ce soit possible?**

13. *Exercice d'écoute.*

Paul explique à Claire la règle du jeu de « 421 » et ils commencent à jouer.

- **Rédigez la règle du jeu et faites une partie avec votre voisin(e).**

14. *Préparez les scènes et jouez-les.*

- **La joueuse**

Elle veut aller jouer au casino. Il n'y tient pas.

- **Le tricheur**

À travers la littérature... LES VIEUX

Les premières lignes du roman d'Yves Navarre *Le Jardin d'acclimatation.*

Le 9 juillet. 10 heures du matin. Henri Prouillan se tient debout, mains croisées dans le dos, la tête légèrement penchée, le front contre la vitre, derrière l'une des trois portes-fenêtres, celle du centre, dans le grand salon. Il regarde la place d'Antioche, 75017 Paris, de son premier étage. Il a soixante-quatorze ans. Enfant, au même endroit, il se postait ainsi, parfois, les mains dans le dos, la tête légèrement penchée, le front contre la vitre du bas. S'il laissait une trace, on le grondait, après. Si on le surprenait, il fermait les yeux et attendait qu'on l'arrache à son poste. Les domestiques avaient le droit de l'écarter, pas celui de le toucher. Henri, petit, unique fils, était intouchable. Telle ou tel domestique passait un coup de chiffon sur la vitre. Henri se rendait alors dans sa chambre. Il avait inventé une manière, sa manière, de fermer lentement, précautionneusement les portes, derrière lui, pivotant sur la pointe des talons de ses galoches de collégien ou de ses bottines du soir, tournant sur lui-même, le coude relevé, tenant la poignée du bout des doigts, comme un mépris, ou une grâce. Suzanne, Suzy, jalousie, venait de naître. Henri voyait peu ses parents. Il les voit mieux, là, maintenant. Ils sont pourtant morts depuis cinquante et cinquante et un ans, l'un après l'autre, il y a si longtemps. Henri Prouillan sourit, si peu à lui-même ou à qui que ce soit, un sourire dans le vide de la place. Autrefois, il y avait une statue, là au centre, des pavés tout autour, des voitures plus lentes, toutes noires, et souvent les attelages des Grandes Glacières de la Porte Clichy, en livraison, va-et-vient, toute la journée, boulevard Malesherbes, la plaine Monceau, les beaux quartiers sans ombres. Ce matin, Henri Prouillan laisse une trace sur la vitre en s'écartant de lui-même. D'un geste bref il l'efface, recule, l'efface de nouveau. De la vitre du bas à la vitre du haut, il a grandi. Désormais, il devient plus petit. Il se tasse. Il se voûte. Il a l'impression de se casser de partout. Mais il se sent terriblement debout. Encore. Et maître. Il se retourne. Le décor de l'appartement n'a pas changé. Un décor auquel Cécile n'a même pas osé toucher. Sans doute parce qu'elle n'a pas connu les parents de son époux. Ce matin, Henri Prouillan est seul. Avec son chien. Pantalon.

Yves Navarre, *Le Jardin d'acclimatation,* © Éd. Flammarion, 1980.

- **Relevez et classez tout ce que vous apprenez sur Henri Prouillan (état civil, aspect physique, passé, milieu social, habitudes et comportement).**

- **La première page d'un roman est souvent révélatrice du contenu de l'œuvre. Faites des hypothèses sur le contenu du *Jardin d'acclimatation* (thèmes traités, histoires, personnages).**

Le début de la chanson de Jacques Brel *Les Vieux.*

Les vieux ne parlent plus ou alors seulement parfois du bout des yeux
Même riches ils sont pauvres, ils n'ont plus d'illusions et n'ont qu'un cœur pour deux
Chez eux ça sent le thym, le propre, la lavande et le verbe d'antan(1)
Que l'on vive à Paris on vit tous en province quand on vit trop longtemps
Est-ce d'avoir trop ri que leur voix se lézarde(2) quand ils parlent d'hier
Et d'avoir trop pleuré que des larmes encore leur perlent aux paupières
Et s'ils tremblent un peu est-ce de voir vieillir la pendule d'argent
Qui ronronne au salon qui dit oui qui dit non qui dit je vous attends

Éditions musicales Pouchenel, Bruxelles, 1963.

- **Expliquez chacune des phrases du texte.**

(1) les paroles d'autrefois. (2) se fendre.

LEÇON 3 SUR LES TRACES DES ORIGINES

Le site archéologique de Laetoli, près de la gorge d'Olduvaï en Tanzanie. Des archéologues sont en train de relever des empreintes fossiles dans une couche de cendres volcaniques que l'érosion a mise au jour. Un journaliste interroge l'un des responsables de l'équipe.

L'archéologue : Ici, ce sont des empreintes d'éléphant. Là, des sabots de girafe. Mais venez voir notre grande trouvaille...

Le journaliste : On dirait les marques d'un pied humain, mais c'est impensable ?

L'archéologue : C'est très possible au contraire. Regardez ! Le gros orteil est accolé aux autres doigts comme dans l'espèce humaine. Il se pourrait bien qu'un homme ou une femme ait marché ici il y a trois millions six cent mille ans. C'est émouvant, n'est-ce pas ?

Le journaliste : J'ai peine à le croire. Est-ce qu'à cette époque l'ancêtre de l'homme ne marchait pas à quatre pattes ?

L'archéologue : Probablement que non. Il se peut que nous ayons là le premier témoignage de la station bipède. Il faudra revoir notre théorie.

Le journaliste : Mais comment ces empreintes auraient-elles pu rester intactes ?

L'archéologue : C'est tout à fait explicable. L'homme a marché dans des cendres volcaniques qui se sont ensuite cristallisées et durcies sous l'effet de la pluie et du soleil. Ce phénomène de cristallisation ne demande que quelques heures. Ensuite la croûte a été recouverte de terre, ce qui l'a protégée... Pour ce qui est de la datation nous n'avons aucun doute. Cette couche a bien près de quatre millions d'années.

Un archéologue sur le site d'Olduvai.

Empreintes de pieds à Laetoli (Tanzanie).

Des fragments d'ossements humains datant de 3 600 000 ans ont été retrouvés à Laetoli (Tanzanie). Il s'agit de fragments de crâne et de mâchoires, de dents et d'éléments de squelette appartenant à un adulte dont l'allure générale a pu être reconstituée. Il mesurait environ 1,20 m. Son cerveau était trois fois plus petit que le nôtre. Le bas de son visage large et massif formait une machoire proéminente. Il avait des membres particulièrement robustes. La morphologie du squelette ainsi que des traces relevées dans le sol montrent qu'il avait atteint le stade de la bipédie. Sa démarche était un peu traînante et il croisait légèrement les pieds en se déplaçant.

On ne connaît que peu de choses sur son mode de vie, aucune trace d'habitat ni aucun outil n'ayant été découverts. On pense toutefois pouvoir affirmer qu'il vivait en petits groupes au bord des points d'eau qui jalonnaient la vallée du Rift.

En cette matinée du 22 août 1812, il faisait une chaleur accablante dans les montagnes qui surplombent les bords orientaux de la mer Morte. John Burckardt se sentait néanmoins prêt à braver la canicule. Un pressentiment l'avertissait qu'il touchait au but.

Fils d'un colonel suisse de l'armée de Napoléon, cet érudit passionné d'histoire et de culture orientales s'était embarqué pour la Syrie trois ans auparavant. Il s'agissait pour lui de visiter les sites de ces fabuleuses cités antiques que mentionnaient les historiens grecs et arabes et dont certains voyageurs avaient déjà signalé la présence. En trois ans, il lui était arrivé quelques aventures périlleuses mais il avait chaque fois réussi à s'en sortir grâce à sa parfaite connaissance de la langue arabe et à son déguisement de marchand indien. Se joignant aux caravanes qui parcouraient le désert, il avait ainsi pu admirer les ruines de Baalbek et de Palmyre. Mais il lui restait à découvrir une ville qui était tombée dans l'oubli depuis près de mille ans : la mystérieuse Pétra.

John Burckardt possédait deux indices. Derrière ces montagnes déchiquetées se trouvait le tombeau du prophète Aaron, lieu révéré par les populations des environs. Par ailleurs, en 1808, un voyageur qui s'était aventuré dans cette région avait surpris les propos d'un Bédouin : « Je pleure quand j'aperçois les ruines de Pétra. » Si la ville existait encore, il y avait de fortes chances pour qu'elle soit toute proche.

Mais il était indispensable de tromper la vigilance des Bédouins qui défendaient farouchement leur territoire et pour lesquels tout étranger était un espion en puissance. John Burckardt s'était donc fait passer pour Ibrahim Ibn Abdallah, pèlerin venu sacrifier un bouc au prophète Aaron...

Burckardt et son guide s'engagèrent dans un défilé qui s'enfonçait au cœur de la montagne. Au fur et à mesure qu'ils avançaient, les parois se rapprochaient. La gorge faisait tant de coudes et de détours que le ciel n'était plus visible et que les deux voyageurs craignirent qu'on ne leur ait tendu une embuscade.

Tout à coup, ce fut la fin du tunnel. John Burckardt écarquilla les yeux, émerveillé. Violemment éclairée par le soleil, la façade d'un temple taillé dans les rochers de grès rose se dressait devant lui, richement ornée de colonnes, de sculptures et de statues.

Il entrait dans Pétra. Il allait y découvrir, dormant depuis plus de mille ans, un prodigieux entassement de temples, de sépultures, d'habitations troglodytes, d'autels sacrificiels et de palais en ruine. La ville légendaire des Nabatéens (1) était une réalité.

(1) Nabatéen : peuple de l'Arabie du Nord dont la capitale était Pétra. Leur royaume fut annexé à l'Empire romain en 106 par Trajan.

Petra (Jordanie).

GRAMMAIRE ET VOCABULAIRE

■ L'EXPRESSION DE LA POSSIBILITÉ

- C'est possible/impossible.
  Il est possible/impossible que + **subjonctif.**
- Il se peut que / Il se pourrait que } + **subjonctif.**
- C'est peut-être...
- Il y a des chances / Il n'y a aucune chance } (pour) que + **subjonctif.**
- Il risque d'être malade.
- Suffixe **-able** : c'est faisable – réalisable.

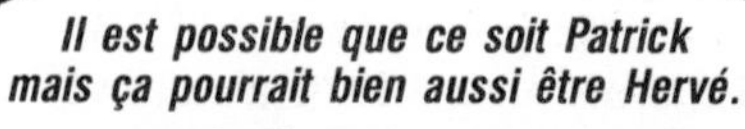

■ LES FORMES IMPERSONNELLES

1. Les verbes impersonnels

Ils expriment en général des phénomènes climatiques (sauf *il faut*)
il neige – il gèle – il pleut – il bruine – il tonne – il vente – il fait beau, soleil...
Ces verbes peuvent avoir un sujet concret (sauf *il faut*)
Les élèves sont turbulents, les punitions pleuvent.

2. La forme impersonnelle des autres verbes

Un grave accident est arrivé → Il est arrivé un accident.
Il reste du rôti – Il m'est venu une idée géniale.
→ Cette forme est très employée dans le style administratif. *Ex.* : Il a été décidé que...

3. La forme il est + adjectif + de (ou que + subjonctif).

Prendre des notes est utile → { Il est utile de prendre des notes. / Il est utile que vous preniez des notes.
N.B. : C'est facile à faire – Il est facile de faire ce travail.

■ LA SURPRISE ET L'INDIFFÉRENCE

- surprendre quelqu'un
arriver à l'improviste
faire quelque chose subrepticement, furtivement, sournoisement
à l'insu de...
attaquer par surprise

→ être surpris – étonné – stupéfait – saisi – renversé (fam.)
c'est surprenant – étonnant – stupéfiant – saisissant
inattendu – déconcertant
Cela me surprend.
Je ne m'y attendais pas.
→ être indifférent – détaché – insensible – dédaigneux.
Ça me laisse indifférent.
Ça m'est égal.
Ça ne me fait ni chaud ni froid.
Peu m'importe.
Qu'est-ce que vous voulez que ça me fasse?
Je m'en moque. Je m'en fiche. (fam.)

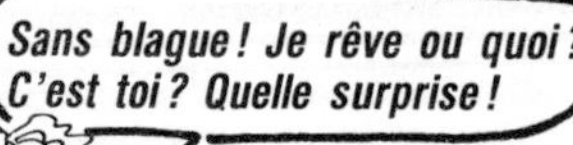

■ LES MINÉRAUX

- **Les pierres**

le calcaire – l'argile – le granit – le marbre – le silex – le charbon – la houille – le goudron – une mine – un mineur – une carrière – un filon – une galerie – extraire du minerai de fer – creuser – forer – débloquer – combler – trier – affiner.

- **Les pierres précieuses**

un diamant – un saphir – un rubis – une émeraude – une perle – tailler – polir une pierre – une facette.

- **les métaux**

le fer – la fonte – l'acier – le cuivre – le plomb – l'étain – le zinc – le bronze – l'argent – l'or – le mercure.

PARTIES DU CORPS ET EXPRESSIONS IMAGÉES

• **Le squelette**
un os – être trempé jusqu'aux os (mouillé)
le crâne – avoir mal au crâne
le tibia – prendre un coup dans les tibias
une côte – se tenir les côtes (rire).
• **Les organes**
le cerveau – un lavage de cerveau
le foie – avoir mal au foie (à l'estomac)
l'estomac – avoir l'estomac dans les talons (avoir faim) ; avoir de l'estomac (du cran, de l'audace)
le cœur – avoir du cœur (être généreux – chaleureux)
le poumon – s'époumonner (crier très fort)
la vésicule biliaire – Ne te fais pas de bile ! (de soucis).

• **Les membres**
l'épaule – Tout repose sur ses épaules (il a toute la responsabilité).
le coude – se serrer les coudes
le poignet – Il est arrivé à la force du poignet.
le pouce – donner un coup de pouce (aider)
l'ongle – Il est artiste jusqu'au bout des ongles (complètement).
la cheville – Il a les chevilles qui enflent (il se croit très important).
le talon – C'est son talon d'Achille (sa faiblesse).

L'EXOTISME

• **Peuples**
un peuple – une peuplade – une tribu – un clan – une ethnie – une race – le racisme – une langue – un dialecte – un mouvement de population – une migration – une conquête.
• **Habitat**
une hutte – une cabane – une case – une tente – un campement – un igloo.
• **Vêtements**
un pagne – un boubou – un voile – des bottes – des babouches – des sandales – une toque – un turban – une plume.
• **Mode de vie**
un nomade – une caravane – un chameau – vivre de la cueillette, de la pêche, de la chasse – un arc – une flèche – une lance – un bouclier – une sarbacane – un boomerang – une hache.
• **Monuments**
un temple – une colonne – une colonnade – un chapiteau – un sanctuaire – un autel – une relique – un monument funéraire – une pyramide – une inscription – des hiéroglyphes.
• **Paysages**
le désert – une dune – le sable – inculte – aride – une oasis – un mirage – un puits – un point d'eau – la steppe – la toundra – la brousse – la savane – une piste.
• **Végétation**
la forêt tropicale, équatoriale – la forêt vierge – un palmier (une datte) – un cocotier (une noix de coco) – un bambou – une liane.
• **Religions**
l'animisme – le chamanisme – le fétichisme – le totémisme – un totem – une idole – une amulette – un masque – un sorcier – l'initiation – un rituel – une danse rituelle – le tam-tam – un sacrifice – sacrifier – la mythologie – un mythe – un dieu – une déesse – l'enfer – le paradis – le purgatoire – un prophète – une prophétie – une croyance – un croyant – la foi – le dogme – la doctrine – un prêtre – une prêtresse.

LES ATTITUDES

• **L'orgueil**
être fier – vaniteux – vantard (se vanter) – orgueilleux – prétentieux – suffisant – mégalomane
Il fait son important – Il prend de grands airs... Il se croit...
• **L'assurance**
être sûr de soi – assuré – confiant – plein d'assurance – avoir de l'aplomb, du culot (fam.).
Il ne se démonte pas.
Il ne perd pas son sang-froid.
• **La modestie**
être modeste – effacé – humble (l'humilité) – réservé – simple – discret.
• **La timidité – l'embarras**
être timide – embarrassé – gêné – mal à l'aise – gauche.

ACTIVITÉS

Découverte de l'interview de l'archéologue et de l'article de presse

• Après analyse des deux documents rédigez une fiche descriptive de la découverte en utilisant le formulaire ci-contre.

• Relevez dans le dialogue tous les termes qui expriment la probabilité, la possibilité ou l'impossibilité.

MISSION ARCHÉOLOGIQUE

Lieu : ....

Objets collectés : ....

Traces relevées : ....

Datation : ....

Conclusions ou hypothèses : ....

Mécanismes A

• Paul aurait une promotion? C'est possible?
– Oui, il est possible qu'il ait une promotion.
• Il serait nommé directeur? Il y a des chances?
– Oui, il y a des chances pour qu'il soit nommé directeur.

• Vous croyez qu'il viendra?
– Non, il n'y a aucune chance pour qu'il vienne.
• Vous croyez que nous pouvons encore être à l'heure?
– Non, il n'y a aucune chance pour que vous puissiez être à l'heure.

1. Expression de la possibilité. Voici de brèves informations données sous réserve.

Rédigez-les en utilisant des formules exprimant la possibilité ou l'impossibilité.

P. Martin, représentant commercial,
à Société TÉLÉCO.
Résultats visites secteur de Nantes
• STÉRÉO SERVICE : susceptible achat
60 chaînes DBE73.
• HI-FI CENTRE : contacts plutôt négatifs.

Tempête dans le Nord-Ouest. Vents de 180 km/h. Avalanches en montagne.

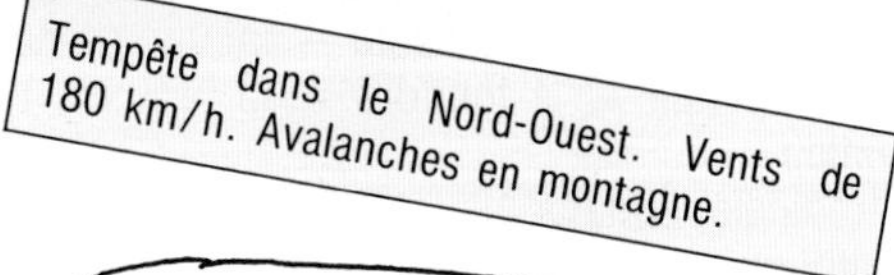

Nomination à Paris.
Prise du poste le 1er mars.
Déménagement dans la deuxième quinzaine de février.

« Il se pourrait que .... Il est possible que .... »

2. Les suffixes -able *et* -ible.

a. Trouvez le verbe qui est à l'origine des adjectifs suivants. Donnez un exemple d'emploi.

• blâmable – dommageable – réglable – buvable – repérable – inflammable
• éligible – risible – corruptible – fusible – perfectible – crédible

b. Par quel adjectif qualifierait-on?

• un plat difficile à manger;
• une mauvaise action qu'on ne peut pas pardonner;
• une assiette qu'on jette après emploi;
• une lettre difficile à lire;
• un objet qu'on peut voir facilement;
• un champignon qu'on peut consommer sans danger.

3. Exercice d'écoute. Un archéologue authentifie ces trois statuettes.

Rédigez une légende détaillée pour chaque photo.

4. Le corps et les expressions imagées. Trouvez dans la liste l'équivalent de chacune des expressions soulignées.

- Il y avait combien de personnes à la manifestation? À vue de nez, je dirais 15 000.
- Ça faisait six mois que je ne l'avais pas vu. Je me suis trouvé nez à nez avec lui, hier, sur le boulevard Saint-Michel.
- Au dernier spectacle de Michel Sardou, j'ai eu une place à l'œil grâce à un copain qui connaît un musicien de l'orchestre.
- André n'est pas un professionnel. Ça saute aux yeux.
- Je ne connais pas la réponse à votre question. Je donne ma langue au chat.
- Nous essayons de négocier un contrat avec l'entreprise Dupuis. Ce n'est pas facile. Ils ont les dents longues. Leurs prix sont très élevés.
- Je ne sais pas pourquoi... Depuis deux jours il me fait la tête. J'ai l'impression qu'il a une dent contre moi.

être évident

être avide, ambitieux

approximativement

en vouloir à quelqu'un

face à face

gratuit(e)

avouer son ignorance

5. Décrivez des attitudes. Vous êtes metteur en scène.

- **Quelles consignes donneriez-vous à vos acteurs pour qu'ils prennent les attitudes suivantes?**

Une nuit à l'opéra des Marx Brothers.

6. À quoi ressembleront nos descendants?

• Lisez cet interview de Robert Clarke, auteur de *L'Homme mutant* (Éd. Robert Laffont, 1989). Qu'apprenez-vous sur l'évolution future de l'homme?

• Notez toutes les modifications qui interviendront dans les millénaires à venir.

Martine Castello. – Que l'homme se transforme, on s'en doutait...

Robert Clarke. – Bien sûr ! C'est une constatation logique lorsque l'on jette un œil sur notre passé. Depuis nos ancêtres australopithèques qui n'avaient, les malheureux, qu'un petit cerveau de 400 cm³, aux « Homo sapiens sapiens » que nous sommes, avec notre crâne de 1 300 cm³, les choses ont évolué vers un plus d'intelligence, et il n'y a aucune raison que cela s'arrête. Mais il y a un mais... L'homme est capable aujourd'hui de modifier son environnement, et son patrimoine génétique. Il accélère le cours du temps. Ce que la nature, avec sa lenteur précautionneuse, a mis des millénaires à transformer, il le modifie en quelques années. Et c'est là que les perspectives deviennent effrayantes. Mon ouvrage n'a pas d'autre but que de présenter l'avenir que la science nous prépare.

M.C. – Comme un homme averti en vaut deux, décrivez-nous de plus près ces mutants qui vous effraient...

R.C. – Dans l'évolution de l'homme c'est surtout la taille de nos cerveaux qui a augmenté. Ce processus va-t-il se poursuivre? Certainement. Mais il y a un problème. La taille du crâne ne doit pas être incompatible avec celle du bassin de la mère. Sinon les femmes ne pourront plus expulser ces mutants à grosse tête !

M.C. – Que va-t-il donc se passer?

R.C. – Ce qui se passe aujourd'hui. Les enfants naissent avec un crâne « inachevé » car la durée de la gestation est raccourcie à neuf mois, au lieu des vingt et un mois qui seraient la norme, si nous imitions vraiment les primates. À l'avenir les mères auront des grossesses encore plus courtes. Mais ce problème devrait être réglé dans le futur par les naissances en bocal. (...)

M.C. – Ces nouvelles maternités vont-elles modifier le corps des femmes?

R.C. – Les caractères sexuels diminueront : moins de seins, moins de bassin aussi. Elles perdront également leur instinct maternel. Et l'on ne sait pas quels seront les comportements psychologiques de ces enfants nés dans des utérus artificiels...

M.C. – Et quel visage auront les hommes demain?

R.C. – D'une manière générale notre visage va se transformer. L'importance des mâchoires va diminuer au profit du front, qui abrite les pensées. Les dents de sagesse vont complètement disparaître. À mesure que la nourriture deviendra plus facile à mastiquer, notre mâchoire s'affaiblira encore. D'autres éléments de l'organisme vont s'évanouir : l'appendice, les poils, la barbe, les cheveux. Les chauves sont peut-être des précurseurs, des mutants qui s'ignorent... On assistera aussi à une évolution de la peau et des yeux vers les couleurs foncées. Le coccyx, vestige de nos ancêtres les dinosaures, devrait également s'estomper. Il y a même des chercheurs qui pensent que notre intestin grêle a un mètre de trop, inutile...

M.C. – Les mutants de demain, tels que vous les décrivez, n'ont absolument rien d'Apollons !

R.C. – Effectivement, si l'on respecte nos actuels canons de la beauté. Cependant ils auront quelque chose de plus. Les hommes, demain, seront plus grands. Ce phénomène est déjà sensible aujourd'hui. En un siècle, la taille moyenne des Français passe de un mètre soixante-six en 1900 à un mètre soixante-dix-neuf en l'an 2000. Mais l'accroissement devrait cesser lorsque l'on atteindra un maximum, qui se situe au-dessous de deux mètres.

M.C. – Ces mutants auront-ils un esprit vraiment différent?

R.C. – Ils seront certainement plus intelligents, puisque leur capacité crânienne va augmenter. Mais ils risquent aussi d'être manipulés. Les scientifiques sont en train de décortiquer les mécanismes de notre boîte noire. Ils mettent au point des substances capables de modifier le comportement des individus. De les rendre heureux, calmes ou agressifs sur commande. Le bon vieux lavage de cerveau a déjà apporté la preuve que l'on pouvait modifier assez aisément la personnalité d'un individu.

Découverte du voyage de John Burckardt

• Vous devez faire une émission de télévision de 30 minutes sur la découverte de Pétra par J. Burckardt. Votre film doit comporter 30 séquences d'une durée moyenne d'une minute.

Déterminez ces 30 séquences. Pour chacune indiquez : le contenu (ou le sujet) de la scène, le lieu de tournage ou les décors nécessaires, les personnages et leurs costumes.

Vous avez le droit de broder mais votre scénario doit rester conforme au texte (travail à faire en groupe).

Exemple : Séquence 1 : John Burckardt dans la bibliothèque d'une université. Il consulte des récits de voyageurs. Il porte l'habit d'un jeune bourgeois à la fin du 18ᵉ siècle. Un ami l'interroge sur ses lectures.

• Relevez les formes impersonnelles (les formes dans lesquelles « il » ne remplace pas une personne).

Mécanismes B

• Un accident est arrivé à Patrice.
– Il lui est arrivé un accident.
• Un tremblement de terre s'est produit dans le Caucase.
– Il s'est produit un tremblement de terre dans le Caucase.

• Passe ton bac ! C'est important.
– Il est important que tu passes ton bac.
• Documentons-nous ! Ce serait utile.
– Il serait utile que nous nous documentions.

7. Les formes impersonnelles.

Utilisez des formes impersonnelles pour...

a. ... jouer la scène.
Une femme est accusée par les douaniers d'avoir dérobé un vase antique. Après avoir fait faire une contre-expertise, son avocat arrive à prouver que ce vase est une copie et que la femme est innocente.
• imaginez toutes les circonstances et la plaidoirie de l'avocat.

b. ... rédiger le compte rendu.
Le conseil municipal d'une ville s'est réuni pour décider la construction sur le territoire de la commune d'un espace récréatif de type « Disneyland ».
La séance comportait :
– un exposé sur l'origine du projet ;
– un compte rendu de l'enquête auprès de la population ;
– un examen des propositions de différentes entreprises de construction d'espaces récréatifs ;
– le vote pour la décision finale.
• ... rédiger le compte rendu de cette séance.
« Il y a un an, il a été envisagé de construire... »

8. Expression de la surprise ou de l'indifférence.

Imaginez leur dialogue.
• Jeanne et Robert Martin ont un voisin tranquille. Courtois, aimable, toujours de bonne humeur, Raphaël Dumont est apprécié par tous les locataires. Un matin, pourtant, un fourgon de la police s'arrête devant l'immeuble. Quelques minutes après, Jeanne et Robert Martin voient Raphaël Dumont, menottes aux poignets, entrer dans le fourgon...

Jouez la scène.
• Gilberte est passionnée par l'actualité. Son mari Raymond est indifférent à tout. Chaque matin, au petit déjeuner, Gilberte dévore les journaux, lit les gros titres à haute voix et les commente en essayant d'y intéresser Raymond. Mais Raymond se moque de ce qui peut se passer dans le monde.

LES CIVILISATIONS DISPARUES

Pendant longtemps *les statues géantes de l'île de Pâques* dans le Pacifique Sud constituèrent un mystère. Comment ces 600 blocs de 9 m de haut, pesant en moyenne 30 tonnes, pouvaient-ils se trouver sur une île dénudée et quasi inhabitée? On sait aujourd'hui que jusqu'au 16e siècle, l'île était couverte de forêts et de cultures et abritait une riche civilisation. Ces statues, destinées au culte des ancêtres, étaient sculptées dans une carrière de roche volcanique tendre puis roulées sur des troncs d'arbres jusqu'au lieu où elles étaient érigées.

Sur la côte Sud du Pérou, dans un désert de sable, d'argile et de calcite, *des centaines de traces parfaitement rectilignes, des figures géométriques* et *d'immenses dessins d'animaux* couvrent une superficie de 520 km². Ces traces ont été obtenues en enlevant les pierres pour faire apparaître le sol jaune.

L'un des dessins les plus étranges est une énorme araignée d'une espèce très rare. Le dessin est si minutieux qu'il montre l'organe de reproduction de l'araignée situé à l'extrémité d'une des pattes. Comment l'auteur du dessin a-t-il pu avoir connaissance de cet organe qui n'est visible qu'au microscope? Qu'est-ce qui a poussé les *Nazcas* (de 500 av. J.-C. à 500 ap. J.-C.) à tracer ces lignes? Servaient-elles de pistes d'atterrissage pour des vaisseaux spatiaux extra-terrestres ou pour des machines volantes construites par les Nazcas? S'agit-il de la représentation d'un grand livre d'astronomie ou tout simplement d'un immense lieu de culte? Aucune hypothèse n'a pour l'instant pu être vérifiée avec certitude.

• Connaissez-vous des vestiges d'autres civilisations disparues?

Selon Platon, *l'Atlantide* était une île de l'océan Atlantique qui aurait été engloutie lors d'un cataclysme.

Jamais aucune trace de ce pays n'a pu être retrouvée mais le mystère a fait couler beaucoup d'encre (près de 5 000 ouvrages).

Les archéologues la situent aujourd'hui à l'emplacement de l'île de Santorin (Grèce).

• Vous êtes archéologue. Avec votre équipe, vous venez de découvrir le fabuleux continent englouti. Vous avez déchiffré les inscriptions laissées par les Atlantes.

Rédigez un article dans lequel vous expliquez : l'origine de ce peuple – son habitat – ses vêtements – son mode de vie – son organisation sociale – ses monuments – sa religion – son art – sa science et les raisons de sa disparition (travail de groupe).

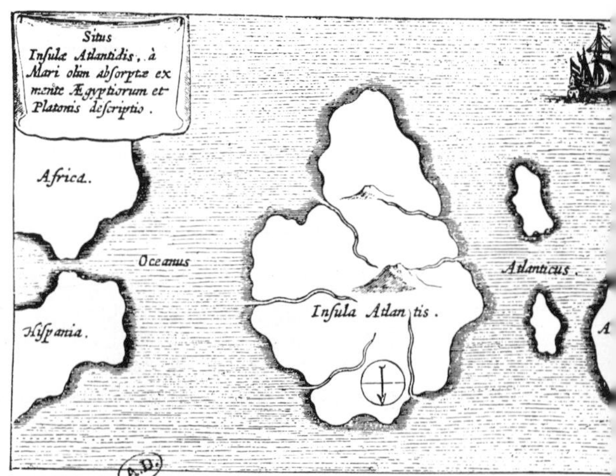

• **Inspirez-vous de ce texte de Jacques-Yves Cousteau (spécialiste du monde sous-marin).**

Peu de mythes exercent un tel pouvoir de fascination sur les hommes. Peu de légendes ont autant fait rêver. Pour chacun d'entre nous, l'évocation de ce continent perdu, c'est celle de l'âge d'or, du bonheur, de l'abondance des richesses et de l'harmonie des peuples. C'est peut-être surtout le récit symbolique et merveilleux des origines cachées de la sagesse.

Je n'avais jamais pensé qu'un jour je me mettrais en quête de cet improbable univers. J'avais lu, comme tout le monde, ce qu'on en avait écrit. Plus exactement, j'avais parcouru une infime fraction de cette littérature, car plus de cinq mille ouvrages et d'innombrables articles ont déjà été consacrés au sujet! Je rêvais du grand continent englouti dans la mer, de son Ancienne Métropole aux trois murailles (la première couverte d'airain, la deuxième d'étain, et la dernière d'« orichalque aux reflets de feu »). Je me plaisais à imaginer les Atlantes, à la science si sûre, aux mœurs si policées, à la civilisation si brillante. Je me demandais si, en deçà de sa signification symbolique et ésotérique, le mythe pouvait s'enraciner dans un quelconque souvenir collectif d'événements historiques bien réels. Mais il ne me venait pas à l'esprit de tenter d'apporter la preuve de l'authenticité de la catastrophe. (...)

Or, je me retrouve aujourd'hui emporté malgré moi dans cette aventure. Je n'ai pas la prétention de résoudre en quelques semaines une énigme dont on débat vainement depuis vingt-quatre siècles. Mais je me surprends à me passionner pour ce sujet davantage que je ne l'aurais cru tout d'abord. Je suis envoûté par la légende. La magie des Atlantes fait son œuvre.

À la recherche de l'Atlantide, © Flammarion, 1981.

• **Recherchez dans ce texte les mots et expressions qui soulignent :**
a. que l'Atlantide est une légende;
b. que Cousteau est intéressé par cette légende.

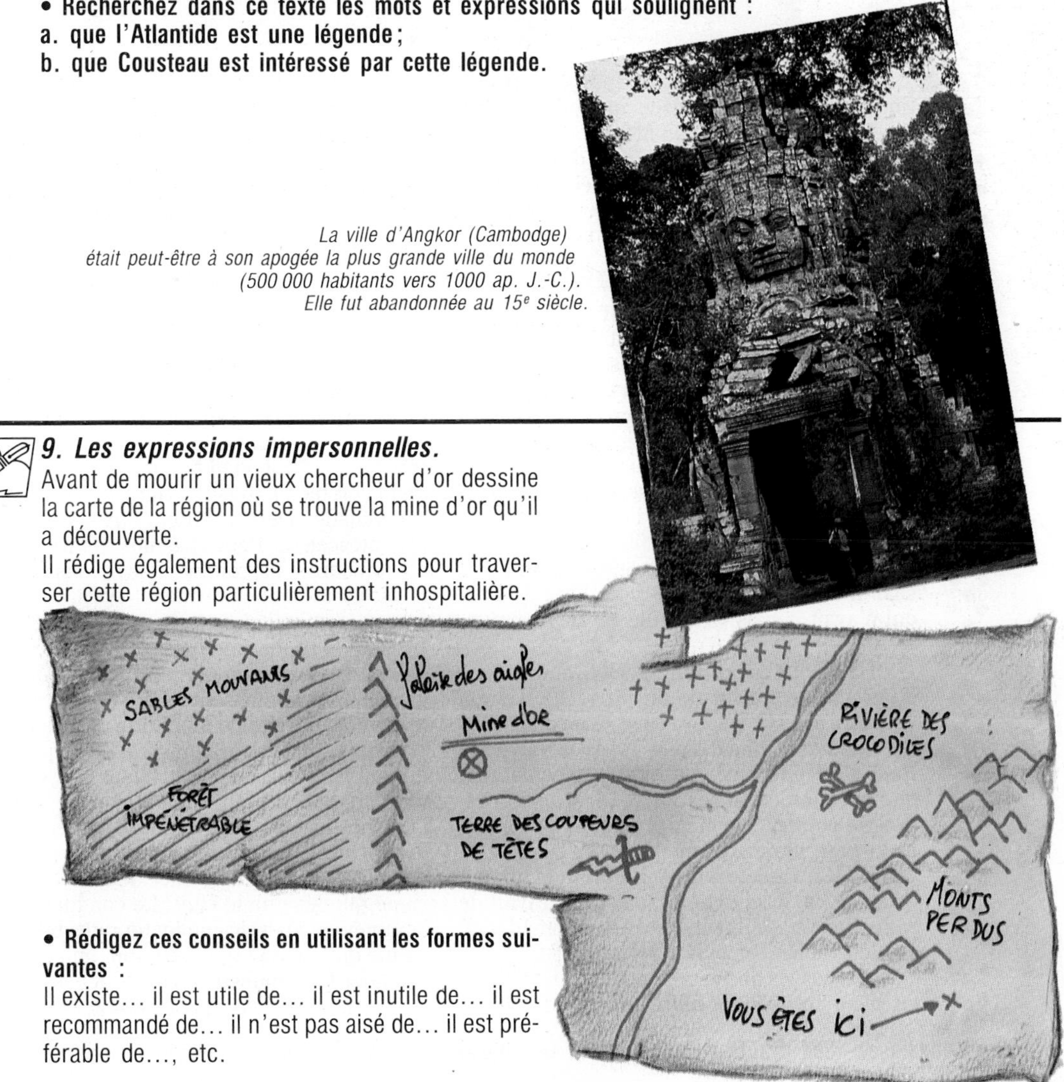

La ville d'Angkor (Cambodge) était peut-être à son apogée la plus grande ville du monde (500 000 habitants vers 1000 ap. J.-C.). Elle fut abandonnée au 15ᵉ siècle.

9. Les expressions impersonnelles.

Avant de mourir un vieux chercheur d'or dessine la carte de la région où se trouve la mine d'or qu'il a découverte.
Il rédige également des instructions pour traverser cette région particulièrement inhospitalière.

• **Rédigez ces conseils en utilisant les formes suivantes :**
Il existe... il est utile de... il est inutile de... il est recommandé de... il n'est pas aisé de... il est préférable de..., etc.

10. Les cultures en voie d'extinction. Lisez ces extraits d'un article de Michel Labro sur les Bororos, peuple nomade du Niger faisant partie des Peuls.

• **Relevez : a.** Les caractéristiques coutumières et culturelles de ce peuple ; **b.** son origine supposée ; **c.** ses perspectives d'avenir.

Avec eux, les Bororos ne transportent pratiquement aucun ustensile moderne, aucun objet manufacturé. Ils n'ont pas de machette, pas de fusil comme les Indiens d'Amazonie. Ils n'ont même pas quelques pièces de cette vaisselle du Nigeria qui inonde aujourd'hui tous les marchés. Mais pour rien au monde ils n'oublieraient l'indispensable petite glace, leurs gros sous brillants, leurs perles clinquantes, l'ocre rouge qui les aidera à souligner l'ovale du visage, le jaune qui fera ressortir l'arête du nez ; le khôl grâce auquel leurs yeux paraîtront plus brillants encore.

Qui pourra rester insensible à cette grâce à la fois virile et, selon nos canons à nous, totalement féminine ?

Lentement, avec une gravité douloureuse, le vieux Peul a raconté une histoire. Autrefois, à l'époque de sa jeunesse, les premiers jeux des enfants étaient de creuser des puits miniatures et de fabriquer des troupeaux avec des petits bâtons fourchus qui figuraient les cornes. Dès 12 ans, ils partaient garder les jeunes bêtes, dans la fournaise, avec la gourde d'eau et la flûte. Eh bien, l'autre jour, lui, il a surpris un de ses petits-fils qui jouait avec une boîte de conserve sur laquelle il avait dessiné des roues. Eh oui ! ce petit bout de Peul qui n'avait jamais vu la ville rêvait aux gros ses « 4 × 4 » qu'il voyait de temps en temps traverser le désert, en se griffant aux acacias et en sautant par-dessus les rocs et les sablières. « Alors, quand vous me demandez si notre façon de vivre pourra se transmettre à nos enfants et à nos petits-enfants, je ne sais pas quoi vous répondre » dit le vieil homme. « Aujourd'hui, on le voit bien à tous ces signes, notre société est malade. Demain ? Peut-être serons-nous convalescents. Peut-être nos petits-enfants comprendront-ils, comme nous l'avons compris, nous, que le bonheur du monde est là, dans cette savane, à marcher avec le troupeau. »

« La vache est comme le poil douloureux d'une narine », affirme un proverbe. Ce qui veut dire en clair que son élevage ne donne pas de repos. Seulement voilà : sans la vache, le Peul n'est plus rien. Ce n'est pas seulement une question de subsistance. C'est une question de culture. De métaphysique. Les Peuls ne fabriquent rien, même pas leurs culottes de cuir ou leurs galettes de mil. Pourquoi ? Parce que tout ça, à leurs yeux, c'est du travail de sédentaire et qu'ils sont, eux, des nomades. Il y a les vaches, et puis c'est tout.

Regardez les anciennes fresques du Tassili, en plein cœur du Sahara, les grands bœufs noirs à longues cornes aiguës, et les hommes-gazelles qui bondissent à côté d'eux : rien ne ressemble davantage aux Bororos. Selon leurs propres traditions orales, c'est de là que viendraient les Peuls : de ces anciens peuples pasteurs du Sahara, qui vivaient dans le désert à l'époque où le désert n'était pas désert. Regardez encore les Peuls marcher devant leurs bêtes, dans la brousse. « Marcher devant », c'est le signe qui désigne le chef. Le conducteur des hommes est aussi le conducteur des bêtes. De même qu'il n'y a qu'un seul mot en peul pour désigner le « troupeau » et la « richesse ».

L'Événement du Jeudi, 4 août 1988.

• **Connaissez-vous d'autres peuples dont la culture est menacée par la civilisation moderne ?**

11. Exercice d'écoute. Un écrivain présente son livre sur les nomades du désert. Relevez les informations caractérisant ce peuple.
territoire – organisation sociale – mode de vie – coutumes – langue – histoire.

À travers la littérature... LA POÉSIE SYMBOLISTE
Deux « chansons » de Maurice Maeterlinck.

I

Les sept filles d'Orlamonde(1),
Quand la fée fut morte,
Les sept filles d'Orlamonde,
Ont cherché les portes.

Ont allumé leurs sept lampes,
Ont ouvert les tours,
Ont ouvert quatre cents salles,
Sans trouver le jour.

Arrivent aux grottes sonores,
Descendent alors;
Et sur une porte close
Trouvent une clef d'or.

Voient l'océan par les fentes,
Ont peur de mourir,
Et frappent à la porte close,
Sans oser l'ouvrir.

II

Elle est venue vers le palais
– Le soleil se levait à peine –
Elle est venue vers le palais,
Les chevaliers se regardaient
Toutes les femmes se taisaient.

Où allez-vous, où allez-vous?
– Prenez garde, on y voit à peine –
Où allez-vous, où allez-vous?
Quelqu'un vous attend-il là-bas?
Mais elle ne répondait pas.

Elle s'arrêta devant la porte
– Le soleil se levait à peine
Elle s'arrêta devant la porte
On entendit marcher la reine
Et son époux l'interrogeait.

Elle descendit vers l'inconnue
– Prenez garde, on y voit à peine –
Elle descendit vers l'inconnue.
L'inconnue embrassa la reine,
Elles ne se dirent pas un mot
Et s'éloignèrent aussitôt.

Son époux pleurait sur le seuil
– Prenez garde, on y voit à peine –
Son époux pleurait sur le seuil
On entendait marcher la reine
On entendait tomber les feuilles.

(1) Nom imaginé par le poète.

Maurice Maeterlinck, *Douze Chansons*, 1896.

- **Résumez en quelques phrases l'histoire racontée dans chacun de ces deux poèmes.**
- **Donnez une interprétation des éléments mystérieux.**

HOMO EUROPEANUS

Bien qu'elle roulât à près de 500 km/h sur la transeuropéenne B 45, Aurélia était détendue. Les calmes paysages de l'Hugolie du Sud défilaient à une vitesse folle, mais le pilotage automatique de sa voiture, géré par l'ordinateur central de l'autoroute, excluait toute éventualité d'accident, fût-il anodin. Aurélia pouvait donc se consacrer entièrement à la préparation de sa conférence. C'était une des meilleures psychopolitologues de Cervantie. A ce titre, elle était en mesure d'apporter une contribution importante au congrès européen qui s'ouvrait le lendemain, 3 juillet 2090, dans un château de Transylvanie et qui était consacré au problème le plus préoccupant que la Communauté ait eu à affronter depuis sa création.

Cela faisait cent ans que les pays d'Europe vivaient dans la plus parfaite harmonie. La libre circulation des biens, des personnes, des capitaux et des animaux était entrée en vigueur au début du siècle. Les différentes nations avaient abandonné leurs ambitions économiques ou territoriales et même, pour que leur passé quelquefois peu glorieux fût oublié à tout jamais, elles avaient décidé de changer de nom. Il n'avait pas été facile de trouver pour chacune une dénomination qui inspirât à tous respect et considération mais finalement tout le monde était tombé d'accord pour des appellations d'origine littéraire. L'Angleterre était alors devenue la Shakespearie, l'Allemagne l'Hégélie, etc.

La fameuse bataille des langues qui avait fait couler tant d'encre à la fin du siècle précédent n'avait pas eu lieu. Un baladeur miniaturisé avait été mis au point. Il effectuait une traduction immédiate dans les quelque 827 langues, dialectes, patois, argots et jargons qui étaient parlés de l'Atlantique à l'Oural.

Aurélia tapota sur un clavier placé à sa gauche. Les dernières nouvelles apparurent sur un écran à cristaux liquides.

Machiavélie : *Un budget spécial vient d'être débloqué pour la reconstruction de la Tour penchée de Pise –* ***Hugolie :*** *le village de Broussac (45 habitants) vient de proclamer son indépendance. Un gouvernement provisoire a été constitué dans lequel la quasi-totalité des habitants a un portefeuille de ministre ou de secrétaire d'État –* ***Platonie :*** *un biologiste vient de donner les caractéristiques physiques et psychologiques de l'homo europeanus de demain, issu du brassage de nos différents peuples...*

Première séance du congrès européen.

Le président : Mesdames et Messieurs, un peu de silence, s'il vous plaît... Le problème dont nous avons à débattre mérite d'être examiné avec le plus grand sérieux. Aussi parlerai-je sans détour... Une grande menace pèse sur nous. Depuis maintenant vingt ans, le rire a disparu de notre civilisation. On a pu croire qu'il s'agissait d'un phénomène passager mais les années succèdent aux années et l'espoir de voir revivre nos plaisanteries et nos jeux de mots diminue. Vous le savez, les caricatures et les articles satiriques ont disparu de notre presse, le 1er avril est devenu un jour comme les autres et le dernier des humoristes qui ont égayé les années 60 vient de mourir dans le plus complet dénuement... Or, comme l'a parfaitement démontré le docteur Aurélia Ribera dans le dossier qui vous a été transmis, le rire est indispensable à la survie de l'humanité. Il nous faut donc réagir. C'est pourquoi nous sommes réunis ici, aujourd'hui... Mesdames et Messieurs, vous avez la parole. Toutes les suggestions seront prises en compte...

Un intervenant : Puis-je dire un mot?

Le président : Je vous en prie, Monsieur. Nous vous écoutons.

L'intervenant : Je m'élève solennellement contre les affirmations sans fondement du docteur Ribera. Son dossier est un tissu de contrevérités.

Aurélia Ribera : Qu'entendez-vous par là? Où voulez-vous en venir?

L'intervenant : A cette évidence : dans le passé, le rire n'était pas cet état d'euphorie qui faisait oublier les tracas quotidiens. Bien au contraire, c'était une atteinte pathologique très grave. Pour s'en convaincre, il suffit d'observer des photos de nos ancêtres hilares. Avez-vous remarqué ces horribles grimaces, ces bouches tordues, ces lèvres mordues, ces corps secoués de convulsions?

Aurélia Ribera : Ce sont des preuves insuffisantes!

L'intervenant : Je vous l'accorde. Mais en tant que linguiste historien, j'ai procédé à une étude attentive et comparative des textes anciens. On y trouve bien d'autres preuves. Savez-vous par exemple que dans les cas les plus bénins, celui qui s'esclaffait risquait un décrochement de la mâchoire? La douleur était telle que les larmes ruisselaient sur son visage! Savez-vous que certains organes pouvaient éclater, notamment la rate, qui se dilatait? Savez-vous enfin que dans les cas les plus graves on pouvait mourir de rire?

GRAMMAIRE ET VOCABULAIRE

■ L'IMPARFAIT ET LE PLUS-QUE-PARFAIT DU SUBJONCTIF

Ces deux temps sont très rarement employés en français moderne. On les trouvera :
• dans les textes antérieurs au 20e siècle;
• aujourd'hui, à la 3e personne du sing. et du plur., dans la langue soutenue (textes littéraires, discours, conférences).

1. L'imparfait du subjonctif
Forme : que je parlasse, que tu parlasses, qu'il parlât, que nous parlassions, que vous parlassiez, qu'ils parlassent.
Emploi : en relation avec un verbe de la proposition principale à l'imparfait, au passé simple ou au conditionnel présent.
Je voulais qu'il partît. En français moderne : je voulais qu'il parte.

2. Plus-que-parfait du subjonctif
Forme : que j'eusse parlé, que tu eusses..., qu'il eût... que nous eussions... que vous eussiez... qu'ils eussent...
que je fusse parti, que tu fusses parti, qu'il fût parti, etc.
Emploi : en relation avec un verbe exprimant l'antériorité.
J'aurais voulu qu'il fût parti – en français moderne : j'aurais voulu qu'il soit parti.

■ LA PLACE DE L'ADJECTIF

L'usage est très complexe.
• **Se placent après le nom**
→ adjectifs de plusieurs syllabes qualifiant un nom d'une syllabe : un thé délicieux;
→ adjectifs exprimant la forme, la couleur, la nationalité :
une pièce carrée – un arbre vert – un enfant espagnol;
→ participes passés, adjectifs verbaux et adjectifs suivis d'un complément :
une maison habitée – un livre passionnant – un exercice facile à faire.
• **Se placent devant le nom**
→ adjectifs d'une syllabe qualifiant un nom de plusieurs syllabes : un bel appartement;
→ adjectifs numéraux : le vingtième siècle.
N.B. : L'adjectif peut changer de sens selon qu'il est placé avant ou après le nom.
un homme grand (de grande taille) – un grand homme (important, célèbre)
un commerçant petit (de petite taille) – un petit commerçant (qui a une petite entreprise)
un livre différent (qui n'est pas pareil) – différents livres (plusieurs livres).

■ C'EST...

1. Tous les éléments de la phrase peuvent être mis en valeur.
Exemple : Anne (1) apporte un cadeau (2) à Hervé (3)
1. C'est Anne qui apporte un cadeau à Hervé
2. C'est un cadeau qu'Anne apporte à Hervé
3. C'est à Hervé qu'Anne apporte un cadeau.

2. C'est.../Il (elle) est...
a. devant un adjectif
• **qualifiant une personne : il(elle) est** – il est intéressant
• **qualifiant une chose :**
→ référence précise : **il est** – J'ai lu ce livre. Il est intéressant (à lire)
→ référence imprécise : **c'est** – Je suis allé visiter une usine. C'était intéressant.
b. devant un nom (éventuellement précédé ou suivi d'un adjectif)
• **noms de chose : c'est** – c'est un bon livre • **noms de personne (plusieurs constructions possibles)**
c'est un héros – c'est le héros de l'histoire – il est le héros de l'histoire.
Cas des noms de profession et de nationalité (ces mots peuvent fonctionner comme des adjectifs) :
c'est un bon ouvrier – il est ouvrier – il est excellent ouvrier – c'est un ouvrier excellent.

■ L'HONNEUR

• **L'honneur** – le respect – la dignité/le déshonneur – l'irrespect – l'indignité – la honte
→ donner sa parole – tenir parole – manquer à sa parole
un engagement (s'engager) – une promesse (promettre) – un serment (jurer)
→ être déshonoré – déconsidéré – discrédité
c'est déshonorant – humiliant – dégradant
• **La réputation** – l'estime – la considération
Elle a une excellente réputation.
Elle a beaucoup de mérite.
• **La responsabilité**
être responsable (de...) – être l'auteur de...
– être impliqué dans...
il est responsable/il n'est pas responsable
– il n'y est pour rien.
• **L'amour-propre** – la fierté.

■ LA PAROLE

Je voudrais dire quelque chose.
Un mot seulement.
J'ai quelque chose à vous dire.
Je peux vous déranger un instant?

Demander la parole

Je vous en prie.
À vous! Dites!
Je vous écoute.
Vous avez la parole.

Donner la parole

Taisez-vous! Chut! Silence!
Vous n'avez pas la parole.
Je ne vous ai rien demandé.
Occupez-vous de ce qui vous regarde.
Ça suffit! Assez!

Faire taire

Pardon? Vous avez dit?
Qu'est-ce que j'ai entendu?
J'ai mal entendu. Pouvez-vous répéter?
Vous oseriez redire ça?
Où voulez-vous en venir?
Qu'est-ce que vous avez derrière la tête?

Réagir aux paroles de quelqu'un

• **Mentir**
broder – enjoliver – fabuler
blaguer
le baratin (fam.) – le bluff (fam.)
une blague – un bobard (fam.) – une mystification
le bourrage de crâne.
• **Le sens**
propre/figuré – ambigu – équivoque
un sous-entendu – une insinuation (insinuer)
un cliché – un lieu commun – des idées rebattues.
• **Bavarder** – le bavardage – le verbiage
des paroles futiles – des balivernes
un moulin à paroles – parler pour ne rien dire
la langue de bois.
• **Médire** (la médisance)
jaser – cancaner (les cancans)
un racontar – un commérage
une calomnie – une attaque – la diffamation.
• **Élever/baisser la voix**
crier – hurler – gueuler (fam.)/murmurer
chuchoter – parler à voix basse – glisser quelque chose à l'oreille de quelqu'un.
• **La langue**
une langue – un dialecte – un patois
un argot – un jargon – c'est du charabia!
un ton oratoire – solennel – emphatique
doctoral – sentencieux – pédant – prétentieux
autoritaire – arrogant – péremptoire
hausser le ton
Je vais lui rabattre son caquet.

■ LE RIRE

• **Rire** – plaisanter – rigoler (fam.) – se marrer (fam.)
faire un gag – une blague – des pitreries (faire le pitre)
une farce – un canular – une boutade – un bon mot
être spirituel – plein d'esprit – comique.
• **L'ironie** (faire de l'ironie) – la moquerie (se moquer de...)
tourner en dérision, en ridicule – ricaner – rire au nez de quelqu'un
une satire – une caricature.
• **Un comique** – un rigolo (fam.) – un humoriste – un amuseur – un farceur – un boute-en-train – un pince-sans-rire.

ACTIVITÉS

Découverte de la première partie de l'histoire

• Relevez les termes qui montrent qu'il s'agit d'un récit de science-fiction.
• Que s'est-il passé entre la fin du 20e siècle et l'an 2090 ? Auriez-vous choisi un autre scénario ?
• Imaginez :
a. un nom pour les autres pays d'Europe, et justifiez-le.
b. une information originale pour chacun des pays auxquels vous aurez donné un nom.
• Relevez les verbes à l'imparfait ou au plus-que-parfait du subjonctif.

Mécanismes

• Rémi a apporté ce cadeau pour les enfants ?
– Oui, c'est pour les enfants que Rémi a apporté ce cadeau.
• Paul montera dans la voiture de Marie ?
– Oui, c'est dans la voiture de Marie que Paul montera.
• Qui prépare le dîner ? C'est vous ?
– Oui, c'est moi qui prépare le dîner.
• Vous faites quoi comme sport ? Du tennis ?
– Oui, c'est du tennis que je fais.

1. Relevez les verbes à l'imparfait ou au plus-que-parfait du subjonctif et donnez leur sens.

• « Comme elle croyait qu'il devait être flatté par nos invitations, elle trouvait tout naturel qu'il ne vînt pas nous voir l'été sans avoir à la main un panier de pêches... et que de chacun de ses voyages d'Italie, il m'eût rapporté des photographies de chefs-d'œuvre. » (Proust)
• « Quoique la campagne fût chaude encore de tout le soleil de l'après-midi, Albert s'engagea sur la longue route qui conduisait à Argol. » (J. Gracq).
• « Nous voulons d'autres miracles, fussent-ils moins beaux que celui-là, continssent-ils moins d'enseignements. » (Colette)
• « Sous Napoléon, j'eusse été sergent ; parmi ces futurs curés, je serai grand vicaire. » (Stendhal)

2. Complétez avec c'est *ou* il est.

« Je vous présente Bernard Lapierre. ... un de mes meilleurs amis. ... professeur à l'université. ... lui qui m'a donné le goût de l'histoire. Vous savez, ... un excellent pédagogue et ... un spécialiste du Moyen Âge.
– Ah le Moyen Âge ! ça, ... intéressant ! Je viens d'acheter le dernier livre de Georges Duby. ... très bien écrit et ... un ouvrage passionnant. »

3. La place de l'adjectif. Donnez le sens des adjectifs soulignés.

• Il vit dans une maison <u>ancienne</u>.
Hier il a revu un <u>ancien</u> collègue de bureau.
• Les livres d'art sont des livres <u>chers</u>.
Il passe ses journées au milieu de ses <u>chers</u> livres.
• Luc est un enfant intelligent et <u>curieux</u> de tout.
Didier est un <u>curieux</u> personnage.
• Je ne mange que dans des assiettes <u>propres</u> !
Quand il était invité, Louis XIV mangeait dans ses <u>propres</u> assiettes.
• J'ai écouté une conférence très <u>drôle</u>.
Le conférencier avait un <u>drôle</u> d'accent.
• Ce vieil immeuble est habité par des artistes <u>pauvres</u>.
<u>Pauvre</u> Patrick ! Il a encore eu une contravention.

4. *Les Français vus par les journaux étrangers. Lisez ces traductions d'articles parus dans des journaux étrangers.*
De quels aspects du comportement des Français se moquent-ils ?

DER SPIEGEL

« La "Grande Nation" est à nouveau numéro un mondial... parmi les fabricants de pantoufles. Pour assurer le sentiment de sa propre valeur, la Grande Nation s'en remet habituellement à ses philosophes, ses littéraires, sa cave et sa cuisine ou à ses performances scientifiques de pointe telles que la découverte du radium ou l'isolation du virus du sida. Quelques petits morceaux de bravoure de la technique ont été aussi jusqu'à présent le symbole de l'ingéniosité gauloise – voir la tour Eiffel ou le TGV. Le dernier record en date semble être en revanche singulièrement sage : la France, ainsi que les statisticiens l'ont découvert au tournant des années 90, est numéro un mondial dans la production de pantoufles. Les 25 millions de paires produites l'an passé sont joyeusement fêtées par les médias français. Il ne s'agit pas de simples savates ou de pantoufles de feutre ordinaires : ces chaussants finis et bien français, fermés sur le pied, sont de luxueuses chaussures d'intérieur, riches d'une tradition historique. Comme un grand vin rouge, elles portent le nom de leur région de fabrication : la charentaise. »

Le Point, n° 906.

THE KEY (1)

« À Paris, l'engueulade est un rite extrêmement stylisé obéissant à ce qu'on pourrait appeler le Code incivil : plus vous êtes grossier avec les gens et plus vous valorisez leur existence... La dispute est au Parisien d'aujourd'hui ce que la pensée était pour Descartes : *Vitupero, ergo sum!* Et surtout dans les magasins. Ne comptez pas sur le principe sacro-saint partout ailleurs du service au client. Pour les Parisiens condamnés à travailler avec le public, ce principe est moins bien compris que les chants populaires swahilis... Ce n'est donc que lorsque vous aurez appris à survivre aux déluges d'invectives et à y répondre que vous pourrez vous considérer comme un vrai Parisien. Et n'oubliez pas, quand vous mettez fin à une engueulade, la formule choc : "Allez vous faire soigner!" En laissant à votre adversaire l'impression qu'il a besoin d'un "psy", vous lui faites le compliment ultime. Car, pour les initiés, cela veut dire, en fait : "Nous sommes à Paris, et il est évident que vous faites partie de la tribu!" »

Le Point, n° 856.

(1) Bimensuel bilingue publié à Paris.

Panorama

Selon l'hebdomadaire italien, aujourd'hui comme aux 17e et 18e siècles, l'architecture est « la peau de la nation », et Paris, sa capitale. Toujours selon *Panorama,* François Mitterrand est le président qui a la plus grande frénésie d'édifier. Charles de Gaulle se contenta, lui, après la guerre, de reconstruire. Georges Pompidou, atteint de « folie urbaine », fit détruire les Halles et bâtir son Centre (devenu depuis un « assemblage rouillé »). Valéry Giscard d'Estaing choisit, avant son départ, une gare : celle d'Orsay, transformée en musée. Mitterrand bat tous les records : pyramide du Louvre et Opéra-Bastille, Institut du monde arabe et parc de La Villette, puis arche de la Défense. Paris est devenu « Mitterrand City ».

Le Point, n° 894.

The Washington Post

Ils fument des cigarettes malodorantes et sans filtre. Ils se gavent de crème, de beurre, de fromage. Ils boivent du vin à pratiquement tous les repas. Alors, est-ce l'hérédité? Le champagne? La chance? Les Français ont en tout cas un des taux de mortalité par maladies cardio-vasculaires les plus bas du monde industrialisé : 345 morts pour 100 000 mâles. Seul le Japon fait mieux : 310, alors que les États-Unis atteignent 507 morts, les Polonais 774, et les Hongrois, champions du monde développé, 820. Pour les spécialistes, le mystère reste entier.

Le Point, n° 854.

• D'après vos expériences (voyage en France, connaissance de films français, rencontre avec des Français vivant dans votre pays, rédigez un article présentant avec humour ce qui vous a frappé dans le comportement des Français.

5. *Exercice d'écoute. Les étrangers vus par les Français. Quatre Français parlent de leurs rencontres avec des étrangers.*

Pour chaque nationalité, relevez les impressions positives et les impressions négatives.

6. *L'Europe culturelle : perspective sérieuse ou illusion?*

En 1990, la construction d'une Europe unie suscite beaucoup d'interrogations. Certains sont enthousiastes, d'autres plutôt sceptiques.

Et si Jean Monnet(1) avait en 1950 mis en route ce qu'il a regretté plus tard de ne pas avoir fait? S'il avait commencé par la culture? Si à la place de la CECA, Communauté européenne charbon-acier, et de la CEE, Communauté économique européenne, il avait créé une CCE, Communauté culturelle européenne? Si l'enseignement croisé des langues s'était généralisé entre les pays membres? Si les programmes scolaires avaient partout comporté des matières européennes : histoire, géographie, institutions? Si des investissements culturels communautaires s'étaient développés? Si les premières télévisions étaient nées multinationales et non étroitement nationales? Si les universités s'étaient regroupées en réseaux européens? Si une scolarité accomplie en un pays valait depuis vingt ans pour tous les autres? (...). Si l'Europe s'était forgé une identité culturelle, comme le souhaitait Monnet au soir de sa vie, le reste aurait peut-être suivi, l'économie au premier chef. L'inverse n'est en revanche pas vrai : la CEE n'a jamais provoqué de mouvement culturel et 1992 n'a pas de ce point de vue la moindre signification pour la culture.

(1) Jean Monnet (1888-1979). Économiste et homme politique français. L'un des initiateurs de l'idée d'Europe unie.

Alain Minc, *La Grande Illusion*, © Éd. Grasset, 1989.

- **Quels sont les regrets d'Alain Minc?**
- **Les suggestions qu'il fait vous paraissent-elles réalistes ou utopiques?**

Découverte de la deuxième partie de l'histoire

- **Analysez le discours du Président. Relevez les étapes de son argumentation et les mots qui servent à l'enchaînement de ces étapes.**
- **L'argumentation de l'intervenant. Montrez que chacun de ses arguments est fondé sur l'interprétation erronée d'une observation (photo ou fait linguistique).**

Retrouvez les expressions de la langue française qu'il a mal interprétées.

7. *Que signifient les phrases suivantes quand elles s'appliquent au déroulement de la conversation? Imaginez des situations où elles peuvent être prononcées.*

Ne me coupez pas!

Je peux placer un mot?

Occupez-vous de vos affaires!

Je crois que j'ai mal entendu.

Qu'est-ce que vous avez derrière la tête?

À vous!

8. *Les synonymes de* dire *et de* parler. Remplacez les groupes de mots soulignés par un verbe unique (chuchoter, hurler, etc.).

- Elle adore <u>dire du mal</u> de ses voisins.
- Il lui <u>dit</u> « je t'aime » <u>dans le creux de l'oreille</u>.
- L'institutrice a puni Xavier et Florent. Ils <u>n'arrêtaient pas de parler</u> pendant le cours de mathématiques.
- Toute la soirée, il a <u>parlé de</u> ses souvenirs d'enfance.
- <u>A voix basse</u>, elle <u>faisait</u> des reproches <u>qu'on entendait à peine.</u>
- Le chauffard qui a failli le renverser ne s'est pas arrêté. <u>De toutes ses forces</u>, il lui a <u>lancé</u> des insultes.

9. *Jouez le conseiller en communication. Comment doivent-ils s'y prendre? Quels conseils leur donneriez-vous?*

– **Marie-Hélène (à son amie Chantal)** : « Il faut que je dise à Marc que je ne veux plus sortir avec lui. Je ne sais pas comment m'y prendre. »

– **Le mari (à sa femme)** : « Il faut que j'aille dire au voisin que nous en avons assez de l'entendre tous les soirs jouer du violon. »

– **Le nouvel employé du service commercial (à un collègue plus expérimenté)** : « Je dois présenter notre nouvelle gamme de produits au salon de Dijon. On attend près de 200 personnes. C'est la première fois que je fais ça... »

10. Le tour du monde du rire. Pour chaque pays, présentez les caractéristiques et les fonctions du rire.

• Pouvez-vous compléter l'analyse en parlant d'autres pays?

Boudha du bonheur.

UN DRÔLE DE TOUR DU MONDE

Dans la légende du Graal, la fille du roi est belle comme une princesse, mais elle ne rit jamais. Son père donnera sa main à l'heureux homme qui saura la dérider. Jacqueline Kelen, productice à la radio, aime bien cette anecdote. Selon elle, « le rire fait tomber les masques, il appartient à la générosité de l'être ». Dans « La matinée des autres » (programmée le matin sur France Culture), elle avait consacré, il y a quelques années, toute une émission au rire à travers les cultures avec, au générique, des ethnologues et des sociologues. Son bilan : « Je n'ai pas entendu parler d'un pays où l'on ne rit pas. Mais le rire a des sens différents selon les cultures. »

Adopté du pôle Nord à la Chine

Prenez les Esquimaux. Contre vents et tourmentes, ils rient. Pour oublier la peur, le froid et la grande solitude de la nuit polaire, ils se réunissent, le printemps venu, et se racontent des histoires. Avant et après chaque récit, le rite veut qu'ils éclatent de rire. Pour régler les conflits aussi, car la vie communautaire a parfois ses violences, ils organisent des jeux oratoires qui tournent, c'est la règle, à des véritables joutes comiques. Ils rient aussi pour s'inciter à l'amour. Faire l'amour se dit chez eux « rire ensemble »... Contre toute attente et toutes les idées reçues, les Chinois rient beaucoup. Là-bas, pas question d'aller dîner chez les copains sans sa provision de chansons gaillardes et d'histoires drôles. Et il est, paraît-il, de bon ton de s'esclaffer douze fois par jour pour atteindre la sagesse. Confucius, lui-même, le conseille.

En Inde, l'ambiance est aussi chaude, Bouddha donne l'exemple, « plié de rire » en haut de son trône face au spectacle des hommes. Et les huit Immortels de la tradition taoïste, qui ornent les fresques des temples ou décorent les éventails et les services à thé sont de bons ripailleurs rougeauds qui passent le plus clair de leur temps ivres, à se taper sur ventre dans la solitude des montagnes.

De l'Inde à l'Afrique

Cette hilarité est le signe de leur libération et de leur sagesse. Ils racontent des farces à qui veut les entendre et sélectionnent, à leurs réactions, les disciples qui méritent leur enseignement...

Mais les premiers de la liste, ceux qui rient le plus souvent et le plus fort, ce sont sans doute les Bambaras d'Afrique. L'un d'entre eux raconte que dans leur langue, le même mot (yélé) signifie à la foi rire et ouvrir. D'où son importance dans les relations sociales bambaras. Pour communiquer, ces Africains distinguent d'ailleurs dix-sept états d'hilarité. Par exemple : « le rire avec le vent », celui des enfants qui traduit un état de béatitude; le « rire sous les yeux », rire intérieur, celui des purs; le « rire sous le nez », moqueur et souvent agressif. Quoi qu'il arrive, nous devons rire sans cesse, disent les Bambaras, car c'est la seule chose, après la pensée et la parole, qui distingue l'homme de l'animal.

Et en Occident?

Finalement, il n'y a guère que chez nous, en Occident, que l'on rit si peu. Est-ce parce que notre culture a toujours privilégié l'hémisphère gauche de notre cerveau, siège de la logique et de la raison? Quoi qu'il en soit, nous sommes sans aucun doute les moins guillerets de la planète. Alors, un bon conseil : faites un petit tour au Pakistan. On raconte là-bas qu'il existe un poison très rare et redoutable. Ceux qui l'avalent ont toutes les chances de mourir de rire. Peut-être qu'à dose très modérée...

Femme actuelle, n° 275, 1er janvier 1990.

TROIS AUTEURS DE BANDES DESSINÉES

Greg, *Achille Talon et l'Âge ingrat* © Éd. Dargaud.

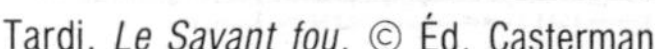
Tardi, *Le Savant fou,* © Éd. Casterman.

Claire Brétécher, *Les Frustrés*, © Éd. C. Brétécher.

LA TÉLÉ

GREG, auteur de la célèbre série *Achille Talon* (une trentaine de titres). Achille Talon accompagné de son père se rend au bureau des petites annonces du journal « Le Clairon vespéral ». Il souhaite connaître le nom et l'adresse d'un annonceur anonyme.

- **Analysez le langage des personnages. Réécrivez le dialogue dans une langue plus naturelle.**

TARDI, auteur de la série *Les Aventures extraordinaires d'Adèle Blanc-Sec.*

CLAIRE BRETECHER a réalisé *Les Frustrés, Les Gnangnans, Cellulite, Le Docteur Ventouse,* etc.

- **Relevez les contradictions entre les propos et l'attitude des personnages.**
- **À quel groupe social appartiennent ces personnes.**
- **Réalisez un projet de BD dans le style Brétécher où vous ferez la satire de certains comportements sociaux sur : la mode vestimentaire, l'éducation des enfants, la télé, etc.**
- **Comparez le style des images dans les trois BD.**

11. *Exercice d'écoute. Le docteur Aurélia Ribera présente les grandes lignes de son rapport : « Le rire et la santé ».*

- **Faites la liste des influences du rire sur le moral et sur le physique.**

12. *Le sentiment de l'honneur.*

Dans *Le Cid* (pièce de Corneille, voir *Le Nouveau Sans Frontières 2*, p. 76), le jeune Rodrigue doit venger son père qui a été giflé par son futur beau-père, le comte Don Gormas. Don Gormas meurt dans le duel mais Chimène, fille du comte, continuera d'aimer l'assassin de son père. Rodrigue n'a fait qu'observer le code de l'honneur.
Cyrano de Bergerac (pièce d'Edmond Rostand écrite en 1897) met en scène un militaire poète affecté d'un nez disproportionné et disgracieux. Tous ceux qui se moquent de lui sont immédiatement provoqués en duel.

Cyrano de Bergerac.

Le sentiment de l'honneur existe-t-il encore aujourd'hui ? Trouvez des situations qui provoquent chez vous :

→ un sentiment de honte
→ une blessure d'amour-propre
→ le sentiment de perte de votre dignité

échec personnel – calomnies – médisances – insultes verbales – traîtrises – trahisons – manquement à la parole donnée – injustice – humiliations verbales.

13. *Lisez cet extrait d'un conte de politique-fiction de Pierre Boulle.*

Le monde était enfin gouverné par la sagesse. Après des siècles d'errements, la raison et la science avaient triomphé des antiques chimères. Les hommes avaient cessé de s'entre-déchirer. La religion et la politique ne passionnaient plus personne. Les frontières géographiques avaient été abolies. Les tribus, les nations, les sectes, les églises avaient peu à peu disparu et s'étaient fondues en organismes de plus en plus vastes, jusqu'à ce qu'il ne restât plus en cette année 2... que deux groupements humains, deux partis, deux écoles qui se partageaient la totalité des terriens.

La première école, baptisée « corpusculaire », ou encore « électroniste », enseignait que toute chose dans l'univers est composée de petits éléments appelés « électrons » ; « toute chose », c'est-à-dire non seulement la matière, mais le rayonnement, l'espace même et enfin, comme l'avait brillamment démontré le savant Particule – gloire et chef incontesté de ce parti –, la pensée.

La deuxième école, dite « onduliste », soutenait au contraire que l'« onde » est l'essence du monde, et dénonçait l'électron comme une illusion créée par l'imperfection de nos sens et de nos appareils de mesure. « La nature n'est que vibrations », affirmaient les ondulistes.

Chacun de ces groupes avait ses partisans acharnés. On était « granulaire » (appellation familière des électronistes) ou « vibratoire » (surnom populaire des ondulistes), comme on avait été autrefois catholique, socialiste ou américain. Les discussions scientifiques avaient remplacé les antiques querelles. Elles roulaient sur des questions de physique théorique, sur la structure interne du méson ou du photon. Il s'y manifestait autant d'ardeur et de compétence que dans les anciens débats politiques ou religieux.

→

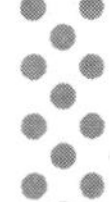

Le titre « scientiste » avait depuis longtemps remplacé celui de « sujet », de « citoyen » et de « camarade ». Sa signification était à peu près la même. Il désignait un individu quelconque, perdu dans la masse.

Pierre Boulle, *Contes de l'absurde,* Éd. Julliard, 1953.

• Quelle vision du monde futur propose P. Boulle?
• Imaginez un monde futur partagé en deux écoles de pensée d'un autre type (les partisans de la nourriture cuite et ceux de la nourriture crue).

À travers l'humour et la littérature

Mesdames et messieurs..., je vous signale tout de suite que je vais parler pour ne rien dire.

Oh! je sais!

Vous pensez :

« S'il n'a rien à dire... il ferait mieux de se taire! »

Évidemment! Mais c'est trop facile!... C'est trop facile!

Vous voudriez que je fasse comme tous ceux qui n'ont rien à dire et qui le gardent pour eux?

Eh bien, non! Mesdames et messieurs, moi, lorsque je n'ai rien à dire, je veux qu'on le sache! Je veux en faire profiter les autres!

Et si, vous-mêmes, mesdames et messieurs, vous n'avez rien à dire, eh bien, on en parle, on en discute!

Je ne suis pas ennemi du colloque.

Mais, me direz-vous, si on parle pour ne rien dire, de quoi allons-nous parler?

Eh bien, de rien! De rien!

Car rien... ce n'est pas rien!

La preuve, c'est que l'on peut le soustraire.

Exemple :

Rien moins rien = moins que rien!

Si l'on peut trouver moins que rien, c'est que rien vaut déjà quelque chose!

On peut acheter quelque chose avec rien!

En le multipliant!

Une fois rien... c'est rien!

Deux fois rien... ce n'est pas beaucoup!

Mais trois fois rien!... Pour trois fois rien, on peut déjà acheter quelque chose... et pour pas cher!

Maintenant, si vous multipliez trois fois rien par trois fois rien :

Rien multiplié par rien = rien.

Trois multiplié par trois = neuf.

Cela fait : rien de neuf!

Oui... Ce n'est pas la peine d'en parler!

Bon! Parlons d'autre chose! Parlons de la situation, tenez!

Sans préciser laquelle!

Si vous le permettez, je vais faire brièvement l'historique de la situation , quelle qu'elle soit!

Il y a quelques mois, souvenez-vous, la situation pour n'être pas pire que celle d'aujourd'hui n'en était pas meilleure non plus!

Déjà, nous allions vers la catastrophe et nous le savions... Nous en étions conscients!

Car il ne faudrait pas croire que les responsables d'hier étaient plus ignorants de la situation que ne le sont ceux d'aujourd'hui!

Oui! La catastrophe, nous le pensions, était pour demain!

C'est-à-dire qu'en fait elle devait être pour aujourd'hui! Si mes calculs sont justes!

Or, que voyons-nous aujourd'hui?

Qu'elle est toujours pour demain!

Alors, je vous pose la question, mesdames et messieurs :

Est-ce en remettant toujours au lendemain la catastrophe que nous pourrions faire le jour même que nous l'éviterons? D'ailleurs, je vous signale entre parenthèses que si le gouvernement actuel n'est pas capable d'assurer la catastrophe, il est possible que l'opposition s'en empare!

Raymond Devos, *Sans dessus dessous,* © Éd. Stock, 1976.

• **Relevez les expressions construites avec les verbes « parler » et « dire ».**
• **Analysez l'humour de R. Devos : a.** les oppositions inattendues; **b.** les jeux sur les mots.
• **Analysez le discours sur la situation** (fin du texte, à partir de : « Parlons de la situation. ») et montrez que ce discours est une illustration de « parler pour ne rien dire ».

BILAN

■ 1. *Gérondif et participe présent. Reliez les deux phrases en mettant l'un des verbes au participe présent ou au gérondif.*

- Vous réussirez à obtenir ce poste. Pour cela, vous devez préparer un dossier complet.
- Le comptable se faisait passer pour un employé modèle. Il est parvenu à détourner un million de francs.
- Les maçons effectuaient des travaux de réfection. Ils ont découvert des pièces d'or cachées dans le mur.
- Ma voiture est en panne. Je ne peux pas vous reconduire chez vous.
- Le ciel s'était dégagé. Nous avons décidé de sortir.

■ 2. *Expression de la probabilité et de la possibilité. Imaginez ce qu'ils disent.*

a. L'attente du prix Goncourt.
Le jury a décidé d'attribuer le prix Goncourt à Jean-François Olivier pour son roman *Les Yeux noirs*. C'est l'heure de la cérémonie d'attribution du prix. Les membres du jury, la presse et la télévision attendent J.-F. Olivier qui tarde à arriver.
Un journaliste de la télévision qui doit commenter en direct l'événement fait des suppositions pour expliquer ce retard.
b. L'origine du tableau sans signature.
Un expert fait diverses hypothèses sur l'origine d'un tableau sans signature.

exprimer
la probabilité
l'improbabilité
la possibilité
l'impossibilité

■ 3. *Adjectifs et pronoms indéfinis. Complétez avec l'une des expressions de la liste.*

- Christine n'est jamais d'accord avec moi ...... je fasse, ... je dise, elle s'y oppose.
- Quelqu'un a pris un dictionnaire sur cette étagère.
– Ce n'est pas moi.
– ....., il doit me le rapporter immédiatement. Je vous ai dit de ne jamais prendre un de ces livres, ...
- ...... passe par cette porte est immédiatement repéré par les caméras de télévision.
- Pour expliquer votre retard, donnez une raison ...... mais surtout excusez-vous !

qui que / quoi que } ce soit
quel qu'il soit
quelconque
quiconque

■ 4. *Adjectifs et pronoms indéfinis.*

Un car de touristes tombe en panne en pleine nature.
- **Imaginez ce que feront les touristes en attendant que le car soit réparé.**
- **Imaginez le commentaire d'un sondage sur : « L'argent fait-il le bonheur ? »**

Utilisez au moins une fois :
quelques – quelques-uns – certains
plusieurs – la plupart – tous (toutes)
chacun
pas un – nul – aucun

■ 5. *Le discours rapporté. Rapportez les paroles suivantes en utilisant pour chaque phrase un verbe introducteur différent.*

Eh ! Vous ! N'allez pas plus loin ! C'est interdit.

Tu veux manger quelque chose ?

Non, merci. Je n'ai pas faim.

Je vous dis oui. Vous pouvez être sûr que je signerai votre contrat demain.

Chut ! Arrêtez de bavarder !

Figurez-vous que ce soir-là, j'étais chez les Lacroix quand tout à coup...

■ 6. *Les formes impersonnelles. Employez des formes impersonnelles pour :*

a. rédiger cinq titres de presse ;
b. donner des conseils à un voyageur qui va faire la traversée du Sahara.

■ 7. *L'exotisme. Décrivez : les lieux où ils vivent, leurs vêtements, leurs modes de vie.*

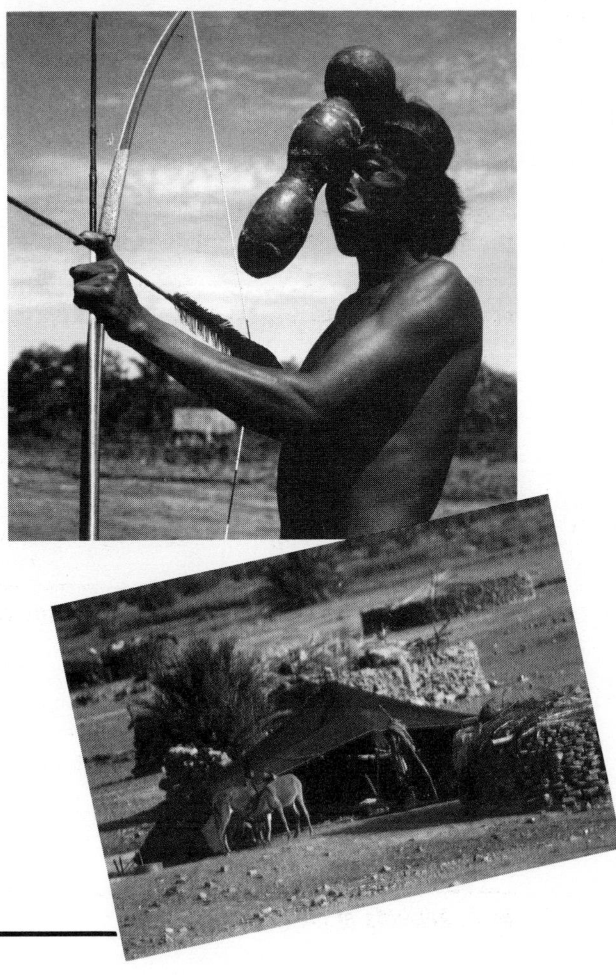

■ 8. *Vocabulaire. Continuez les listes.*

a. Six délits : un homicide volontaire, ...
b. Six types de jeux : le jeux d'échecs, ...
c. Six sortes d'opérations bancaires : ouvrir un compte en banque, ...
d. Six sortes de handicaps physiques : être paralysé, ...
e. Six types de dégradations : casser, ...

■ 9. *Test culturel.*

1. Citez trois quotidiens français ayant des tendances politiques différentes.
2. Quel est le quotidien français le plus vendu ?
3. À quoi sert la Sécurité sociale ?
4. Citez trois monuments situés en France datant de l'Antiquité.
5. Citez trois monuments situés en France datant du Moyen Âge.
6. Pourquoi la vallée de la Loire est-elle particulièrement riche en châteaux ?
7. Quelles sont les caractéristiques du courant littéraire appelé « nouveau roman » ?
8. À quelle époque et dans quelles circonstances la tour Eiffel a-t-elle été construite ?
9. Qu'est-ce que « le troisième âge » ?
10. Y a-t-il des différences entre la police et la gendarmerie ?

BILAN GRAMMATICAL

On trouvera ci-dessous :
• *Certains éléments importants de grammaire traités dans les niveaux I et II du* Nouveau Sans Frontières *et qui ne sont pas repris dans le présent ouvrage.*
• *Un répertoire des faits grammaticaux traités dans* Le Nouveau Sans Frontières III.
I, II, III, IV renvoient à l'unité – 1, 2, 3, 4 renvoient à la leçon.

1. LES ARTICLES

• **Articles définis**
le – la – l' – les
à + article défini → **au – à la – à l' – aux**
de + article défini → **du – de la – de l' – des**

Ils précèdent
→ un objet déterminé.
Donne-moi le livre qui est sur la table.
→ un objet unique : *la France, le soleil*
→ une chose considérée comme un type :
Les hommes sont mortels.

• **Articles indéfinis**
un – une – des

Ils précèdent
→ un objet non connu ou quelconque :
Il y a un homme qui veut vous voir.
→ le cas particulier d'une vérité générale :
Un enfant a toujours beaucoup d'imagination.

• **Articles partitifs**
du – de la – de l'

Ils précèdent les noms de la catégorie non comptable :
Je vais faire du café.
Il fait du tennis.

2. *LES INDÉFINIS* (IV 2)

SENS	ADJECTIFS	PRONOMS
Idée de nature ou de qualité indéfinie	n'importe quel (quelle, ...) + nom	n'importe lequel (laquelle, ...)
		quiconque
	tout + nom	
	aucun (aucune) + nom	aucun (aucune)
	certain(e)(s) + nom	certain(e)(s)
		autrui
		quelque chose – (ne)... rien quelqu'un – (ne)... personne
Idée de quantité indéfinie	quelque(s)	quelques-uns(unes)
	chaque	chacun – chacune
	tout le... toute la... tous les... toutes les... + nom	tout – tous – toute – toutes
	plusieurs + nom	plusieurs
	la plupart de (+ nom)	la plupart
	maint(e)(s) + nom	maint(e)(s)
	aucun(e)(s)	aucun(e)
	nul – nuls – nulle – nulles	

3. LES PRONOMS PERSONNELS

A. pronoms sujets définis
je – **nous** – **on** → personne qui parle
tu – **vous** (singulier) – **vous** (pluriel) → personne à qui l'on parle
il/elle – **ils/elles** → personnes et objets définis

B. pronoms compléments définis
le choix du pronom dépend : – du nom (ou pronom) remplacé
– de la préposition qui est devant ce nom.

		je	tu	il/elle	nous	vous	ils/elles
1 après toutes les prépositions	personnes	**moi**	**toi**	**lui** **elle**	**nous**	**vous**	**eux** **elles**
2 nom introduit sans préposition	personnes et choses	**me**	**te**	**le/la/l'**	**nous**	**vous**	**les**
3 nom introduit par **à**	personnes	**me**	**te**	**lui**	**nous**	**vous**	**leur**
	choses et lieux			**y**			**y**
4 nom introduit par **de** ou précédé d'un **indéfini** ou d'un **partitif**	choses et lieux			**en**			**en**

Constructions
1. Elle vient avec moi. Parle-moi!
2. Elle me regarde.
3. Elle lui parle. Elle y pense.
4. Elle en prend – Elle en vient.
2. + 3. Elle me le donne. – Elle le lui donne.
3. + 4. Elle m'en donne. – Elle lui en donne.

4. LES POSSESSIFS

Forme « être à »	**adjectifs possessifs**	**pronoms possessifs**
à moi	**mon** livre – **ma** photo **mes** livres – **mes** photos	le **mien** – la **mienne** **les miens** – les **miennes**
à toi	**ton** livre – **ta** photo **tes** livres – **tes** photos	le **tien** – la **tienne** les **tiens** – les **tiennes**
à lui à elle	**son** livre – **sa** photo **ses** livres – **ses** photos	le **sien** – la **sienne** les **siens** – les **siennes**
à nous	**notre** livre – **notre** photo **nos** livres – **nos** photos	le **nôtre** – la **nôtre** les **nôtres** – les **nôtres**
à vous	**votre** livre – **votre** photo **vos** livres – **vos** photos	le **vôtre** – la **vôtre** les **vôtres** – les **vôtres**
à eux à elles	**leur** livre – **leur** photo **leurs** livres – **leurs** photos	le **leur** – la **leur** les **leurs** – les **leurs**

Ce livre est **à vous?** C'est **votre** livre? Non, ce n'est pas **le mien**, c'est **le sien.**

■ 5. *LES DÉMONSTRATIFS*

• **Objet défini**

ADJECTIFS	PRONOMS
ce	**celui-ci – celui-là**
cette	**celle-ci – celle-là**
ces	**ceux-ci – ceux-là** **celles-ci – celles-là**

• **Pronoms représentant une chose ou une idée indéfinie**
ceci – cela – ça
ce s'emploie avec un pronom relatif :
Faites ce qui vous plaira
et dans les expressions : **c'est – ce sont** (opposition **c'est / il est** → voir IV 4).

Vous prenez **ce** journal? Vous préférez **celui-ci?**
– **Cela** n'a aucune importance. **Ce** qui compte, **c**'est de connaître les nouvelles

■ 6. *LES PRONOMS RELATIFS ET LES CONSTRUCTIONS RELATIVES* (II 3)

■ 7. *L'INTERROGATION*

A. L'interrogation porte sur toute la phrase
• intonation : Tu viens?
• forme « est-ce que » : Est-ce que tu viens?
• inversion du pronom : Viens-tu? Arrive-t-elle? Michèle arrive-t-elle?

B. L'interrogation porte sur un élément de la phrase
• Adjectifs interrogatifs : **quel – quelle – quels – quelles**
Quelle heure est-il? Quelle est votre profession?
• Pronoms interrogatifs (II 3)

PERSONNES	**SUJET**	**qui – qui est-ce qui** qui (qui est-ce qui) est venu?
	COMPLÉMENT	**qui – qui est-ce que** à qui – de qui – avec qui – etc. Qui te téléphone? – À qui écris-tu?
CHOSES	**SUJET**	**qu'est-ce qui** : Qu'est-ce qui te plaît?
	COMPLÉMENT D'OBJET DIRECT	**que – qu'est-ce que – quoi** Que manges-tu? Tu manges quoi?
	AUTRES COMPLÉMENTS	**à quoi – de quoi – avec quoi** – etc. À quoi penses-tu? De quoi as-tu besoin?
CAS D'UN CHOIX (PERSONNES OU CHOSES)	**SUJET ET COMPLÉMENT D'OBJET DIRECT**	**lequel – laquelle – lesquels – lesquelles** Laquelle a téléphoné? Lequel préfères-tu?
	COMPLÉMENT INTRODUIT PAR À	**auquel – à laquelle – auxquels – auxquelles** Auquel pensez-vous?
	COMPLÉMENT INTRODUIT PAR DE	**duquel – de laquelle – desquels – desquelles** Duquel avez-vous besoin?
	COMPLÉMENT INTRODUIT PAR UNE AUTRE PRÉPOSITION	**avec lequel – pour lequel** – etc. Avec lequel des deux partez-vous en vacances?

8. *LA NÉGATION* (III 2)

- **Constructions de base** : Il **ne** vient **pas** – Il **n'**est **pas** venu – **Ne** venez **pas** !
- **Négation de l'infinitif** : Il prend un taxi pour **ne pas** être en retard.
- **Double négation** : Je **n'**ai vu **ni** Paul **ni** Marie – **Ni** Paul **ni** Marie **ne** sont venus.
  Il **ne** fume **ni ne** boit d'alcool.
  Il **ne** va **pas** au cinéma **ni** au théâtre.
- **Adjectifs à valeur négative** : **aucun** – **pas un** – **nul** (construits avec **ne**)

Aucun enfant **n'**est sorti – Je **n'**ai vu **aucun** film de Godard.

- **Pronoms à valeur négative** : **personne** – **rien** – **aucun** – **pas un** – **nul** (construits avec « **ne** »)

Je **ne** vois { **personne** — Je **n'**ai vu **personne.**
Je **ne** vois { **rien** — Je **n'**ai **rien** vu.
Je **n'**en vois { **aucun** — Je **n'**en ai vu **aucun.**
Je **n'**en vois { **pas un** — Je **n'**en ai **pas** vu.

Pas un n'est entré – **Nul n'**est censé ignorer la loi.

- **Adverbes à valeur négative**

ne... plus : Elle **ne** m'écrit **plus** – Elle **ne** m'a **plus** téléphoné.
ne... pas encore : Elle **n'a pas encore** fini.
ne... jamais : Elle **ne** voyage **jamais.**
ne... nulle part : Elle **ne** va **nulle part.**

9. *LE VERBE : LES VERBES PRONOMINAUX*

1. Certains verbes ne se trouvent qu'à la forme pronominale
Exemple : se souvenir – s'évanouir – s'enfuir – se méfier de.

2. D'autres changent complètement de sens lorsqu'on passe de la forme simple à la forme pronominale
Exemple : rendre = rapporter – se rendre à = aller.

3. Dans les autres cas, le passage de la forme simple à la forme pronominale peut amener les changements de sens suivants :

- **sens réfléchi** : Elle regarde la glace → Elle se regarde dans la glace.
- **sens réciproque** : Pierre a battu Paul → Pierre et Paul se sont battus.
- **sens passif** (II 4) : On achète les timbres au bureau de tabac → Les timbres s'achètent au bureau de tabac.

Quelqu'un ouvre la porte → La porte s'ouvre.

10. *LE VERBE : LA FORME PASSIVE* (II 4)

11. *LE VERBE : L'EMPLOI DES TEMPS*

MODES ET TEMPS	EMPLOIS	EXEMPLE
INDICATIF		
présent	moment présent	En ce moment, il travaille.
	valeur intemporelle	La terre tourne.
	passé proche	Il sort à l'instant (il vient de sortir).
	futur proche	Je pars dans 5 minutes.
	condition	Si tu travailles tu réussiras.
futur simple (I 3)	futur	Je partirai dans 8 jours.
	supposition	Elle sera malade (probablement).
	ordre	Vous fermerez la fenêtre (Fermez la fenêtre!)

futur antérieur (I 3)	antériorité par rapport au futur	Quand nous arriverons, la nuit sera tombée.
	supposition	Elle aura eu un accident (probablement).
	ordre	Quand je reviendrai, vous aurez terminé ce travail.
passé composé (I 1)	passé ponctuel	J'ai déjeuné à midi.
	résultat présent d'une action passée	Il est 13 h. J'ai déjeuné.
	antériorité par rapport au présent	Quand il a déjeuné, il fait la sieste.
	futur proche	J'ai fini dans 5 minutes.
imparfait (I 1)	action circonstance ou action secondaire par rapport au passé composé ou au passé simple	Il lisait { quand nous sommes entrés. / quand nous entrâmes.
	habitude – action répétée	Tous les matins, il faisait 3 km à pied.
	discours rapporté : relation passée d'une phrase au présent	Il m'a dit : « Il fait beau » → Il m'a dit qu'il faisait beau.
	hypothèse	Si tu le voulais, tu le pourrais.
	politesse	Je venais (= je viens) vous demander l'autorisation de m'absenter trois jours.
plus-que-parfait (I 4)	antériorité par rapport à l'imparfait, au passé composé, au passé simple	Il avait neigé. Nous nous promenions dans la campagne. Il était parti { quand nous sommes arrivés. / quand nous arrivâmes.
	hypothèse sur un fait passé	Si j'avais eu le temps je serais resté plus longtemps.
passé simple (I 1)	action passée	Elle sortit à 5 h.
passé antérieur (I 4)	antériorité par rapport au passé simple	Quand il eut fini son travail, il sortit.
passé surcomposé (I 4)	antériorité par rapport au passé composé	Quand il a eu fini son travail, il est sorti.
CONDITIONNEL	**EMPLOIS**	**EXEMPLE**
présent (II 4)	conséquence d'une hypothèse à l'imparfait	Si j'avais des vacances, je partirais en voyage.
	futur dans le passé	J'ai pensé que tu me téléphonerais.
	fait non confirmé	Le Premier ministre démissionnerait bientôt.
	demande polie	Je souhaiterais que vous passiez me voir.
	conseil	À votre place, je ne répondrais pas.
passé (II 4)	antériorité par rapport au conditionnel présent	On m'a dit que ceux qui n'auraient pas payé leurs impôts le 15 novembre seraient pénalisés.
	conséquence d'une hypothèse au plus-que-parfait	Si j'avais eu des vacances, je serais allé en Chine.
	fait non confirmé au passé	Le Premier ministre aurait démissionné.
	regret ou demande polie	J'aurais souhaité que vous passiez me voir.
	conseil sur une action passée	À ta place, je n'aurais pas répondu.

SUBJONCTIF	EMPLOIS	EXEMPLE
présent (I 2)	volonté – obligation (I 2)	Je veux qu'il parte.
	goûts – préférences (III 1)	Je préfère que nous restions à la maison.
	souhait – regret (II 1)	Je souhaite que vous réussissiez.
	doute – incertitude – crainte (I 3)	J'ai peur qu'il (ne) soit en retard.
	antériorité (I 4)	Finissons de préparer le repas avant que les invités (n')arrivent.
	but (III 1)	Je lui explique le problème pour qu'il comprenne.
	opposition (III 2)	Il travaille bien qu'il soit fatigué.
	hypothèse – supposition (II 4)	Supposons qu'elle ne vienne pas...
	opinion à la forme négative (III 3)	Je ne crois pas qu'il fasse beau demain.
	possibilité – impossibilité improbabilité (IV 1 – IV 3)	Il est possible que je sois en retard.
	après un jugement superlatif (II 3)	C'est le seul qui connaisse la vérité.
	dans certaines constructions relatives (II 3)	Je cherche quelqu'un qui puisse me renseigner.
passé (I 2)	même sens que le subjonctif présent avec idée passée	Je veux que tu aies fini avant 5 h.
imparfait et plus-que-parfait	voir (IV 4)	

■ *12. COMPARAISON ET MISE EN RELATION* (III 3)

1. Comparatifs

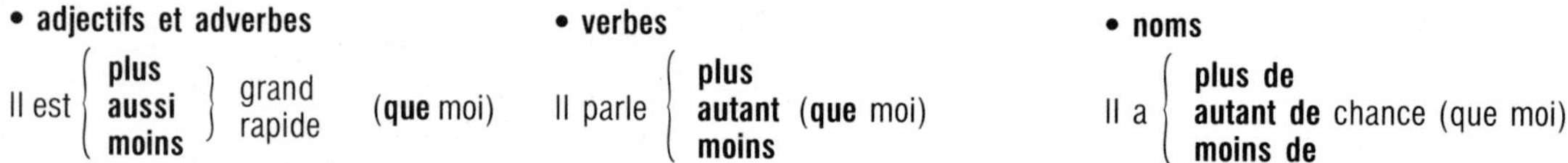

• **adjectifs et adverbes**

Il est { **plus** / **aussi** / **moins** } grand / rapide (**que** moi)

• **verbes**

Il parle { **plus** / **autant** / **moins** } (**que** moi)

• **noms**

Il a { **plus de** / **autant de** / **moins de** } chance (que moi)

2. Idée de progression dans la comparaison

• **de plus en plus – de moins en moins**
Il parle de plus en plus – J'ai de moins en moins de temps.

• **plus... plus – moins... moins – moins... plus – plus... moins**
Plus je réfléchis au problème, moins je comprends.

• **d'autant – d'autant plus / moins que – d'autant plus / moins de**
Il a d'autant plus de temps libre qu'il est au chômage depuis hier.

3. Si... Tant... Tellement...

• **adjectifs et adverbes**

Elle est { **si** / **tellement** } rapide (**que**...)

• **verbes**

Il parle { **tant (que...)** / **tellement (que...)** }

• **noms**

Il a { **tant de** / **tellement de** } travail **(que...)**

4. Superlatifs

• **adjectifs et adverbes**

Pierre est { **le plus** fort / **le moins** grand } (**de** nous tous)

C'est lui qui court **le plus vite** (**de** nous tous).

• **verbes**

C'est Jacques qui parle { **le plus** / **le moins** } (**de** nous tous)

• **noms**

C'est Mireille qui a { **le plus de** temps / **le moins** d'argent }

■ 13. LES RELATIONS LOGIQUES

- **Expression de la cause** (III 1)
- **Expression du but** (III 1)
- **Expression de la conséquence** (III 4)
- **Expression de l'opposition** (III 2)
- **Expression de la condition** (III 2)
- **Expression de l'hypothèse** (II 4)
- **Expression du moyen** (III 4)
- **Liaisons dans le discours** (II 2 – III 4)

■ 14. L'EXPRESSION DU LIEU

1. Peuvent se construire avec un verbe ou avec un nom (la préposition qui sert à la construction avec un nom est donnée entre parenthèses)

à l'intérieur (de)
à l'extérieur (de)
en haut (de)
en bas (de)
autour (de)
à travers

au-dessus (de)
au-dessous (de)
au milieu (de)
au fond (de)
au sommet (de)
de l'autre côté (de)

loin (de)
près (de)
en face (de)
au bord (de)
à côté (de)

à gauche (de)
à droite (de)
devant
derrière

2. Se construisent seulement avec un nom

dans – sur – sous – entre – parmi – par – le long de – du côté de – vers.

3. Se construisent seulement avec un verbe

dedans – dehors – ailleurs – partout – quelque part – n'importe où – ici – là – là-bas – là-haut – là-dessus – là-dessous – par ici – par là – par là-bas – tout droit – ci-dessus – ci-dessous.

■ 15. LE DISCOURS RAPPORTÉ

1. Discours prononcé au moment présent

La phrase rapportée est :		
une affirmation ou une négation	dire que	Elle dit que Jacques est malade.
une phrase impérative	dire de demander de	Elle lui dit de partir. Il lui demande de rester.
une interrogation	demander si ... qui ... ce que ... où, etc.	Elle demande si vous êtes malade. Elle demande qui est votre médecin. Elle demande ce que vous allez faire. Elle demande où vous allez.

2. Discours passé

TEMPS DE LA PHRASE RAPPORTÉE	TEMPS DU DISCOURS RAPPORTÉ	EXEMPLE
présent	**imparfait**	Il m'a dit qu'il faisait beau.
futur	**conditionnel présent**	Il m'a dit qu'il viendrait demain.
futur antérieur	**conditionnel passé**	Il m'a dit que lorsque midi sonnerait, il aurait fini.
passé composé ou imparfait	**plus-que-parfait**	Il m'a dit qu'il était parti à 8 h.

ÊTRE

PRÉSENT	FUTUR	FUTUR ANTÉRIEUR	PASSÉ COMPOSÉ
je suis tu es il est nous sommes vous êtes ils sont	je serai tu seras il sera nous serons vous serez ils seront	j'aurai été tu auras été il aura été nous aurons été vous aurez été ils auront été	j'ai été tu as été il a été nous avons été vous avez été ils ont été
IMPARFAIT	**PLUS-QUE-PARFAIT**	**PASSÉ SIMPLE**	**PASSÉ ANTÉRIEUR**
j'étais tu étais il était nous étions vous étiez ils étaient	j'avais été tu avais été il avait été nous avions été vous aviez été ils avaient été	je fus tu fus il fut nous fûmes vous fûtes ils furent	j'eus été tu eus été il eut été nous eûmes été vous eûtes été ils eurent été
CONDITIONNEL PRÉSENT	**CONDITONNEL PASSÉ**	**SUBJONCTIF PRÉSENT**	**SUBJONCTIF PASSÉ**
je serais tu serais il serait nous serions vous seriez ils seraient	j'aurais été tu aurais été il aurait été nous aurions été vous auriez été ils auraient été	que je sois que tu sois qu'il soit que nous soyons que vous soyez qu'ils soient	que j'aie été que tu aies été qu'il ait été que nous ayons été que vous ayez été qu'ils aient été
IMPÉRATIF	**PARTICIPE PRÉSENT**	**PARTICIPE PASSÉ**	
sois soyons soyez	étant	été ayant été	

AVOIR

PRÉSENT	FUTUR	FUTUR ANTÉRIEUR	PASSÉ COMPOSÉ
j'ai tu as il a nous avons vous avez ils ont	j'aurai tu auras il aura nous aurons vous aurez ils auront	j'aurai eu tu auras eu il aura eu nous aurons eu vous aurez eu ils auront eu	j'ai eu tu as eu il a eu nous avons eu vous avez eu ils ont eu
IMPARFAIT	**PLUS-QUE-PARFAIT**	**PASSÉ SIMPLE**	**PASSÉ ANTÉRIEUR**
j'avais tu avais il avait nous avions vous aviez ils avaient	j'avais eu tu avais eu il avait eu nous avions eu vous aviez eu ils avaient eu	j'eus tu eus il eut nous eûmes vous eûtes ils eurent	j'eus eu tu eus eu il eut eu nous eûmes eu vous eûtes eu ils eurent eu

AVOIR

CONDITIONNEL PRÉSENT	CONDITONNEL PASSÉ	SUBJONCTIF PRÉSENT	SUBJONCTIF PASSÉ
j'aurais tu aurais il aurait nous aurions vous auriez ils auraient	j'aurais eu tu aurais eu il aurait eu nous aurions eu vous auriez eu ils auraient eu	que j'aie que tu aies qu'il ait que nous ayons que vous ayez qu'ils aient	que j'aie eu que tu aies eu qu'il ait eu que nous ayons eu que vous ayez eu qu'ils aient eu
IMPÉRATIF	**PARTICIPE PRÉSENT**	**PARTICIPE PASSÉ**	
aie ayons ayez	ayant	eu ayant eu	

PARLER

PRÉSENT	FUTUR	FUTUR ANTÉRIEUR	PASSÉ COMPOSÉ
je parle tu parles il parle nous parlons vous parlez ils parlent	je parlerai tu parleras il parlera nous parlerons vous parlerez ils parleront	j'aurai parlé tu auras parlé il aura parlé nous aurons parlé vous aurez parlé ils auront parlé	j'ai parlé tu as parlé il a parlé nous avons parlé vous avez parlé ils ont parlé
IMPARFAIT	**PLUS-QUE-PARFAIT**	**PASSÉ SIMPLE**	**PASSÉ ANTÉRIEUR**
je parlais tu parlais il parlait nous parlions vous parliez ils parlaient	j'avais parlé tu avais parlé il avait parlé nous avions parlé vous aviez parlé ils avaient parlé	je parlai tu parlas il parla nous parlâmes vous parlâtes ils parlèrent	j'eus parlé tu eus parlé il eut parlé nous eûmes parlé vous eûtes parlé ils eurent parlé
CONDITIONNEL PRÉSENT	**CONDITIONNEL PASSÉ**	**SUBJONCTIF PRÉSENT**	**SUBJONCTIF PASSÉ**
je parlerais tu parlerais il parlerait nous parlerions vous parleriez ils parleraient	j'aurais parlé tu aurais parlé il aurait parlé nous aurions parlé vous auriez parlé ils auraient parlé	que je parle que tu parles qu'il parle que nous parlions que vous parliez qu'ils parlent	que j'aie parlé que tu aies parlé qu'il ait parlé que nous ayons parlé que vous ayez parlé qu'ils aient parlé
IMPÉRATIF	**PARTICIPE PRÉSENT**	**PARTICIPE PASSÉ**	
parle parlons parlez	parlant	parlé ayant parlé	

■ PRINCIPES DE CONJUGAISON

À partir de la conjugaison des verbes **être, avoir** et **parler** on peut facilement trouver les formes des temps des autres verbes, si on connaît :

- la conjugaison du présent
- la 1re personne du futur
- la 1re personne du subjonctif présent
- la 1re personne du passé simple
- le participe passé

→ **l'imparfait** se forme à partir de la 1er personne du pluriel du présent.
Exemple : **savoir → nous savons : je savais, tu savais, il savait,** etc.

→ **le conditionnel présent** se forme à partir de la 1re personne du singulier du futur.
Exemple : **savoir → je saurai : je saurais, tu saurais, il saurait,** etc.

→ **le participe présent et le gérondif** se forment à partir de la 1re personne du pluriel du présent.
Exemple : **nous allons → allant; nous pouvons → pouvant;**
(cas particulier être → étant; avoir → ayant; savoir → sachant).

→ **les temps composés** se forment avec les auxiliaires **avoir** ou **être.**
Utilisent l'auxiliaire *être :*

- tous les verbes pronominaux
- les verbes : aller – arriver – décéder – descendre – devenir – éclore – entrer – monter – mourir – naître – partir (repartir) – rentrer – retourner – rester – sortir (ressortir) – rester – tomber (retomber) – venir (revenir – survenir).

N.B. :
Les verbes **monter, descendre, rentrer, retourner, sortir** utilisent l'auxiliaire *avoir* quand ils sont suivis d'un complément d'objet direct :
Il a monté l'escalier.
le passé composé : avoir ou être au présent + participe passé
le plus-que-parfait : avoir ou être à l'imparfait + participe passé
le futur antérieur : avoir ou être au futur + participe passé
le passé antérieur : avoir ou être au passé simple + participe passé
le conditionnel passé : avoir ou être au conditionnel + participe passé
le subjonctif passé : avoir ou être au subjonctif + participe passé

MODE DE LECTURE DES TABLEAUX CI-DESSOUS

<table>
<tr><td>INFINITIF</td><td>1re personne du futur</td><td rowspan="4">Verbes ayant une conjugaison identique</td></tr>
<tr><td rowspan="3">Conjugaison du présent</td><td>1re personne du subjonctif</td></tr>
<tr><td>1re personne du passé simple</td></tr>
<tr><td>participe passé</td></tr>
</table>

■ VERBES EN -ER

Se conjuguent comme **parler**
Cas particulier
Verbes en -yer

<table>
<tr><td>PAYER</td><td>je paierai</td><td rowspan="4">appuyer
balayer
bégayer
déblayer
envoyer
essayer
essuyer</td><td rowspan="4">flamboyer
nettoyer
renvoyer</td></tr>
<tr><td rowspan="3">je paie
tu paies
il paie
nous payons
vous payez
ils paient</td><td>que je paie
que je paye</td></tr>
<tr><td>je payai</td></tr>
<tr><td>payé</td></tr>
</table>

Verbes en -ger

Quand la terminaison commence par les lettres **a** ou **o**, mettre un **e** entre le **g** et la terminaison
nous mangeons *(présent)*
je mangeais *(imparfait)*
je mangeai *(passé simple)*

Verbes en -eler et -eter

APPELER	j'appellerai	Tous les verbes en -eler et -eter sauf les verbes du type **acheter**
j'appelle tu appelles il appelle nous appelons vous appelez ils appellent	que j'appelle j'appelai appelé	

ACHETER	j'achèterai	ciseler congeler déceler démanteler geler modeler peler racheter
j'achète tu achètes il achète nous achetons vous achetez ils achètent	que j'achète j'achetai acheté	

Le verbe aller est irrégulier

ALLER	j'irai
je vais tu vas il va nous allons vous allez ils vont	que j'aille j'allai allé

VERBES EN -IR

FINIR	je finirai	abolir accomplir affermir agir applaudir assainir s'assoupir	assouvir avertir choisir démolir dépérir éblouir frémir	guérir haïr (je hais/ nous haïssons) jaillir obéir périr punir	réagir réfléchir réjouir remplir répartir réunir subir unir
je finis tu finis il finit nous finissons vous finissez ils finissent	que je finisse je finis fini				

VENIR	je viendrai	appartenir contenir entretenir maintenir obtenir retenir soutenir	advenir convenir devenir intervenir parvenir prévenir provenir se souvenir
je viens tu viens il vient nous venons vous venez ils viennent	que je vienne je vins venu		

COURIR	je courrai	accourir parcourir recourir secourir
je cours tu cours il court nous courons vous courez ils courent	que je coure je courus couru	

OUVRIR	j'ouvrirai	couvrir découvrir recouvrir entrouvrir rouvrir offrir souffrir
j'ouvre tu ouvres il ouvre nous ouvrons vous ouvrez ils ouvrent	que j'ouvre j'ouvris ouvert	

PARTIR	je partirai	sentir consentir pressentir ressentir mentir repartir se repentir	sortir ressortir
je pars tu pars il part nous partons vous partez ils partent	que je parte je partis parti		

ACQUÉRIR	j'acquerrai	conquérir quérir requérir
j'acquiers tu acquiers il acquiert nous acquérons vous acquérez ils acquièrent	que j'acquière j'acquis acquis	

CUEILLIR	je cueillerai	accueillir recueillir assaillir tressaillir
je cueille tu cueilles il cueille nous cueillons vous cueillez ils cueillent	que je cueille je cueillis cueilli	

DORMIR	je dormirai	(s')endormir (se) rendormir
je dors tu dors il dort nous dormons vous dormez ils dorment	que je dorme je dormis dormi	

SERVIR	je servirai	desservir resservir
je sers tu sers il sert nous servons vous servez ils servent	que je serve je servis servi	

MOURIR	je mourrai
je meurs tu meurs il meurt nous mourons vous mourez ils meurent	que je meure je mourus mort

FUIR	je fuirai	s'enfuir
je fuis tu fuis il fuit nous fuyons vous fuyez ils fuient	que je fuie je fuis fui	

■ *VERBES EN -DRE*

VENDRE	je vendrai	défendre descendre fendre pendre dépendre suspendre tendre	attendre entendre étendre prétendre vendre revendre répandre	fondre confondre pondre répondre correspondre tondre perdre	mordre tordre rompre (sauf : il rompt présent) corrompre interrompre
je vends tu vends il vend nous vendons vous vendez ils vendent	que je vende je vendis vendu				

PRENDRE	je prendrai	apprendre comprendre dépendre entreprendre (s')éprendre reprendre surprendre
je prends tu prends il prend nous prenons vous prenez ils prennent	que je prenne je pris pris	

PEINDRE	je peindrai	atteindre éteindre teindre étreindre craindre contraindre plaindre
je peins tu peins il peint nous peignons vous peignez ils peignent	que je peigne je peignis peint	

JOINDRE	je joindrai	adjoindre enjoindre rejoindre poindre
je joins tu joins il joint nous joignons vous joignez ils joignent	que je joigne je joignis joint	

COUDRE	je coudrai
je couds tu couds il coud nous cousons vous cousez ils cousent	que je couse je cousis cousu

VERBES EN -OIR

DEVOIR	je devrai	apercevoir concevoir décevoir percevoir recevoir (sans accent sur le u du participe passé)
je dois tu dois il doit nous devons vous devez ils doivent	que je doive je dus dû, due	

VOIR	je verrai	revoir entrevoir prévoir (sauf au futur : je prévoirai)
je vois tu vois il voit nous voyons vous voyez ils voient	que je voie je vis vu	

POUVOIR	je pourrai
je peux tu peux il peut nous pouvons vous pouvez ils peuvent	que je puisse je pus pu

VOULOIR	je voudrai
je veux tu veux il veut nous voulons vous voulez ils veulent	que je veuille je voulus voulu

SAVOIR	je saurai
je sais tu sais il sait nous savons vous savez ils savent	que je sache je sus su

VALOIR	je vaudrai	équivaloir
je vaux tu vaux il vaut nous valons vous valez ils valent	que je vaille je valus valu	

S'ASSEOIR	je m'assiérai	N.B. : Autre conjugaison du verbe s'asseoir présent : je m'assois futur : je m'assoirai passé simple : je m'assis
je m'assieds tu t'assieds il s'assied nous nous asseyons vous vous asseyez ils s'asseyent	que je m'asseye je m'assis assis	

VERBES EN -TRE

BATTRE	je battrai	abattre combattre débattre s'ébattre
je bats tu bats il bat nous battons vous battez ils battent	que je batte je battis battu	

METTRE	je mettrai	admettre commettre émettre omettre permettre promettre	remettre soumettre transmettre
je mets tu mets il met nous mettons vous mettez ils mettent	que je mette je mis mis		

CONNAÎTRE	je connaîtrai	méconnaître reconnaître paraître apparaître disparaître transparaître
je connais tu connais il connaît nous connaissons vous connaissez ils connaissent	que je connaisse je connus connu	

CROÎTRE	je croîtrai	accroître décroître
je croîs tu croîs il croît vous croissons vous croissez ils croissent	que je croisse je crûs crû	

NAÎTRE	je naîtrai
je nais tu nais il naît nous naissons vous naissez ils naissent	que je naisse je naquis né

■ VERBES EN -UIRE

CONDUIRE	je conduirai	cuire déduire induire introduire produire reconduire réduire	reproduire séduire construire traduire détruire instruire luire	reluire nuire
je conduis tu conduis il conduit nous conduisons vous conduisez ils conduisent	que je conduise je conduisis conduit			

■ VERBES EN -IRE

ÉCRIRE	j'écrirai	décrire inscrire prescrire proscrire transcrire souscrire
j'écris tu écris il écrit nous écrivons vous écrivez ils écrivent	que j'écrive j'écrivis écrit	

LIRE	je lirai	élire réélire relire
je lis tu lis il lit nous lisons vous lisez ils lisent	que je lise je lus lu	

DIRE	je dirai	condredire interdire médire prédire redire
je dis tu dis il dit nous disons vous dites ils disent	que je dise je dis dit	

RIRE	je rirai	sourire
je ris tu ris il rit nous rions vous riez ils rient	que je rie je ris ri	

SUFFIRE	je suffirai
je suffis tu suffis il suffit nous suffisons vous suffisez ils suffisent	que je suffise je suffis suffi

■ AUTRES VERBES EN -RE

FAIRE	je ferai	défaire parfaire refaire satisfaire
je fais tu fais il fait nous faisons vous faites ils font	que je fasse je fis fait	

PLAIRE	je plairai	déplaire (se) taire
je plais tu plais il plaît nous plaisons vous plaisez ils plaisent	que je plaise je plus plu	

VIVRE	je vivrai	revivre survivre
je vis tu vis il vit nous vivons vous vivez ils vivent	que je vive je vécus vécu	

CONCLURE	je conclurai	exclure inclure (part. passé : inclus / incluse)
je conclus tu conclus il conclut nous concluons vous concluez ils concluent	que je conclue je conclus conclu	

BOIRE	je boirai
je bois tu bois il boit nous buvons vous buvez ils boivent	que je boive je bus bu

CROIRE	je croirai
je crois tu crois il croit nous croyons vous croyez ils croient	que je croie je crus cru

SUIVRE	je suivrai	poursuivre
je suis tu suis il suit nous suivons vous suivez ils suivent	que je suive je suivis suivi	

LEXIQUE

Cette liste présente les mots nouveaux introduits dans les pages « dialogues et documents »
ainsi que dans les pages « grammaire et vocabulaire ».
Elle ne comporte pas les mots figurant dans les lexiques des niveaux I et II
sauf lorsque ceux-ci apparaissent avec un sens différent.

Abréviations :
n = nom m = masculin f = féminin pl = pluriel v = verbe adj = adjectif
adv = adverbe prép = préposition conj = conjonction pp = participe passé
p ind = pronom indéfini loc adv = locution adverbiale fam = familier pop = populaire

I, II, III, IV renvoient à l'unité où le mot est introduit

1, 2, 3, 4, 5 renvoient à la leçon de l'unité

D, V indiquent si le mot est introduit dans la page « dialogues et documents » (D)
ou dans la page « grammaire et vocabulaire » (V).

A

abattre (s') (v) I 1 D
abdiquer (v) I 4 V
abeille (nf) III 4 V
abîme (nm) III 1 V
ablation (nf) II 2 V
abnégation (nf) IV 2 D
abolir (v) II 4 D
abominer (v) III 1 V
absorber (v) III 4 D
abus (nm) III 4 V
abuser (v) III A V
accablant (adj) IV 3 D
accommodant (adj) III 2 V
accomplir (v) III 4 V
accorder (v) III 2 D
accoster (v) I 3 V
accrocher (s') (v) I 3 D
accroître (v) I 4 D
accumuler (v) III 4 V
acier (nm) IV 3 V
acompte (nm) IV 1 V
acquérir (v) III 4 D
acquitter (v) I 1 D
acrobate (nmf) II 3 V
acte (nm) II 4 D
action (nf) IV 1 V
adhérer (v) I 4 V
affaiblir (v) II 3 V
affectation (nf) III 3 D
affermir (v) II 3 V
affiner (v) IV 3 V
affinité (nf) I 1 V
affluent (nm) III 1 V
affolement (nm) II 4 V
agir (s') (v) II 4 D
agonie (nf) IV 2 V
agréer (v) I 3 D
agression (nf) I 1 D
agripper (s') (v) III 1 D
aiguille (nf) IV 2 D
aile (nf) II 4 D
aimable (adj) I 1 D
aîné (nm) I 2 V
algue (nf) I 2 D
aliéné (nm) III 4 V
allaiter (v) I 2 V
alouette (nf) III 4 V
amarre (nf) I 3 V
amasser (v) III 4 V
amender (s') (v) IV 1 V
amour-propre (nm) IV 4 V
amulette (nf) IV 3 V
amuseur (nm) IV 4 V
analogue (adj) II 2 D
ancêtre (nm) IV 3 D
anémier (s') (v) II 3 V
animer (v) III 2 D
animisme (nm) IV 3 V
animosité (nf) II 1 V
anodin (adj) IV 4 D
anorak (nm) I 2 D
aplomb (nm) IV 3 V
appareiller (v) I 3 V
application (nf) IV 2 D
appréhender (v) IV 1 V
appréhension (nf) II 4 V
apte (adj) II 2 V
aquarelle (nf) I 2 D
araignée (nf) III 4 V
ardent (adj) II 4 V
arnaque (n-fam) IV 1 V
arôme (nm) III 3 V
arrangement (nm) III 2 V
arriéré (adj) I 2 V
arrogant (adj) IV 4 V
artifice (nm) I 3 D
asile (nm) III 4 V
assainir (v) III 4 V
associer (v) III 3 D
assortir (v) III 3 D
assoupir (s') (v) II 1 V
assouvir (v) III 1 D
astreindre (v) I 2 V
astrologue (nmf) II 4 D
astuce (nf) III 4 V
atout (nm) IV 2 V
atteindre (v) III 1 D
attentat (nm) IV 1 V
audience (nf) III 3 V
aumône (nf) I 1 V
autel (nm) IV 3 V
autocollant (nm) III 3 V
autonomie (nf) II 3 D
autorité (nf) I 2 D
autruche (nf) III 4 V
avalanche (nf) III 1 V
avérer (s') (v) I 4 D
aversion (nf) II 1 V
avorter (v) I 3 V
axe (nm) II 2 V

B

bâcler (v) IV 1 V
bactérie (nf) III 4 V
badaud (nm) II 3 V
bagarre (nf) I 4 D
bagarrer (se) (v) II 1 V
baguette (nf) IV 2 D
balade (nf) I 1 D
balbutier (v) II 2 V
baliverne (nf) IV 4 V
bambou (nm) IV 3 V
banaliser (v) III 1 D
banderole (nf) I 4 V
baratin (nm-pop) III 3 V
barre (nf) I 3 D
barricade (nf) I 4 D
bassin (nm) III 1 V
bégayer (v) I 2 V
bénéficier (v) IV 1 D
berceau (nm) I 2 V
bercer (v) I 2 V
berner (v) I 3 V
biberon (nm) I 2 V
bicyclette (nf) I 2 D
bien (nm) I 4 D
bienveillant (adj) I 1 V
bière (nf) IV 2 V
bipède (adj) IV 3 D
blaguer (v) IV 4 V
blanchisseur (nm) I 1 V
blêmir (v) II 4 V
bloquer (v) II 4 D
blouse (nf) III 3 D
bocal (nm) III 4 D
bonifier (v) IV 1 V
boniment (nm) III 3 V
bouc (nm) IV 3 D
bouclier (nm) IV 3 V
bouillonner (v) III 1 V
bouleau (nm) I 2 D
boulot (nm) I 1 D
bourrer (v) III 4 D
bout (nm) II 3 V
braise (nf) II 4 V
branché (adj-fam) III 3 V
brancher (v) II 2 V
braquer (v) I 1 D
brave (adj) III 1 V
brevet (nm) II 2 V
bribe (nf) IV 2 D
brigand (nm) IV 1 V
brise (nf) I 3 D
briser (se) (v) I 3 V
brochure (nf) III 3 V
broder (v) IV 4 V
bronze (nm) IV 3 V
brouiller (se) (v) II 1 V
brousse (nf) IV 3 V
brute (nf) III 1 D
but (nm) III 1 D

C

cabane (nf) IV 3 V
cachemire (nm) III 3 D
cachot (nm) IV 1 V
cadavre (nm) IV 2 V
cadet (nm) I 2 V
calcaire (nm) IV 3 V
calomnie (nf) II 1 D
calotte (nf) III 4 D
camoufler (v) I 3 V
campagne (nf) III 3 D
canari (nm) III 4 V
cancaner (v) IV 4 V
canevas (nm) I 3 V
canicule (nf) IV 3 V
canot (nm) I 3 V
cap (nm) I 3 V
capturer (v) IV 1 V
caravane (nf) IV 3 V
carboniser (v) II 4 D
cargo (nm) I 3 V
caricature (nf) IV 4 D
carrière (nf) IV 3 V
carrosse (nm) III 2 D
carrossier (nm) I 1 D
cartable (nm) I 2 D
cascadeur (nm) III 2 V
case (nf) IV 3 V
casque (nm) III 1 D
casse-cou (nm) III 1 D
cataloguer (v) III 4 V
catégorie (nf) III 4 V
caverne (nf) II 4 D
cécité (nf) IV 2 V
céder (v) III 2 V
cellule (nf) II 2 V
cendre (nf) IV 3 D
censé (adj) I 2 V
censurer (v) III 2 V
céramique (nf) I 1 V
cercueil (nm) IV 2 V
certifier (v) I 3 V
cerveau (nm) II 2 D
chagrin (nm) IV 1 D
chaîne (nf) II 2 D
chamailler (se) (v) II 1 V
chameau (nm) IV 3 V
charabia (nm) IV 4 V
charlatan (nm) II 4 V
charpente (nf) IV 1 D
chenille (nf) III 4 V
chétif (adj) II 3 V
cheville (nf) IV 3 V
chignon (nm) IV 2 D
chimère (nf) II 1 V
chou (nm) II 3 D
chromosome (nm) II 2 V
chuchoter (v) IV 4 V
chuter (v) IV 1 D
cigale (nf) III 4 V
cime (nf) III 1 V
cimetière (nm) IV 2 V
cire (nf) III 4 V
cirque (nm) II 3 V
cité (nf) I 1 D
civilisation (nf) I 1 D
clan (nm) II 1 D
clandestin (adj) I 1 V
clavier (nm) II 2 V
clémentine (nf) I 4 D
clientèle (nf) III 3 D
cocotier (nm) IV 3 V
cogiter (v-fam) II 4 V
cogitation (nf) II 4 V
cogner (v) III 1 V
cohue (nf) II 3 V
col (nm) III 1 V
collectionner (v) III 4 V
colonie (nf) I 4 V
coloniser (v) I 4 V

colossal (adj) IV 1 D
combinaison (nf) III 1 D
comble (nm) III 2 V
comblé (pp) II 1 V
combustible (nm) II 2 V
combustion (nf) II 4 D
comète (nf) II 4 V
commérage (nm) IV 4 V
complice (nmf) IV 1 D
comploter (v) II 2 D
comportement (nm) III 4 D
composer (v) III 2 V
compréhension (nf) I 3 D
compression (nf) II 2 V
compromis (nm) III 2 V
compte (nm) IV 1 V
concentrer (se) (v) II 4 V
concession (nf) III 2 V
concevoir (v) I 3 V
conclure (v) II 4 V
concurrencer (v) II 1 D
conditionner (v) III 4 D
confidence (nf) II 4 D
confier (v) I 2 D
confiseur (nm) I 1 V
confort (nm) I 3 D
confronter (v) IV 2 D
confus (adj) III 4 V
connivence (nf) II 2 D
consacrer (v) I 4 V
considération (nf) IV 4 V
consigne (nf) III 4 D
consolider (v) II 3 V
constatation (nf) IV 1 D
constituer (v) II 2 D
consulter (v) II 4 D
consumer (v) II 4 D
contaminer (v) III 4 V
contempler (v) I 2 D
contenir (v) II 3 V
contester (v) I 4 D
contraction (nf) II 2 V
contradiction (nf) III 2 D
contraindre (v) I 2 V
convaincre (v) I 3 D
convenance (nf) I 3 D
convenir (v) III 3 D
convulsion (nf) IV 4 D
coquin (adj) I 2 V
corbeau (nm) III 4 V
cordial (adj) I 1 V
corps (nm) II 2 V
cortège (nm) I 4 V
côte (nf) IV 1 V
couche (nf) III 4 D
coude (nm) IV 3 V
couler (v) I 3 V
coupe (nf) III 3 D
courant (nm) III 1 D
courroie (nf) II 2 V
coutume (nf) II 3 D
couver (v) III 4 V
cramponner (se) (v) III 1 V
cran (nm) III 1 V
crâne (nm) IV 3 D
crapaud (nm) III 4 V
craquement (nm) I 3 D
crasseux (adj) III 4 V
crèche (nf) I 2 D
créer (v) II 2 V
crête (nf) III 1 V
creuser (v) IV 3 V
crevasse (nf) III 1 V
crever (v) I 3 D
crise (nf) I 4 D
crissement (nm) I 2 D
croquis (nm) I 3 V
croulant (nm-fam) IV 2 V
croyance (nf) II 4 D
culot (nm-fam) IV 3 V
culture (nf) II 3 D

D

dauphin (nm) I 3 D
débarrasser (se) (v) II 2 D
déblayer (v) II 1 D
débouler (v) III 1 D
déborder (v) III 1 V
décapiter (v) II 4 D
décent (adj) I 1 V
décevoir (v) II 1 V
déchet (nm) III 4 V
déchiqueter (v) IV 3 D
déclencher (v) II 2 V
déclin (nm) II 3 D
décliner (v) I 1 D
déconcertant (adj) IV 3 V
découper (v) I 3 V
découvert (nm) IV 1 V
décrocher (v) III 1 V
décupler (v) IV 1 D
dédaigneux (adj) IV 3 V
dédommager (v) IV 1 V
déduire (v) II 4 V
déferler (v) I 3 D
défier (v) III 1 V
défier (se) (v) II 1 V
défilé (nm) III 1 V
défrayer (v) IV 1 V
défricher (v) I 4 D
déglinguer (v-fam) IV 1 V
dégoût (nm) III 1 V
dégradant (adj) IV 4 V
délabrer (v) IV 1 V
délégué (nm) I 4 V
délinquance (nf) IV 1 V
délit (nm) IV 1 V
démarche (nf) IV 3 D
dément (nm) III 4 V
démon (nm) II 4 V
démonter (v) II 2 V
dénoncer (v) III 4 D
densité (nf) II 2 V
dénuement (nm) IV 4 D
déodorant (nm) III 3 V
dépérir (v) II 3 V
dépliant (nm) III 3 V
déplorable (adj) I 1 V
dérober (v) II 3 D
désenchantement (nm) II 1 V
déséquilibré (nm) III 4 V
désillusion (nf) II 1 V
désinvolture (nf) III 3 D
dessein (nm) I 3 V
désuet (adj) III 3 V
détacher (se) (v) III 1 V
détaché (pp) IV 3 V
détenu (nm) IV 1 V
détériorer (v) IV 1 V
déterminer (v) I 2 V
détour (nm) IV 4 D
détracteur (nm) II 1 D
détraqué (nm) III 4 V
détraquer (se) (v) II 2 D
déverser (se) (v) III 1 V
devin (nm) II 4 D
dévouer (v) I 3 D
dévouer (se) (v) I 4 V
diabolique (adj) I 2 D
dialecte (nm) IV 3 V
dicton (nm) II 3 V
diffamation (nf) IV 4 V
dignité (nf) IV 4 V
dilatation (nf) II 2 V
dirigisme (nm) I 4 D
discernement (nm) III 4 V
discipline (nf) I 2 D
discréditer (v) IV 4 V
discret (adj) IV 3 V
disponibilité (nf) I 3 D
dissimuler (v) I 3 V
dissolution (nf) II 2 V
distant (adj) I 1 D
dividende (nm) IV 1 V
doctrine (nf) IV 3 V
dogme (nm) IV 3 V
doléance (nf) I 4 V
dompteur (nm) II 3 V
don (nm) II 2 V
doter (v) II 2 D
doubler (v) III 2 V
doublure (nf) III 2 V
douer (v) I 2 D
dresser (se) (v) IV 3 D
drogue (nf) IV 1 V
duper (v) I 3 V

E

ébauche (nf) I 3 V
éblouir (v) II 4 V
ébullition (nf) II 2 V
écarquiller (v) IV 3 D
écarter (v) I 1 V
échanger (v) III 4 V
échantillon (nm) III 3 V
échelle (nf) II 3 D
écho (nm) III 1 D
échouer (s') (v) I 3 V
éclipse (nf) II 4 V
écologiste (adj) III 4 D
écouler (s') (v) I 2 D
écrouler (s') (v) III 2 D
écueil (nm) I 3 D
écume (nf) I 3 V
effectuer (v) I 2 D
effleurer (v) III 1 V
effluve (nf) III 3 V
effondrer (v) II 1 D
effrayer (v) I 2 D
effronté (adj) I 2 D
élastique (nm) III 1 D
élégance (nf) III 3 D
éloge (nm) III 2 V
émail (nm) I 1 V
embarrasser (v) III 2 D
embaucher (v) I 4 V
embraser (v) II 4 V
embrouiller (v) I 2 D
émeraude (nf) IV 3 V
émettre (v) II 2 V
émeute (nf) I 4 V
emphatique (adj) IV 4 V
empirer (v) IV 1 V
empocher (v) IV 1 D
empoigner (v) III 1 V
emporter (s') (v) I 4 V
empreinte (nf) IV 3 D
emprunté (adj) VII 3 V
encart (nm) III 3 V
encenser (v) III 2 V
enchevêtrer (v) II 1 D
encombrer (v) III 4 D
énergie (nf) II 2 D
enfer (nm) IV 3 V
engager (v) I 4 V
engager (s') IV 3 D
engendrer (v) III 1 V
englober (v) II 3 V
engloutir (v) I 3 D
engrenage (nm) II 2 V
enjoliver (v) IV 4 V
enlèvement (nm) IV 1 V
entamer (v) II 1 V
entassement (nm) IV 3 D
entreprendre (v) II 1 V
entrevoir (v) IV 2 D
envelopper (v) III 1 D
envergure (nf) II 2 V
environnement (nm) II 2 D
envisager (v) I 3 D
envoûter (v) II 4 V
épargner (v) IV 1 V
épaule (nf) IV 3 V
épier (v) II 1 D
épisode (nm) I 4 D
épousseter (v) III 4 V

épouvante (nf)	II 4 V
éprendre (s') (v)	II 1 V
éprouver (v)	III 1 D
épuiser (v)	I 3 D
épurer (v)	III 4 V
équilibriste (nmf)	II 3 V
érosion (nf)	IV 3 D
errer (v)	II 1 D
escalade (nf)	III 1 D
escarpé (adj)	III 1 V
esclaffer (s') (v)	IV 4 D
escroc (nm)	IV 1 D
espèce (nf)	III 4 V
espiègle (adj)	I 2 V
essaim (nm)	III 4 V
essuyer (v)	III 4 V
estime (nf)	IV 4 V
estuaire (nm)	III 1 V
étain (nm)	IV 3 V
état (nm)	IV 1 D
ethnie (nf)	IV 3 V
étinceler (v)	II 4 V
étoile (nf)	II 4 V
euphorie (nf)	IV 4 D
évader (s') (v)	IV 1 V
évaporation (nf)	II 2 V
éviter (v)	I 3 D
évoquer (v)	III 3 D
examiner (v)	II 2 V
exaspération (nf)	I 4 V
exclure (v)	IV 4 D
exécrer (v)	II 1 V
exécuter (v)	I 3 V
exécuter (s') (v)	I 2 D
exhortation (nf)	III 2 V
exotisme (nm)	III 1 D
expérimenter (v)	II 2 V
exploit (nm)	III 1 V
exprimer (s') (v)	II 2 D
extasier (s') (v)	III 1 V
exténuant (adj)	I 3 D
extorquer (v)	IV 1 V
extraire (v)	IV 3 V
extravagant (adj)	II 4 V

F

fabuler (v)	IV 4 V
facette (nf)	IV 3 V
façon (nf)	III 4 V
factice (adj)	I 3 V
falsifier (v)	I 3 V
faner (v)	III 3 V
fanfare (nf)	II 3 V
fantasme (nm)	II 1 V
farceur (nm)	IV 4 V
fasciner (v)	II 1 V
faune (nf)	I 1 D
faussaire (nm)	IV 1 V
favoriser (v)	III 1 V
fébrile (adj)	I 2 D
femelle (nf)	III 4 V
ferronnier (nm)	I 1 V
fictif (adj)	IV 1 D
fidèle (adj)	II 1 V
filer (v)	I 1 V
filon (nm)	IV 3 V
filtrer (v)	III 4 V
financer (v)	I 3 D
fixer (v)	II 2 V
flairer (v)	III 3 V
flamber (v)	II 4 V
flamboyer (v)	II 4 V
flancher (v)	III 1 V
flèche (nf)	IV 3 V
flic (nm-fam)	I 4 D
flot (nm)	III 3 D
flottante (adj)	III 1 D
flou (adj)	III 3 D
fluorescent (adj)	III 1 D
foire (nf)	II 3 V
folie (nf)	III 4 V
fonction (nf)	II 3 D
fondre (v)	III 4 D
fonte (nf)	IV 3 V
forain (nm)	II 3 V
force (nf)	II 2 V
forer (v)	IV 3 V
forger (v)	I 1 V
formation (nf)	I 1 V
formol (nm)	III 4 D
formulaire (nm)	IV 2 D
formule (nf)	II 2 V
fortifier (v)	II 3 V
fortune (nf)	IV 1 D
fouetter (v)	III 1 D
fourmi (nf)	III 4 V
fourré (adj)	II 1 D
fraction (nf)	II 3 V
fragile (adj)	II 3 V
fragment (nm)	II 3 V
frayer (se) (v)	II 3 V
frayeur (nf)	II 4 V
frêle (adj)	II 3 V
frémir (v)	II 4 V
fringuer (v-pop)	III 3 D
friper (adj)	IV 1 V
frissonner (v)	II 4 V
froisser (se) (v)	IV 1 V
frôler (v)	III 1 V
frottement (nm)	II 2 V
fuir (v)	I 1 V
fumet (nm)	II 3 D
fusion (nf)	II 2 V
futile (adj)	IV 4 V

G

gâcher (v)	IV 1 V
galère (nf)	I 2 D
gamine (nf)	I 2 V
gâteux (n et adj)	IV 2 V
gazouiller (v)	I 2 V
géant (nm)	I 2 D
gêne (nf)	II 2 V
gifler (v)	III 1 V
globe (nm)	III 4 D
golfe (nm)	I 3 V
gonfler (v)	II 2 D
gorge (nf)	III 1 D
gosse (nm)	I 2 V
goudron (nm)	IV 3 V
grabataire (adj)	IV 2 V
grâce (nf)	III 3 D
graffiti (nm)	I 4 D
granit (nm)	IV 3 V
gratifier (v)	IV 2 D
gratter (v)	III 4 D
graver (v)	I 1 V
gravier (nm)	IV 2 D
grenouille (nf)	III 4 V
grès (nm)	IV 3 D
grille (nf)	IV 2 D
grillon (nm)	III 4 V
grimace (nf)	IV 4 D
grondement (nm)	III 1 D
guêpe (nf)	III 4 V
guérisseur (nm)	II 4 V
gueuler (v)	IV 4 V
guise (nf)	I 2 D

H

hache (nf)	IV 3 V
haïr (se) (v)	I 1 V
hallucination (nf)	II 4 D
handicap (nm)	IV 2 V
handicapé (n et adj)	I 2 V
harceler (v)	I 3 V
hardi (adj)	III 1 V
harmonie (nf)	I 2 D
hautain (adj)	IV 2 D
héroïque (adj)	III 1 V
hibou (nm)	III 4 V
hilare (adj)	IV 4 D
hirondelle (nf)	III 4 V
hisser (v)	I 3 V
hochet (nm)	I 2 V
homicide (nm)	IV 1 V
hommage (nm)	III 4 D
horde (nf)	III 1 D
houille (nf)	IV 3 V
hublot (nm)	II 4 D
humble (adj)	IV 3 V
humiliant (adj)	IV 4 V
humoriste (nm)	IV 4 V
hurlement (nm)	III 1 D
hurler (v)	IV 4 V
hutte (nf)	IV 3 V

I

idéal (nm)	II 1 V
identité (nf)	II 3 D
idole (nf)	IV 3 V
illuminer (v)	II 4 V
illusion (nf)	I 3 D
imiter (v)	I 1 D
impact (nm)	III 3 V
implorer (v)	I 3 V
importuner (v)	I 3 V
imposteur (nm)	IV 1 D
impotent (adj)	IV 2 V
imprimerie (nf)	I 1 D
improviste (à l') (loc.adv)	IV 3 V
incandescent (adj)	II 4 V
incarcérer (v)	IV 1 V
incertitude (nf)	II 1 D
incessant (adj)	I 3 D
incinérer (v)	IV 2 V
inclure (v)	II 3 V
incognito (adv)	II 2 D
inculte (adj)	IV 3 V
indécis (adj)	I 2 V
indemnité (nf)	I 4 D
indépendance (nf)	I 4 D
indigent (adj)	I 1 V
indigner (v)	I 4 V
inexorablement (adv)	IV 2 D
infernal (adj)	III 1 D
infester (v)	III 4 V
infini (nm)	II 1 D
infirme (nm et f)	IV 2 V
influence (nf)	II 3 D
infraction (nf)	IV 1 V
initiation (nf)	IV 3 V
initier (s') (v)	I 2 D
injurier (v)	II 1 V
inscription (nf)	IV 3 V
insecte (nm)	I 2 D
insertion (nf)	I 1 V
insomnie (nf)	II 1 V
inspection (nf)	IV 1 D
instinct (nm)	III 4 D
insupportable (adj)	I 1 V
intégrer (v)	II 3 D
intenter (v)	IV 1 D
intérêt (nm)	IV 1 V
interrompre (v)	II 1 V
intoxiquer (s') (v)	III 4 V
intrépide (adj)	III 1 V
invectiver (v)	II 1 V
irréversible (adj)	II 3 D
irritable (adj)	I 4 V
irriter (v)	II 1 D

J

jaillir (v) III 1 V
jalonner (v) IV 3 D
jargon (nm) IV 4 V
jaser (v) IV 4 V
jeton (nm) III 4 D
jongleur (nm) II 3 V
jumeau (nm) I 2 V
jungle (nf) III 1 D
juron (nm) II 1 V
justice (nf) II 3 D

K

kermesse (nf) II 3 V

L

laboratoire (nm) II 2 V
lâche (adj) III 1 V
lagon (nm) I 3 D
lame (nf) I 3 D
lance (nf) IV 3 V
lancer (v) III 3 V
landau (nm) I 2 V
lanière (nf) I 1 D
larguer (v) I 3 V
lascar (nm-fam) IV 1 D
laxisme (nm) I 1 V
légiste (adj) II 4 D
légitime (adj) I 4 D
leurrer (se) (v) I 3 V
levier (nm) II 2 V
lézard (nm) III 4 V
liane (nf) IV 3 V
libellule (nf) III 4 V
libéralisme (nm) I 4 D
libérer (v) IV 1 V
licencier (v) I 4 V
limpide (adj) III 4 V
liquide (adj) II 2 V
livide (adj) II 4 V
logique (nf) II 4 V
loterie (nf) IV 2 D
lutte (nf) I 3 D

M

machination (nf) III 4 V
mâchoire (nf) IV 3 D
maçon (nm) I 1 D
mage (nm) II 4 V
magicien (nm) II 3 V
maintenir (v) II 3 D
majeur (adj) II 3 D
mâle (nm) III 4 V
malfaiteur (nm) IV 1 V
malin (adj) IV 1 D
manège (nm) II 3 V
manette (nf) II 2 V
manière (nf) III 4 V
maniéré (adj) III 3 V
maniérisme (nm) III 3 D
manivelle (nf) II 2 V
manœuvre (nf) I 1 D
manoir (nm) II 3 D
maquette (nf) I 3 V
maquis (nm) I 2 D
maritime (adj) III 4 D
marmot (nm) I 2 V
marre (fam) II 1 D
marrer (se) (v) (fam) IV 4 V
marteau (nm) I 1 V
masque (nm) IV 3 V
masse (nf) II 2 V
mat (adj) III 3 V
maternité (nf) I 4 V
matière (nf) II 2 D
mécanique (nf) II 2 V
médiocre (adj) I 1 D
médisance (nf) II 1 D
méditer (v) II 4 V
menace (nf) III 4 D
mendiant (nm) I 1 V
mendier (v) I 1 V
menottes (nf) IV 1 V
menu (adj) IV 2 D
menuisier (nm) I 1 V
mercier (nm) I 1 V
mercure (nm) IV 3 V
mesquin (adj) III 2 D
métal (nm) I 1 D
météorite (nf *ou* m) II 4 D
méthode (nf) III 4 V
microbe (nm) III 4 V
miel (nm) III 4 V
migrant (nm) I 1 V
migration (nf) I 1 D
milieu (nm) IV 1 V
militer (v) II 3 D
mine (nf) IV 3 D
mineur (nm) IV 3 V
miniature (nf) I 2 D
miniaturiser (v) IV 4 D
mirage (nm) I 3 V
miser (v) IV 2 V
misère (nf) I 1 V
missile (nm) II 4 D
mobiliser (se) (v) III 4 D
mode (nf) IV 3 D
moindre (adj) II 2 D
moine (nm) II 4 D
moineau (nm) III 4 V
moral (nm) I 4 D
morceler (v) II 3 V
mordant (adj) III 3 D
motiver (v) III 1 D
mouette (nf) III 4 V
mouler (v) I 1 V
multinationale (nf) II 2 D
multitude (nf) I 2 D
murmurer (v) IV 4 V
myope (adj et n) IV 2 V
mythe (nm) II 3 V

N

naïf (adj) I 3 D
naturaliser (v) I 1 D
naufrage (nm) I 3 V
naviguer (v) I 3 V
navire (nm) I 3 V
négliger (v) III 2 V
négocier (v) I 4 V
nerf (nm) III 4 V
net (adj) III 4 V
neurone (nm) III 4 V
nomade (nm) IV 3 V
nourrisson (nm) I 2 V
noyau (nm) II 2 V
nul (p. ind) IV 2 D
numération (nf) II 3 D

O

oasis (nf) IV 3 V
objection (nf) III 2 V
obsédé (nm) III 4 V
odieux (adj) I 1 V
ongle (nm) IV 2 D
opiniâtre (adj) I 2 V
oratoire (adj) IV 4 V
ordonner (v) III 4 V
ordure (nf) III 4 V
organe (nm) II 2 D
orner (v) II 3 V
orphelin (nm) I 2 V
orteil (nm) IV 3 D
otage (nm) IV 1 V
ouragan (nm) I 3 V
outrer (v) I 4 V
ouvrage (nm) IV 2 D

P

pâlir (v) II 4 V
palmier (nm) IV 3 V
palper (v) III 1 V
panique (nf) II 1 D
pantouflard (adj) III 1 D
papillon (nm) III 4 V
paquebot (nm) I 3 V
paradis (nm) I 3 D
parier (v) IV 2 V
paroi (nf) III 1 D
particularité (nf) II 3 D
parrainage (nm) I 3 D
parrainer (v) III 3 V
parvenir (v) I 3 D
pâtissier (nm) IV 4 V
patois (nm) IV 4 V
patronner (v) III 3 V
pavoiser (v) II 3 V
pédalo (nm) I 3 V
pèlerin (nm) IV 3 D
pellicule (nf) III 2 V
peluche (nf) I 2 V
penchant (nm) II 1 V
percer (v) II 2 V
perceuse (nf) I 1 V
péremptoire (adj) IV 4 V
perforer (v) II 2 V
performance (nf) II 2 D
périr (v) I 3 D
perle (nf) IV 3 V
perroquet (nm) III 4 V
persister (v) II 1 V
perspective (nf) I 2 D
perspicace (adj) II 4 V
persuader (v) I 3 D
pesanteur (nf) II 2 V
pétard (nm) II 3 V
pétition (nf) I 4 V
peuplade (nf) IV 3 V
phénomène (nm) IV 4 D
pic (nm) III 1 V
piège (nm) III 4 V
piéger (v) II 3 D
pile (nf) II 2 D
pincer (v) I 1 V
pincé (pp) III 3 V
pincement (nm) IV 2 D
pingouin (nm) III 4 V
pion (nm) IV 2 V
piqûre (nf) III 4 V
pirogue (nf) I 3 V

pitrerie (nf) IV 4 V
pivot (nm) II 2 V
plaindre (v) IV 2 D
plan (nm) III 2 V
planète (nf) II 4 V
planification (nf) I 4 D
planquer (v) I 3 V
plaque (nf) III 1 D
plaquette (nf) III 3 V
plier (se) (v) I 2 D
plomb (nm) IV 3 V
plombier (nm) I 1 V
plongée (nf) III 1 D
poignet (nm) IV 3 V
point (nm) II 2 D
polir (v) IV 3 V
polisson (adj) I 2 V
politicien (nm) I 4 V
polluer (v) III 4 V
poltron (nm) II 4 V
pondéré (adj) I 2 V
porte-parole (nm) IV 1 D
poster (nm) III 3 V
poterie (nf) I 1 D
pou (nm) III 4 V
poubelle (nf) I 4 D
pouce (nm) IV 3 V
poudroiement (nm) I 2 D
poumon (nm) IV 3 V
pourri (adj) III 3 V
poursuivre (v) II 1 V
poussette (nf) I 2 V
poussière (nf) III 4 V
poutrelle (nf) IV 1 D
précipice (nm) III 1 V
précoce (adj) I 2 V
préjugé (nm) II 4 V
préoccupation (nf) III 2 D
pressentiment (nm) IV 3 D
pressentir (v) IV 2 D
pression (nf) II 2 V
prestation (nf) IV 2 V
prestidigitateur (nm) II 3 V
présumer (v) IV 1 D
prêter (v) III 2 D
prime (nf) I 4 V
principe (nm) II 2 V
privilégier (v) III 1 V
procédé (nm) III 4 V
procéder (v) II 3 D
procurer (v) IV 2 D
profiler (v) III 1 V
prohiber (v) I 2 V
prolonger (se) (v) II 1 V
promotion (nf) II 2 D
prophète (nm) IV 3 D
proscrire (v) I 2 V
prospère (adj) I 1 D
prouesse (nf) III 1 D
prouver (v) II 4 V
proverbe (nm) II 3 V
puce (nf) II 2 V
puéril (adj) I 2 V
puits (nm) IV 3 V
pulvériser (v) II 4 D
purgatoire (nm) IV 3 V

Q

quelconque (adj. ind) IV 2 D
quémander (v) I 3 V
querelle (nf) I 4 D
quereller (se) (v) II 1 V
quincaillier (nm) I 1 V

R

rabot (nm) I 1 V
racisme (nm) IV 3 V
racontar (nm) IV 4 V
radeau (nm) I 3 V
radiation (nf) II 2 V
radoter (v) IV 2 V
rafale (nf) I 3 V
raisonnement (nm) II 4 V
raisonner (v) II 4 V
râler (v) I 4 V
rapt (nm) IV 1 V
ratatiner (v) IV 2 D
rate (nf) IV 4 D
ravin (nm) III 1 V
rayon (nm) I 2 D
réacteur (nm) II 2 V
réagir (v) II 2 D
rebuter (v) IV 2 D
réchauffer (v) II 3 D
récif (nm) I 3 D
recommandation (nf) III 2 V
reconstituer (v) II 2 D
recruter (v) II 4 D
rectifier (v) IV 1 V
récupération (nf) IV 1 D
réfléchir (v) II 2 V
refléter (v) II 4 V
refuge (nm) I 1 D
regagner (v) I 4 D
regrouper (v) II 3 V
rejeter (v) I 1 V
réjouir (v) II 1 D
relâcher (v) IV 1 V
reléguer (v) I 1 V
relique (nf) IV 3 V
remanier (v) III 2 D
remboursement (nm) IV 2 V
remontant (nm) I 1 D
rémunérer (v) IV 1 V
renfermer (v) II 3 V
renforcer (v) I 4 D
renoncer (v) III 2 V
répartir (v) III 4 V
repérer (v) III 1 D
répertorier (v) III 4 V
répit (nm) I 2 D
replier (se) (v) II 3 D
réprimer (v) I 4 V
reptile (nm) III 4 D
répulsion (nf) III 1 V
réputation (nf) IV 4 V
réseau (nm) II 2 V
réserver (v) I 1 D
résidu (nm) III 4 V
résistance (nf) II 2 V
résolument (adv) I 1 D
respectueux (adj) I 3 D
ressort (nm) II 2 V
rétorquer (v) III 2 V
retoucher (v) IV 1 V
révéler (se) (v) II 4 D
revenant (nm) II 4 V
revirement (nm) I 4 V
révolu (adj) III 1 D
révoquer (v) I 4 V
ricaner (v) IV 4 V
rigoler (v) (fam) IV 4 V
rigolo (adj) (fam) IV 4 V
rigorisme (nm) I 1 V
ringard (adj) (fam) III 3 V
risquer (v) III 1 V
rituel (adj) IV 3 V
rivaliser (v) I 1 D
rivet (nm) IV 1 D
robot (nm) II 2 D
rompre (v) II 1 V
rompre (se) (v) IV 1 V
ronfler (v) II 1 V
rouille (nf) IV 1 D
rouler (v) I 3 V
rubis (nm) IV 3 V
ruche (nf) III 4 V
rude (adj) I 2 D
ruer (se) (v) IV 1 D
ruisseler (v) III 1 V

S

sabot (nm) IV 3 D
sabotage (nm) IV 1 V
saboter (v) IV 1 V
sacrifier (v) I 4 V
salaire (nm) I 4 V
salut (nm) III 1 D
sanctuaire (nm) IV 3 V
sandale (nf) I 1 D
sanguin (adj) II 4 D
saphir (nm) IV 3 V
satellite (nm) II 4 V
satire (nf) IV 4 V
sauterelle (nf) III 4 V
sauvage (nm) III 1 D
sauveur (nm) I 2 D
saveur (nf) II 3 D
scénario (nm) III 2 D
scie (nf) I 1 V
scintiller (v) II 4 V
scorie (nf) III 4 V
scruter (v) I 2 D
secouer (v) IV 4 D
sécuriser (v) III 3 D
sécurité (nf) II 4 D
séduire (v) I 1 D
sensé (adj) II 4 V
sentencieux (adj) IV 4 V
senteur (nf) III 3 V
sépulture (nf) IV 2 V
serment (nm) IV 4 V
serpentin (nm) II 3 V
serre (nf) III 4 D
serrurier (nm) I 1 V
silex (nm) IV 3 V
silhouette (nf) IV 2 D
slogan (nm) III 3 V
smoking (nm) III 2 D
sociable (adj) I 1 V
social (adj) IV 2 D
soi-disant (adj) II 1 D
soin (nm) IV 2 V
solide (adj) II 2 V
solitaire (adj) I 3 D
sollicitation (nf) II 2 D
solliciter (v) I 3 D
solvable (adj) IV 1 V
somnifère (nm) II 1 V
somnoler (v) II 1 V

sondage (nm)	III 3 V
sophistiqué (adj)	III 3 V
sorcier (nm)	IV 3 V
sorcellerie (nf)	II 4 V
sort (nm)	IV 2 V
souder (v)	I 1 V
souiller (v)	III 4 V
soulèvement (nm)	I 4 V
soumettre (v)	I 2 D
soupçonner (v)	II 1 D
soupeser (v)	II 2 D
sous-titré (adj)	III 2 V
soutenir (v)	I 4 V
spectre (nm)	II 4 V
spéculer (v)	IV 1 V
spontané (adj)	II 4 D
stagner (v)	III 1 V
stratagème (nm)	III 4 V
stupeur (nf)	II 2 D
subir (v)	I 4 D
subjuguer (v)	II 1 V
subrepticement (adv)	IV 3 V
subterfuge (nm)	III 4 V
succéder (v)	IV 4 D
succomber (v)	IV 2 V
sueur (nf)	II 1 D
suggérer (v)	III 3 D
supplanter (v)	I 4 V
supplier (v)	I 3 V
suranné (adj)	III 3 V
surplomber (v)	IV 3 D
sursauter (v)	II 4 V
survie (nf)	IV 4 D
survivance (nf)	II 3 D
suspendre (v)	I 2 D
symbole (nm)	III 1 V

T

tabou (nm)	III 2 D
tâche (nf)	I 2 D
tailler (v)	I 1 D
talon (nm)	IV 3 V
tanguer (v)	I 3 V
tapoter (v)	IV 4 D
taquiner (v)	II 3 D
tâter (v)	III 1 V
taux (nm)	III 4 D
teinturier (nm)	I 1 V
téméraire (adj)	III 1 D
témoigner (v)	III 3 D
tenace (adj)	I 2 V
tenaille (nf)	I 1 V
tendre (adj)	III 4 D
terme (nm)	II 3 D
terne (adj)	III 3 V
ternir (v)	III 3 V
terrestre (adj)	III 4 D
terreur (nf)	II 4 V
territoire (nm)	I 1 D
terrorisme (nm)	IV 1 V
téter (v)	I 2 V
thèse (nf)	II 4 D
tiercé (nm)	IV 2 D
timoré (adj)	II 4 V
tinter (v)	II 3 D
tissage (nm)	I 1 D
tisser (v)	I 1 V
tolérer (v)	I 1 V
tombe (nf)	I 4 D
tombeau (nm)	IV 2 V
toque (nf)	IV 3 V
tortue (nf)	III 4 V
totem (nm)	IV 3 V
touche (nf)	II 2 V
touffe (nf)	I 2 D
tourbillonner (v)	III 1 V
tournage (nm)	III 2 V
tournevis (nm)	I 1 V
tradition (nf)	II 3 D
trafiquant (nm)	IV 1 V
traite (nf)	I 1 D
traitement (nm)	I 4 V
traiter (v)	II 3 D
traiteur (nm)	I 1 V
transmission (nf)	II 2 V
trébucher (v)	I 2 D
tressaillir (v)	II 4 V
tribu (nf)	III 1 D
tricher (v)	IV 2 V
trier (v)	III 4 V
trottiner (v)	IV 2 D
truand (nm)	IV 1 V
truc (nm) (pop)	II 4 D
truquage (nm)	III 2 V
truquer (v)	I 3 V
tumultueux (adj)	III 1 D
turban (nm)	IV 3 V
turbine (nf)	II 2 V
turbulence (nf)	II 4 D
turbulent (adj)	I 2 V
typhon (nm)	I 3 V

U

unir (s') (v)	I 4 V
univers (nm)	II 4 V
usage (nm)	II 3 V

V

vaisseau (nm)	II 4 D
valet (nm)	IV 2 V
valeur (nf)	IV 1 V
vandalisme (nm)	IV 1 V
vaniteux (adj)	IV 3 V
vanter (v)	II 1 D
vanter (se) (v)	IV 3 V
velléitaire (nm)	I 2 V
vendange (nf)	I 1 D
venin (nm)	III 4 V
ver (nm)	III 4 V
verbiage (nm)	IV 4 V
véridique (adj)	I 3 V
verrou (nm)	IV 1 V
vieillard (nm)	II 3 D
vigilance (nf)	IV 3 D
vigoureux (adj)	II 3 V
viol (nm)	IV 1 V
virus (nm)	III 4 V
viser (v)	III 3 D
visser (v)	II 2 V
vital (adj)	II 2 D
vitrier (nm)	I 1 D
voilier (nm)	I 3 D
volet (nm)	IV 2 D
voûter (v)	IV 2 V
voyante (nf)	II 4 D

Z

zigzaguer (v)	I 2 D
zinc (nm)	IV 3 V

TABLE DES MATIÈRES

VOCABULAIRE	COMMUNICATION	CIVILISATION
Les métiers Villes et villages	Exprimer la sympathie/ l'antipathie	L'émigration
L'enfance	Exprimer l'obligation et l'interdiction	La peinture française
Le projet La mer L'authentique et l'artifice	Demander Expression de la certitude et du doute	L'administration La Corse
Crises politiques, grèves, révoltes	Exprimer la colère et l'indignation Critiquer Faire référence à quelqu'un	L'histoire de la France depuis 1945
L'amour, la jalousie, la haine Les relations conflictuelles	Expression de l'espoir, du souhait, du regret Expression de la satisfaction et de l'insatisfaction	Le Québec Attitudes et comportements des Français
Découvertes et inventions Sciences et technologie La capacité	Expliquer Exprimer la crainte	L'Europe technologique La Francophonie
Fêtes et folklore La partie et le tout La force et la faiblesse	Interroger Décrire un phénomène linguistique	Régions de France et régionalismes
L'air et le feu Les phénomènes étranges La peur La logique et le raisonnement	Argumenter Construire un raisonnement	La France mystérieuse
Le relief L'exploit et l'aventure	Dire ses goûts et ses préférences	Le sport en France
Le cinéma et la photographie	Convaincre Conseiller Déconseiller	Le cinéma français
La mode – La publicité Les sensations	Proposer – Suggérer Exprimer une opinion	Les modes en France
La pollution – Les animaux Classer L'intelligence et la folie	L'enchaînement des idées	Réserves naturelles et espaces protégés
Dégradation et amélioration La délinquance – L'argent	La probabilité et l'improbabilité	La presse
La vieillesse et la mort Le jeu et la chance	Dire sa connaissance et son ignorance	Santé et protection sociale
Le corps – Les minéraux L'exotisme Les attitudes	La possibilité et l'impossibilité Exprimer la surprise ou l'indifférence	Les vestiges de l'histoire
Honneur et déshonneur Rire et humour	Actes relatifs à la prise de parole	Comiques et humoristes

Références photographiques

p. 8 : Coqueux ; p. 9h : Magnum, Kalvar ; p. 9m : Labat ; p. 96 : Coqueux ; p. 13hg : Scope, Sudres ; p. 13 hd : Rapho, Ledru ; p. 13 bg : Charmet ; p. 13bd : Rapho, Setboum ; p. 14 : Jerrican, Mura ; 16 hg : Bibliothèque des Arts décoratifs ; p. 16hd : Labat ; p. 17hg : Gamma, Bassignac ; p. 17hd : Scope, Barde ; p. 17bg : Scope, M. Guillard ; p. 17bd : Jerrican, Marlaud ; p. 18h : Val de Loire ; p. 18b : Giraudon ; p. 20h : Charmet ; p. 20b : Zefa, Masterfile ; p. 21h : Explorer, Rebouleau ; p. 21b : Charmet ; p. 25h : Exemplorer, Delu ; p. 25m : Sygma, Annebicque ; p. 25b : Sygma, Schachmes ; p. 28hg : Giraudon, Lauros ; p. 28hd : Dagli Orti ; p. 28bg : Dagli Orti ; p. 28bd : Artephot, Held ; p. 29hg : Dagli Orti ; p. 29hd : Giraudon ; p. 29bg : Dagli Orti ; p. 29bd : Giraudon ; p. 30 : Charmet ; p. 31 : illustration réalisée par Antoine de Saint-Exupéry pour son ouvrage Le Petit Prince (c) Éditions Gallimard ; p. 32 : Explorer, Cuny ; p. 33h : Vandystadt, Plisson ; p. 33b : Pix, Halary ; p. 37g : Ministère des PTT ; p. 37d : Sygma, Langevin ; p. 38 : Charmet ; p. 40h : Zefa, Hardorn ; p. 40b : Jerrican, Labat ; p. 41 : Labat ; p. 42g : Explorer, Ferrero ; p. 42hd : Magnum, Griffiths ; p. 42md : Magnum, Larrain ; p. 42bd : Mairie de Paris ; p. 43 : Giraudon, Bridgeman ; p. 44m : Keystone ; p. 44b : Tallandier ; p. 45 : Gamma, Rey ; p. 49h : Dagli Orti ; p. 49m : Giraudon, Telard ; p. 49b : Charillon Paris ; p. 51mg : Explorer, Overseas ; p. 51md : Zefa, Koelsch ; p. 60h : Explorer, Hattenberger ; p. 60b : Jerrican, Gaillard ; p. 61h : Scope, Guillard ; p. 61b : Explorer, Straiton ; p. 65h : Christophe L. ; p. 65md : Christophe L. ; p. 69h : Christophe L. ; p. 69m : BMG ; p. 69b : Seuil ; p. 72-73 : Rapho, Babout ; p. 77hg : Giraudon ; p. 77hd : Giraudon ; p. 77hg : Centre Georges-Pompidou ; p. 77bd : Centre Georges-Pompidou ; p. 80 : extrait du livre mondial des inventions ; p. 81h : Jerrican, Tranaglobe ; p. 81b : Fiat ; p. 84 : Sygma, Annebicque ; p. 85h : Gamma, Le Bot ; p. 85b : Dilasser ; p. 89h : Dagli Orti ; p. 89m : Charmet ; p. 89b : Mairie de Nîmes ; p. 93 : Mairie de Montpellier ; p. 95 : Cahiers du Cinéma ; p. 96 : Dagli Orti ; p. 97h : Dagli Orti ; p. 97b : Succession René Magritte ; p. 101hd : Zefa, Kotoh; p. 101hg : Jerrican, Labat ; p. 101bg : Jerrican, Berenguier ; p. 101bd : Zefa, Rotzel ; p. 140 : Charmet ; p. 105 : Scope, Faure ; p. 112h : Gamma Sport, Faust ; p. 112m : Gamma Sport, Budge-Liaison ; p. 112b : Gamma, Gaillarde ; p. 113 : Gamma Aventurier ; p. 117hd : Gamma, Sander-Liaison ; p. 117hg : Sygma, Randnan ; p. 117bg : Sygma, IFS ; p. 117bd : Christophe L. ; p. 120h : Sygma ; p. 120m : Gamma Sport, Dupont ; p. 120b : Sygma, Giansanti ; p. 121bg : Explorer, Salou ; p. 121 bd : Scope, Faure ; p. 123 : Christophe L. ; p. 124 : Ariane Film ; p. 125h : Sygma, Pierre ; p. 125b : Sygma, Schapiro ; p. 128 : Roger-Viollet ; p. 129h : Charmet ; p. 129mg : Films du Carosse ; p. 129md : Fechner Film ; p. 132 : Christophe L. ; p. 133h et mh : Christophe L. ; p. 133mb : Magnum, Haas ; p. 133b : Gaumont ; p. 136-137 : Pascal Pinet ; p. 141hd : Zefa, Photofile ; p. 141hg : Zefa ; p. 141bg : Pankotay-Saquoia ; p. 141bd : MGV International ; p. 144 : Yves Saint-Laurent ; p. 146 : TBWA ; p. 148g : Zeaf, Bormann ; p. 148d : Jerrican, Ivaldi ; p. 149 : Sygma ; p. 152 : Gamma, Aventurier ; p. 153h : Éditions Robert Laffont ; p. 153mg : Sygma, Collard Odinetz ; p. 153md : Sygma ; p. 153b : Gamma, Rannou ; p. 157h : Comité départemental du Tourisme des Hautes-Pyrénées ; p. 157mg : Gamma, Deweerdt ; p. 157md : Scope, Sudres ; p. 157b : Jacana, Suinot ; p. 164 : Charmet ; p. 169hg : Sygma, Annebicque ; p. 169hd : Gamma, Lochon ; p. 169b : Sygma, Vauthey ; p. 172 : Charmet ; p. 173h : Sygma, Andanson ; p. 173b : Sygma, Raeny ; p. 176-177 : Charillon, Paris ; p. 181hg : Gamma, Maître ; p. 181d : Christophe L. ; p. 181bg : Centre Georges-Pompidou ; p. 184 : Sygma, Pavlosky ; p. 185 : Gamma, Duclos ; p. 188h : Rapho, Camerapix ; p. 188b : Musée de l'Homme, Henri de Lumley ; p. 189g : Sygma, Graham ; p. 189d : Dagli Orti ; p. 193h : Dagli Orti ; p. 193b : Christophe L. ; p. 196h : Sygma, Annebicque ; p. 196m : Explorer, Ribieras ; p. 196b : Charmet ; p. 197 : Gamma, Loviny ; p. 198 : Magnum, Riboud ; p. 200 : Eberoni, Le centaure mécanique, Les Humanoïdes associés ; p. 201 : Bilal ; p. 207 : Pix, Choquet ; p. 210 : Coqueux ; p. 214hg : Pix, Perrin ; p. 214hd : Zefa, Ricatto ; p. 214b : Pix, Guerrier.

ADAGP : p. 29 : Derain, trois personnages assis sur l'herbe ; p. 97 : Magritte, la reconnaissance infinie ; p. 29 : S. Delaunay, la danseuse.

SPADEM : p. 77 : Arman, colère de violon ; p. 77 : Arroyo, espoir et désespoir d'Angel Ganivet ; p. 181 : Balthus, Katia lisant ; p. 29 : Braque, paysage de l'Estaque ; p. 77 : Monory, for all that we see.

Iconographie : Atelier d'Images.

Édition : Michèle GRANDMANGIN.

Photocomposition : Touraine Compo.
Photogravure : offset Essonne
N° d'éditeur 10006787 - IV - (145) - (CABMN - 80)
Imprimé en France - Décembre 1991
par Mame Imprimeurs à Tours (n° 27424)